Szeptucha

D1212575

Dotychczas nakładem wydawnictwa ukazały się:

Seria Margo Cook:
Wilk
Wilczyca

Seria diabelsko-anielska:
Ja, diablica
Ja, anielica
Ja, potępiona

Druga szansa

Gwiezdny Wojownik: działko, szlafrok i księżniczka

Pustułka

Seria *Kwiat paproci*:
Szeptucha
Noc Kupały
Żerca

W przygotowaniu tom IV serii *Kwiat paproci* pod tytułem *Przesilenie*

KATARZYNA
BERENIKA
MISZCZUK

Szeptucha

wydawnictwo ab

Wydanie I
Warszawa, MMXVI

Dedykuję tę książkę
mojej drogiej świętokrzyskiej Rodzinie.

Drogi Czytelniku,

czy kiedykolwiek zastanawiałeś się, co by było, gdyby Mieszko I nie przyjął chrztu? Czy nadal wierzylibyśmy w pogańskich bogów? Jak dzisiaj wyglądałoby nasze państwo?

Zapraszam Cię w magiczną podróż do innej rzeczywistości...

Katarzyna Berenika Miszczuk

Prolog

– Panie, urodziła się.

Służka pochyliła nisko głowę. Dobrze wiedziała, że patrzenie na władcę jest surowo zakazane. Nie chciała, by ją ukarał.

Mężczyzna siedzący na czarnym tronie uśmiechnął się ponuro, słysząc tę nowinę. Czekał na to już bardzo długo. Za długo. Czasami zastanawiał się, czy ta chwila w ogóle nastąpi.

Za jego plecami kosmiczne drzewo szumiało cicho, wyciągając gałęzie ku nieskończoności. Władca uparcie milczał. Służka odważyła się posłać w jego stronę jedno krótkie spojrzenie, by sprawdzić, czy usłyszał, co powiedziała.

Jego niedbała poza wyrażała znudzenie. Na wąskich, sinych wargach błąkał się uśmiech. Był zadowolony.

Czarne, półdługie włosy opadały mu na zmarszczone czoło i rzucały cień na rzymski nos. W jej władcy było coś, co przypominało drapieżnego ptaka gotowego do ataku. Nie wiedziała, czy sprawiał to ostry zarys nosa, czy zimne czarne oczy bezwzględnego mordercy, którym był.

Bała się go.

– Dobrze. – Jego głos brzmiał jak zgrzyt żelaza po szkle. – Teraz musimy tylko poczekać. Już niedługo spełni nasze żądania. A wtedy świat będzie nasz...

***

Las szumiał cicho, choć delikatny wiatr zdawał się w ogóle nie poruszać gałęziami. W samym jego sercu, ponad zielonymi koronami jodeł, sosen i buków, dominowała rozłożysta zieleń sędziwego dębu. Dąb miał ponad sześćset lat i był najstarszym drzewem w całym kraju. Jego cztery główne konary dokładnie wskazywały kierunki świata: północ, południe, wschód i zachód.

Wśród listowia rozległo się ciche gruchanie białego gołębia. Drobny ptak przysiadł na najniższej gałęzi. Przestąpił niecierpliwie z nóżki na nóżkę, wbijając czarne pazurki w korę. Otrzepał piórka zniecierpliwiony.

Mężczyzna kucający pod drzewem podniósł wzrok i bez lęku spojrzał na gołębia.

– Doniesiono mi, że dzisiaj się narodziła. – Jego głos był suchy.

Gołąb zatrzepotał skrzydłami, a następnie wzniósł się w powietrze i odleciał w stronę słońca.

Mężczyzna wstał z klęczek. Za jego plecami olbrzymi niedźwiedź brunatny ziewnął rozdzierająco.

– Już idę, spokojnie – powiedział do niego. – Tylko się napiję.

Pochylił się nad źródełkiem, które wybijało spod skały obok dębu. Nabrał w spracowane dłonie trochę krystalicznie czystej wody i zaspokoił pragnienie.

***

Starzec pociągnął duży łyk z butelki i beknął głośno. Mszczuj nie był dobrym kapłanem, a tym bardziej wróżem. Każdy mieszkaniec Bielin, niedużej wsi założonej jeszcze w XV wieku, a kto wie, czy nie wcześniej, zdawał sobie z tego sprawę.

Wiedział o tym również sam Mszczuj. Nie potrafił nawet policzyć, ile razy wmawiał ludziom, że zobaczył coś w ogniu albo we wnętrznościach rytualnie zabitego koguta, choć w rzeczywistości niczego tam nie było.

Westchnął głośno i pociągnął kolejny łyk czwórniaka własnego wyrobu. Bliżej mu było do źle przefiltrowanego bimbru zmieszanego z odrobiną miodu dla smaku niż do prawdziwego miodu pitnego, ale nie robiło mu to większej różnicy.

Czasem gryzło go sumienie, że nie stara się wystarczająco mocno, a przecież mógłby obdarzać lokalną ludność większym wsparciem duchowym.

Na szczęście takie myśli dopadały go bardzo rzadko, zwykle gdy był trzeźwy. Z tego też powodu nieczęsto bywał w tym stanie.

Zerknął na małe palenisko zbudowane pośrodku chaty na gołym klepisku. Mruknął pod nosem, przeklinając warunki, w jakich musi pracować, i poprawił rożen, na którym piekły się trzy kiełbaski. Od niechcenia splunął w ogień.

Nagle płomienie podniosły się pod sam sufit drewnianej chałupy. Mszczuj zerwał się na równe nogi. Już dawno czegoś takiego nie widział.

– Przepowiednia – wyszeptał.

Języki ognia zawirowały gwałtownie i zaczęły układać się w niepokojące obrazy. Mężczyzna zobaczył niewyraźną postać małego dziecka, które dorasta, zmieniając się w kobietę. Dookoła kobiety wyrósł płomienny las. Płomienna sylwetka schyliła się i coś podniosła. Obraz zmienił się, ukazując Mszczujowi kwiat. Kwiat, którego nigdy wcześniej nie widział.

Następnie płomienie znikły tak samo niespodziewanie, jak się pojawiły. Wróż znowu miał przed sobą małe palenisko, nad którym wisiał ruszt z trzema kiełbaskami. Z tą różnicą, że spalonymi na węgiel.

– Muszę jej szybko o tym powiedzieć! – wykrzyknął do samego siebie i wybiegł z chaty.

Mimo szczerych chęci nie udało mu się szybko do niej dobiec. Płócienne portki co kilka kroków zsuwały mu się z tyłka, a wiatr wpychał mu do oczu skołtunione, zbyt długie włosy.

Tuż pod jej domem zatrzymał się zasapany i oparł ciężko o przechylony drewniany płot. Z tych emocji zupełnie zapomniał, że mieszkała daleko za wsią. Uznał, że to bardzo niepraktyczne.

– Cholerne Góry Świętokrzyskie – jęknął, szarpiąc za bramę prowadzącą do jej chaty.

Załomotał w drzwi.

Otworzyła mu zirytowana starsza kobieta, ściskając śmierdzący spalenizną garnek. Spojrzała z niesmakiem na butelkę w jego dłoni, którą odruchowo zabrał ze sobą.

– Czego? – warknęła.

– Czy dostałaś...? – zaczął, ale kobieta przerwała mu, unosząc ręce z zakopconym garnkiem.

– Dostałam wiadomość – warknęła. – A to był mój obiad. Musimy dać mu do zrozumienia, że powinien być odrobinę subtelniejszy.

1.

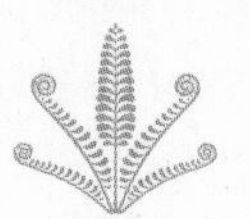

Pianie koguta obudziło mnie brutalnie. Brzmiało, jakby wstrętne ptaszysko było właśnie bez litości zarzynane.

Jęknęłam i przykryłam głowę puchową poduszką, która dość szybko zaczęła mnie podduszać. Kichnęłam donośnie, kiedy połaskotała mnie w nos nitka z haftu, który własnoręcznie (i trzeba przyznać, że bardzo nieudolnie) wykonałam jakiś czas temu na poszewce. Zrzuciłam poduchę na podłogę i wbiłam spojrzenie w sufit.

Nienawidzę tego budzika. Na wszystkich znanych mi bogów przysięgam, że nienawidzę tego dźwięku. Nie wiem, po co mama go kupiła. Nie wiem, jakim cudem mogła dojść do wniosku, że będzie mi się podobał.

Rozżalona usiadłam w pościeli i odrzuciłam kołdrę. Płócienna koszula nocna przykleiła mi się do ciała. Westchnęłam ciężko. Zawsze w nocy przykrywam się kołdrą, nawet jak jest gorąco. Mam teraz za swoje.

Pokój zalany był światłem. Przez otwarty lufcik wpadał świeży zapach chłodnego poranka i koni.

Zmarszczyłam nos. Nigdy nie miałam nic do koni. Uważam, że to piękne zwierzęta, ale nie oszukujmy się... różami to one nie pachną.

Wstałam i oparłam się o stary, poznaczony siatką pęknięć, marmurowy parapet. Z wysokości pierwszego piętra przyglądałam się ruchliwej warszawskiej ulicy. Kierowcy samochodów spieszyli w sobie tylko znanych kierunkach, a konni policjanci jak zwykle stali pod naszą kamienicą. To od nich tak śmierdziało.

Cicho zagwizdałam pod nosem. Może nie pachnieli zbyt pięknie, ale z pewnością było na co popatrzeć. Dwóch dobrze zbudowanych młodych funkcjonariuszy dumnie prezentowało ułańskie mundury, w które odziana była warszawska policja. Długie szable u ich boków odbijały blask słońca.

Pogoda była piękna. Mogłam się założyć, że w południe zrobi się bardzo ciepło. Nie do wiary, że dopiero zaczynał się luty! Meteorolodzy także nie mogli się nadziwić anomaliom pogodowym. Zima była niezwykle łaskawa w tym roku. Pierwszy raz od co najmniej kilkuset lat nie spadł ani jeden płatek śniegu. Ziemia zdawała się nie móc doczekać pierwszego dnia wiosny i przyjścia Jaryły, swojego kochanka.

Usłyszałam za sobą delikatne pukanie do drzwi.

– Gosia? Wstałaś?

– Tak, mamo, zaraz przyjdę – odpowiedziałam.

– Robię jajecznicę – poinformowała mnie jeszcze rodzicielka, po czym usłyszałam jej oddalające się kroki.

Westchnęłam po raz ostatni, patrząc na muskularne sylwetki młodych policjantów. Z jednym z nich chodziłam kiedyś do podstawówki. Był wtedy niższy ode mnie i pryszczaty. Kiedy tłukłam go na boisku podczas przerwy, nie mogłam podejrzewać, że osiągnie wzrost koszykarza.

Zdecydowanie powinnam znaleźć sobie faceta. Jeszcze chwila i któraś z ciotek powie mi, że jestem starą panną... Właściwie to dziwne, że jeszcze nie doszły do takiego wniosku.

Rozzłoszczona źle rozpoczętym porankiem zatrzasnęłam lufcik i spojrzałam na elektroniczny budzik, który co rano piał jak zarzynany kogut. Jeden z szalenie ostatnio modnych słowiańskich gadżetów. Zupełnie nie rozumiałam tego nowego trendu. Kto normalny w XXI wieku chciałby powracać do czasów słomianych dachów i chlewu pełnego świń?

Gdzieś za ścianą u sąsiadów odezwało się pianie koguta. No cóż, najwyraźniej wszystkich, łącznie z moją mamą, ogarnęło to szaleństwo.

Zaplatając w gruby warkocz sięgające mi do bioder włosy, z których byłam bardzo dumna, przyglądałam się podejrzliwie specyfikom mamy rozstawionym na półce w łazience. Pomiędzy opakowaniami kremów przeciwzmarszczkowych drogich zachodnich firm stały woreczki i puzderka, które mama kupiła u lokalnej szeptuchy.

Tak, dokładnie – kupiła je u szeptuchy, czyli szalonej wsiowej baby sprzedającej za olbrzymie pieniądze ziółka znalezione w lesie.

Była to kolejna rzecz, która nie mieściła mi się w głowie. Choć właściwie rozumiem trochę to całe „jesteśmy Słowianami". Jako jeden z ostatnich krajów Europy Wschodniej możemy pochwalić się monarchą – królem Mieszkiem XII.

Nasz władca, na szczęście całkiem rozgarnięty, dobrze włada olbrzymim krajem. Nawet udało mu się podpisać pakt o nieagresji z Mocarstwem Rosyjskim. Oni nie mają już cara. Bardzo inteligentnie obalili go jakiś czas temu i teraz dostają za swoje. Podatki takie same plus nie można już pędzić samogonu, bo prezydent zakazał.

Opłukałam twarz w wodzie i przyjrzałam się krytycznie swojej twarzy, szukając pierwszych zmarszczek. Dotknęłam cieniutkiej skóry dookoła oczu i przejechałam palcem po czole. Na próbę skrzywiłam się szpetnie. Z pewnością będę miała kiedyś brzydkie zmarszczki mimiczne. Niedawno skończyłam studia, zaraz pójdę do pierwszej pracy, to i one się pewnie niedługo pojawią...

Czym prędzej powinnam znaleźć faceta, zanim to nastąpi. Koniecznie. Postanowiłam do tego czasu przestać się uśmiechać i marszczyć. Tak na wszelki wypadek!

Wzięłam do ręki nowy nabytek mamy, który sądząc po zapachu, składał się głównie z miodu i jakichś ziółek. Odstawiłam go z powrotem zniechęcona zarazkami, które mogły rozwijać się w środku, i jeszcze raz pokręciłam głową. Moja kochana rodzicielka stanowczo zbyt mocno wczuwała się w naszą rodzimą kulturę.

Mama od dziecka wpajała mi szacunek do naszej historii, władcy, słowiańskich tradycji, no i oczywiście bogów.

Ciekawe, co by było, gdyby Mieszko I przyjął chrzest. Czy byłabym teraz chrześcijanką? Nie musiałabym nosić tej obrzydliwej kwiecistej spódnicy w każde święto państwowe?

Szczerze żałowałam, że historia nie potoczyła się inaczej. Chociaż z drugiej strony Królestwo Polskie jest jednym z najpotężniejszych w Europie. Biedy u nas nie ma, bezrobocie prawie zerowe. Pewnie mogło być gorzej.

Gdybać mogłam i do wieczora. Na nic by się to nie zdało.

– Gosia! – krzyknęła mama z kuchni. – Chodź na śniadanie! Bo się spóźnisz.

Wsunęłam stopy w wysokie czarne szpilki na czerwonej podeszwie i poprawiłam równie czarną garsonkę. Dzisiaj miałam odebrać dyplom ukończenia uczelni i skierowanie na praktyki. Ostatnie praktyki w moim życiu, a jednocześnie pierwszą pracę. Od dzisiaj będę panią swojego losu. Ja, Gosława Brzózka, lekarka.

Weszłam do kuchni, gdzie mama czekała z patelnią. Nałożyła mi solidną porcję jajecznicy.

– Moja córeczka. – Poklepała mnie po ręku.

Widziałam w jej oczach dumę. Byłam pierwszą osobą w rodzinie, która skończyła studia medyczne.

– Trochę się denerwuję – wyznałam, przełykając szybko.

– Czym? – zdziwiła się.

– Tymi praktykami. Nie wiem, czy znajdę gdzieś miejsce. Najchętniej odbębniłabym je w kilka miesięcy, żeby potem dostać jakąś robotę w przychodni.

– Gosia! – zgorszyła się mama.

– Co?

– Nie możesz mieć takiego podejścia. Te praktyki są bardzo ważne. Pozwolą ci zdecydować, czy będziesz chciała zostać lekarzem, czy szeptuchą.

– Mamo, prędzej umrę, niż zostanę szeptuchą – warknęłam.

– Ale czemu?

Szczytem marzeń mojej mamy było, żebym została jedną z tych wsiowych bab, które robią podejrzane medykamenty. Na studiach tłumaczyli nam, że szeptuchy to bardzo ważny element medycyny w Królestwie Polskim. Prawie każde mniejsze miasteczko albo wieś miały przynajmniej jedną własną szeptuchę. Poza robieniem niedziałających kremów do twarzy odpowiadały za podstawową diagnostykę i szybkie udzielenie pomocy. To one decydowały, czy chory powinien jechać do przychodni lub szpitala. Stanowiły pierwszą linię obrony polskiej medycyny – sito, które odsiewa naprawdę chorych od pozorantów i hipochondryków.

Wiedziałam, że są bardzo potrzebne. Bez podstawowej opieki system medyczny w naszym kraju upadłby już dawno. Medycyna zrobiła się bardzo droga. Każde badanie i zabieg generuje ogromne koszty. Szeptucha, która sprawnie wyleczy sporządzaną przez siebie maścią albo kroplami, znacznie odciąża skarb królestwa.

Wszystko pięknie, ale ja nie widziałam się w tej roli. Poza tym to podejrzane, że tylko kobiety mogą być szeptuchami. Coś mi tu zalatuje męskim szowinizmem...

Rozumiałam też, że mama chciała dla mnie dobrze. Szeptuchy były tak zwaną prywatną służbą zdrowia, natomiast lekarze państwową. Jak nie wiadomo, o co chodzi, to chodzi o pieniądze. Szeptuchy znacznie lepiej zarabiały. Chyba że mieszkały w bardzo małych wsiach. Wtedy w ramach zapłaty dostawały jajka i ziemniaki.

Jajka z ziemniakami... szaleję z ekscytacji na myśl o takim bogactwie...

Poza tym nasz bogobojny naród nadal jest święcie przekonany, że szeptuchy potrafią rzucać uroki, więc są nietykalne. Nie można ich okraść, bo mogą ci odpaść ręce, nie można być dla nich niemiłym, bo straci się głos. Zabić takiej też nie można. No bo co będzie, jak wstanie z martwych?

No ludzie... żyjemy w XXI wieku!

– Mamo, nie będę nikogo kurować okładem z jakiejś zdechliny – mruknęłam. – Ja chcę leczyć, a nie oszukiwać ludzi! Już i tak w głowie mi się nie mieści, że muszę jechać na rok na praktyki do jednej z tych bab...

Wręcz nie mogę się doczekać, kiedy będę łazić z szeptuchą po lesie (i łapać kleszcze...), zbierać korzenie (i łapać tężec...), zabijać leśne puchate zwierzątka do swoich wróżb oraz magicznego gulaszu (i łapać wściekliznę...). Nawet nie chcę myśleć, co jeszcze mogę złapać w lesie. Nie cierpię przyrody, tej całej brudnej ziemi, robaków i zwierząt. O wiele lepiej czuję się w wybetonowanej Warszawie.

– Mam nadzieję, że uda mi się załapać na praktyki do takiej spod miasta. Przynajmniej nie będę musiała nigdzie wyjeżdżać, zwłaszcza na jakieś zadupie – dokończyłam.

– Gosławo! – oburzyła się mama.

Oho, chyba przegięłam. Zawsze kiedy była zła, zwracała się do mnie pełnym imieniem.

– Po prostu uważam, że głupotą jest po tylu latach studiów l e k a r s k i c h – podkreśliłam ostatnie słowo – wybierać zawód szeptuchy. Równie dobrze mogłam się w ogóle nie uczyć.

– To, że szeptuchy nie wypisują recept, nie znaczy, że są kimś gorszym. Uważam, że bardzo dobrze zrobią ci te roczne praktyki. Może wreszcie to zrozumiesz i nabierzesz trochę pokory.

– Jeszcze zobaczymy, czy będą roczne. Może uda mi się coś zachachmęcić, żeby wcześniej dostać zaliczenie. Sława zna jakąś szeptuchę...

– Nie – przerwała mi. – Znalazłam już szeptuchę, do której mogłabyś iść na termin. Nawet zadzwoniłam do niej w tej sprawie. Obiecała zatrzymać u siebie wolne miejsce. Była tak miła, że nawet zaoferowała się, że zadzwoni na twoją uczelnię.

Spojrzałam na nią podejrzliwie. Nie podobało mi się to.

– Gdzie? – zapytałam.

– W Bielinach. – Uśmiechnęła się radośnie. – Będziesz mogła pojechać w rodzinne strony.

Zerwałam się na równe nogi.

– Nie! Na litość boską, nie chcę jechać do Bielin! Tu jest całe moje życie! Jestem dorosła. Nie możesz mi niczego kazać.

– Nie zamierzam ci niczego kazać. Z tego, co mówiłaś, wynika, że i tak gdzieś cię wyślą. To chyba lepiej, że trafisz do naszej wsi. Będziesz miała okazję odwiedzić pradziadków.

– Mamo, pradziadkowie nie żyją...

– Dawno nikt nie sprzątał ich grobów na cmentarzu w Bielinach.

Miałam ochotę głośno przekląć. Samej jej się nigdy nie chciało tam jechać, ale nie ma najmniejszych wyrzutów sumienia, żeby wysłać mnie w tę głuszę na cały rok. Usiadłam z powrotem.

– Może Sława... – zaczęłam, ale urwałam zawstydzona własną naiwnością.

Mama miała rację. Było bardzo mało szeptuch w pobliżu Warszawy. Duże miasta, takie jak stolica Królestwa Polskiego, zamieszkiwali głównie ludzie o takich poglądach jak ja. Uważali, że jest fajnie, dopóki działa internet i telefony.

A w lesie, jak wiadomo, nie działa ani jedno, ani drugie. Istniała więc spora szansa, że nie uda mi się dostać do żadnej z podmiejskich szeptuch na praktyki. Pewnie pierwszeństwo będą mieli ci, którzy osiągnęli najwyższe średnie ocen z egzaminów na studiach. Mogę się nie załapać.

Wątpliwe też, że moja szalona koleżanka Sława, poznana kilka lat temu na kursie zumby, będzie mogła coś zmienić w tej kwestii. Wspominała, że ma znajomą szeptuchę, ale to nie było nic wiążącego.

– Czyli i tak pojedziesz gdzieś, gdzie nie chcesz być – kontynuowała moja rodzicielka. – Czy nie lepiej w takim razie przy okazji poznać swoje korzenie?

Odłożyłam widelec. Zupełnie przeszła mi ochota na jedzenie.

– Może i masz rację... – mruknęłam.

– Roczny pobyt na wsi dobrze ci zrobi. – Uśmiechnęła się. – Jesteś strasznie blada.

Moja mama pochodziła z Bielin, małej wioski niedaleko Łysej Góry. W dzieciństwie byłam tam z nią parę razy. Z tego, co zapamiętałam, to ledwie kilka domów na skrzyżowaniu dróg.

Mama, będąc w moim wieku, wyjechała za pracą do Warszawy. No właśnie – do Warszawy. A nie z Warszawy do Bielin.

Bogowie, będę musiała spędzić rok na wsi. Przerażająca perspektywa... Chociaż z drugiej strony może mama miała nieco racji? I tak gdzieś mnie wyślą. A tam jest ładnie i znam trochę okolicę. Poza tym w odległości jakichś dwudziestu kilometrów są Kielce z kinami, centrami handlowymi i innymi niezbędnymi do życia wynalazkami XXI wieku.

– Przynajmniej szybko wrócę do domu – westchnęłam. – Praktyki zacznę na kilka tygodni przed obchodami Jarego Święta. Pewnie szeptucha da mi urlop, żebym do ciebie przyjechała, co?

– O nie, moja droga! – szybko zaprotestowała mama.

– Co? Zakazujesz mi wrócić do domu na święta? – byłam zdziwiona.

– Uważam, że powinnaś spędzić je tam. Wreszcie zobaczyłabyś, jak naprawdę powinny być obchodzone. W Warszawie zamieniono to w jakąś szopkę. Zwykłe malowanie jajek i polewanie się wodą. Obchody na wsiach trwają kilka dni i są zgodne z tradycją.

– No i co z tego? Chcę wrócić na te kilka dni do miasta. Będę za tobą tęsknić!

I za samym miastem też będę tęsknić, ale wolałam o tym nie wspominać.

– Chciałam na te kilka dni jechać do Egiptu – wyznała mama.

– No i wyszło szydło z worka! – warknęłam.

– Gosiu, przekonasz się, że będziesz się tam świetnie bawić!

– Taa, zobaczymy…

Ale wiedziałam swoje – za żadne skarby nie zostanę szeptuchą. Prędzej umrę!

2.

Zniesmaczona wyszłam z dziekanatu. Mama mówiła prawdę. Tajemnicza szeptucha z Bielin skontaktowała się z panią z sekretariatu w sprawie moich praktyk. Moja obecność w małej wsi pod Kielcami była już przesądzona.

Uroczystość wręczenia dyplomów także trochę mnie zawiodła. Odbyła się w nowo wybudowanej auli. Rektor wygłosił kilka formułek o powołaniu do niesienia pomocy i o empatii, a potem wręczył nam dyplomy. Twierdził, że maluje się przed nami świetlana przyszłość. Nie wiem czemu, ale wyczułam w jego głosie fałsz, w przeciwieństwie do moich znajomych, którzy wydawali się przeszczęśliwi. Mnie się na studiach podobało. Szkoda, że ten etap życia skończył się tak szybko. Nie chciałam iść do pracy i wchodzić w dorosłość związaną z płaceniem rachunków, podatków i składek emerytalnych. W ogóle nie wydaje mi się to zabawne, a tym bardziej świetlane.

Po wyjściu z budynku rektoratu odwróciłam się i spojrzałam na przeszkloną fasadę Uniwersytetu Medycznego. Pożegnałam się z nim w duchu.

W mojej torebce poza dyplomem ukończenia studiów leżała książeczka praktykanta, którą za rok będzie musiała podpisać mi szeptucha.

Siedząc w autobusie, otworzyłam ją i zaczęłam czytać, czego powinnam się nauczyć podczas tego roku. Były tam między innymi następujące podpunkty:

1) Umiejętność zabezpieczenia rannego pacjenta do momentu przyjazdu karetki pogotowia bądź transportu lotniczego.
2) Udrażnianie dróg oddechowych, resuscytacja.
3) Unieruchamianie transportowe złamań i zwichnięć w miejscu zdarzenia lub wypadku.
4) Tamowanie krwotoku.
5) Odbarczanie odmy.
6) Prowadzenie porodu siłami natury.
7) Badanie obwodowego krążenia tętniczego i żylnego, w tym pomiar ciśnienia tętniczego metodą Korotkowa.
8) Drobne zabiegi chirurgiczne: zaopatrzenie chirurgiczne rany, sączkowanie, nacięcie, wyłuszczenie i nakłucie.
9) Usuwanie ciała obcego, woskowiny z ucha.

Wyobraziłam sobie staruszkę w kwiecistej chustce, która usiłuje prawidłowo wykonać resuscytację metodą usta-usta. Ciekawe, czy najpierw musiałaby wyjąć sztuczną szczękę? I to nie tylko tę należącą do pacjenta...

Z pewnym zdziwieniem stwierdziłam, że to nawet nie brzmi tak źle. Może nauczę się czegoś pożytecznego i poćwiczę trochę zdolności manualne? Mój entuzjazm znacznie zmalał, kiedy kilkanaście stron dalej znalazłam następujące fragmenty:

36) Umiejętność rozpoznawania ziół i korzeni oraz prawidłowe zastosowanie ich w domowym lecznictwie.
37) Umiejętność przetrwania w lesie.

54) Rozpoznawanie gatunków węży oraz śladów ich ukąszeń.

Sapnęłam głośno po przeczytaniu tego ustępu. Węże? Do jasnej cholery, węże?! Ja panicznie boję się wszystkich gadów! A także dla pewności żab – nigdy nic nie wiadomo.

Zirytowana wepchnęłam książeczkę do torebki i wysiadłam na swoim przystanku.

Nie chcę tam jechać na cały rok. Dlaczego rząd mi to robi? Czemu po prostu nie pozwolą mi iść do pracy i być dobrym lekarzem? Naprawdę muszę udowadniać swoją wartość przez sikanie w lesie oraz wyjmowanie sobie kleszczy z tyłka?!

Rozgoryczona, z całej siły pchnęłam drzwi kawiarni, w której umówiłam się z przyjaciółką. Metalowa klamka rąbnęła z przeraźliwym trzaskiem o ścianę, z której odpadł kawałek tynku.

Oczy wszystkich znajdujących się w środku osób zwróciły się w moją stronę. Gwar rozmów nagle ucichł.

– Przepraszam – jęknęłam.

Gdzieś w głębi podniosła się ze swojego miejsca czarnowłosa piękność.

– Ludziska, dajcie jej spokój! – ryknęła zadziwiająco mocnym głosem jak na swoją niewielką posturę. – Od dzisiaj jest lekarzem. Każdy byłby zirytowany, jakby od samego ranka musiał grzebać się w czyichś wnętrznościach!

Zainteresowanie moją osobą szybko osłabło. Co więcej, widać było również, że u co niektórych klientów osłabła również chęć do zjedzenia zamówionych ciastek. Jedynie spojrzenia personelu wciąż pełne były złości.

– Dzięki, Sława, teraz pewnie naplują mi do kawy – mruknęłam, opadając obok niej na ławę.

Ciężki zimowy płaszcz, zdecydowanie za ciepły jak na panującą na zewnątrz temperaturę, rzuciłam na krzesełko stojące obok.

Moja przyjaciółka zachichotała radośnie. Kilku mężczyzn odwróciło się w jej stronę.

– Przestań marudzić. Całe życie nie robisz nic innego, tylko marudzisz i narzekasz – stwierdziła i siorbnęła głośno ze swojego kubka. Miała na górnej wardze wąsy z mlecznej pianki.

– To dlatego, że w przeciwieństwie do ciebie nie mam jeszcze kawy...

– Co ci się dzisiaj stało? – Mówiąc to, odrzuciła na plecy długie, czarne włosy.

Zerknęłam na jej tatuaż przedstawiający wijącą się łodygę powoju o lekko różowych kwiatach. Zaczynał się tuż za lewym uchem i biegł wzdłuż szyi aż do obojczyka. Zawsze mnie intrygował. Często wyobrażałam sobie, jak zabawnie Sława będzie wyglądała na starość z taką pecyną na całej szyi.

– Odebrałam dyplom...

– To rzeczywiście tragedia. Wreszcie skończyłaś te wstrętne studia, na których kazali ci kroić trupy i przepytywali z nazw chemicznych składników leków, o czym trułaś mi przez ostatnie kilka lat. Nie wiem, jak będziesz bez tego żyła – zaśmiała się.

Poczułam, jak napięcie powoli mnie opuszcza. Miała rację. Nie powinnam się już tym przejmować.

No... najwyżej odkleszczowym zapaleniem mózgu. Na szczęście jest na to szczepionka. Koniecznie muszę zaszczepić się na wszystko, na co tylko można, przed wyjazdem do tej głuszy.

– Muszę jechać na rok na praktyki – westchnęłam. – Nie chcę wyjeżdżać stąd aż na rok.

Sława wyprostowała się gwałtownie i wbiła we mnie przerażone spojrzenie.

– To dzisiaj? Tak, to dzisiaj miałaś złożyć podanie! O nie! Wiedziałam, że o czymś zapomniałam!

Spojrzałam na nią zdziwiona.

– O czym ty mówisz?

– No bo ja... bo ja... miałam ci polecić tę szeptuchę! – jęknęła i ukryła twarz w dłoniach.

– Spoko, mama już mi znalazła przydział – mruknęłam. – Wyjeżdżam na rok.

– O nie! A dokąd? Na pewno nie na da się tego odkręcić?

– Do Bielin, takiej małej wiochy niedaleko Kielc. A po co to odkręcać? Pojadę na wygnanie. I tak gdzieś muszę...

Sława zaczęła chichotać.

Sięgnęłam po jej kawę i powąchałam zawartość.

– Okej, zachowujesz się co najmniej dziwnie – powiedziałam odstawiając kubek. – Powiedz szczerze, co piłaś?

– Nic, po prostu chciałam ci załatwić staż u tej samej szeptuchy! – ryknęła zadowolona z siebie. – Kto by pomyślał, że wpadniemy z twoją mamą na ten sam pomysł!

– Serio? A skąd znasz szeptuchę w Bielinach?

– Tak! No, bo widzisz, ja właściwie stamtąd pochodzę.

– Żartujesz! Ja też! To znaczy moja mama.

Sława promieniała. Z uśmiechem na ustach dopiła duszkiem kawę i odstawiła kubek z głośnym stukiem, jakby jej latte było toastem.

– A co jest w niej takiego fajnego, że chciałaś, żebym tam pojechała? – zapytałam zaciekawiona.

To nie mógł być przypadek, że dwie najbliższe mi osoby chciały, żebym pojechała w to samo miejsce. Nie wierzyłam w bogów, ale wszystko wskazywało na to, że przeznaczenie najwyraźniej chciało, żebym spędziła ten rok w Bielinach.

– Jarogniewa nie jest taka zła – oświadczyła. – Naprawdę zna się na tym, co robi. Będziesz miała okazję nauczyć się wielu zarąbistych rzeczy.

Jarogniewa? Musiała być koszmarnym noworodkiem, skoro dali jej tak na imię...

– Stara jest?

– A bo ja wiem? Jest szeptuchą w Bielinach, odkąd pamiętam. Pewnie ma z sześćdziesiąt lat, ale zapewniam cię, że trzyma się nieźle. To pewnie przez te kremy, które robi. Polecam! –

Jej oczy rozszerzyły się z podniecenia. – O rany! Byłoby super, gdybyś ty się nauczyła je robić. Ona strasznie dużo sobie za nie liczy. Zna też przepis na obłędną odżywkę do włosów. Musisz, po prostu musisz się nauczyć ją robić.

Genialnie, z lekarza awansowałam na kosmetyczkę.

– Nie ma sprawy – westchnęłam.

– O co chodzi? Nie cieszysz się?

– Nie chce mi się tam jechać aż na rok. Stracę rok z życia.

– A coś cię tu trzyma? – zapytała. – Przecież nie masz męża. Więcej: ty nie masz nawet widoków na męża.

– Przypomnij mi, dlaczego się z tobą przyjaźnię? Bo jakoś zapomniałam.

– Daj spokój! – Klepnęła mnie w ramię i obie się roześmiałyśmy.

Zawsze sobie dogryzałyśmy, ale nigdy nie zdarzyło nam się na siebie obrazić.

– Słuchaj! Coś wymyśliłam! – zawołała, a kilku klientów kawiarni spojrzało w naszą stronę. – Mam w Kielcach mieszkanie. Może pojadę z tobą na rok? Moglibyśmy zamieszkać razem. Zrzuciłybyśmy się na czynsz.

Podobał mi się ten pomysł. Naprawdę bardzo mi się podobał. Nie miałam najmniejszej ochoty mieszkać w jakiejś zapyziałej izbie u szeptuchy. O ile oczywiście posiadała więcej niż jedną izbę.

Z kolei Kielce były całkiem sporym miastem. Tam spokojnie dałoby się pomieszkać bez większego bólu.

Były jeszcze starsze od Bielin. Podobno założył je Mieszko, syn Bolesława Śmiałego, bądź jak kto woli – Bolesława II Szczodrego. Według legendy książę zgubił się podczas polowania w nieprzebytym wówczas lesie rosnącym na miejscu dzisiejszych Kielc. Zmęczony zasnął, nie mogąc znaleźć swoich towarzyszy. Przyśniło mu się, że został napadnięty i otruty, a następnie uleczył się wodą z płynącej w pobliżu Sinicy.

Następnego dnia odnalazł kompanów i wyjechał z lasu. Jednak zanim udało mu się go opuścić, ujrzał odyńca o wspaniałych białych kłach – opiekuna puszczy. Uznał, że to dzik pomógł mu odnaleźć drogę. Wtedy postanowił, że na jego cześć założy w tym miejscu gród i nazwie go Kiełce – od jego kłów.

Bo to takie logiczne, że na cześć dzika postanowił wyciąć w pień las, w którym to biedne zwierzę żyje, nie?

Ech, szczerze nie znosiłam uczenia się w szkole tych wszystkich legend.

– Czemu nie. – Uśmiechnęłam się do Sławy. – Na pewno będzie mi raźniej, jeśli pojedziesz ze mną. Tylko co ty tam będziesz robić?

– Jestem barmanką. Na pewno znajdę sobie jakąś robotę. – Machnęła lekceważąco ręką.

– Jesteś pewna?

– Oczywiście. Mnie w Warszawie zupełnie nic nie trzyma. Nawet nie mam tutaj rodziny. Wszyscy zostali w Kielcach. Poza tym przyda mi się mała zmiana. Znudziło mi się to miejsce. Potrzebuję przygody! Kiedy wyjeżdżasz?

– Za dwa tygodnie.

– O, to super! Załapiemy się na Jare Święto w marcu – ucieszyła się.

– Sława, serio? Chcesz iść na wiejską potańcówkę?

– Czemu nie. – Uśmiechnęła się rozmarzona. – Uwielbiam te tradycyjne obchody. Będzie alkohol, tańce, ognisko... mnóstwo młodych przystojnych facetów. Nie mów, że nie podoba ci się ta perspektywa! Czy ty przypadkiem nie szukasz rozpaczliwie męża?

– Nie przesadzałabym z tym „rozpaczliwie" – zaperzyłam się. – Po prostu fajnie by było sobie kogoś znaleźć.

– Masz obsesję na tym punkcie, wiesz? Nie wiem, po co jest ci potrzebny facet na stałe. Oni przydają się tylko do zabawy.

– Po prostu boisz się zaangażować.

– O nie, ja nie mam żadnego problemu z zaangażowaniem – zaprzeczyła dumnie. – To oni mają problem. Mówię ci, powinnaś się kiedyś po prostu zabawić. A ty zamiast tego odrzucasz wszystkich, szukając tego jedynego.

– Nie będę tracić czasu na idiotów.

– A co, jak ten jedyny nie istnieje?

– Istnieje, istnieje.

– Mówię ci, masz za duże wymagania.

– A ty za małe.

Sława parsknęła śmiechem i potrząsnęła grzywą czarnych włosów. Zauważyłam, że zaczyna mieć odrosty o nieokreślonym kolorze. Moja przyjaciółka to zaciekła fanka farb do włosów. Właściwie nawet nie wiem, jaki jest jej naturalny kolor. Możliwe, że ona też nie wie.

– Nie rozumiem cię.

– Po prostu szukam stabilnego, spokojnego związku.

– Bo niby teraz to prowadzisz takie rozrywkowe życie, że potrzebujesz odmiany? – zakpiła.

– Hej, zaczynasz mieć odrosty – zmieniłam niewygodny temat. – Chyba zagapiłaś się z farbą w tym miesiącu.

– Aż tak widać? – Zmieszała się.

– No, zwłaszcza w przedziałku.

Sława sięgnęła do torby i wyciągnęła z niej czerwoną czapkę z daszkiem. Naciągnęła ją głęboko na czoło.

– Za jakiś czas je ufarbuję.

– A czemu nie teraz? Zamierzasz wciąż chodzić w czapce?

– No, teraz nie mogę, mam okres.

Szczęka opadła mi do podłogi. Miałam nadzieję, że chociaż moja najlepsza przyjaciółka jest normalna.

– O nie! – wybuchnęłam. – Ty też wierzysz w te zabobony?!

– Jakie zabobony? – obruszyła się. – To święta prawda. Farba gorzej wtedy łapie.

– Okej, ja spadam. Zamierzam przez chwilę pobyć jeszcze

z normalnymi ludźmi, zanim wyjadę do tej wiochy. – Wstałam i zaczęłam zbierać swoje rzeczy.

Sława w odpowiedzi pokazała mi język, ale potem się uśmiechnęła.

– No to cześć!

3.

Rozgrzebane walizki porzuciłam w mieszkaniu Sławy, na środku korytarza. Miała dojechać dopiero następnego dnia, więc nie zrobi jej to większej różnicy.

Spojrzałam na zegarek. Dzisiaj mój pierwszy dzień w pracy. Chciałam jak najszybciej dostać się do Bielin, by spotkać się z Jarogniewą. Szeptucha na pewno już na mnie czeka. Pociąg, którym jechałam, miał prawie dwugodzinne opóźnienie, bo jakiś wóz przewrócił się na przejeździe i zatarasował drogę.

Zamknęłam mieszkanie i pobiegłam ulicą Sienkiewicza, szukając jakiegoś kiosku, w którym mogłabym zapytać sprzedawczynię o drogę i kupić bilet na autobus do Bielin. Po kilkunastu minutach biegania dowiedziałam się, że po pierwsze, do Bielin jeżdżą busy i tylko w nich można kupić bilety, oraz po drugie, że poszłam w kompletnie złym kierunku.

Na pocieszenie kupiłam mapę miasta, na której pani z kiosku zaznaczyła mi krzyżykami przystanki, i ruszyłam w stronę najbliższego z nich.

Mimo że dopiero zaczął się marzec, pogoda była piękna. Słońce mocno świeciło, a wiatr ledwo poruszał gałęziami.

Ubrałam się tradycyjnie, bez głębokiego dekoltu. Nie chciałam zrobić złego wrażenia już pierwszego dnia. Włożyłam lekką kremową sukienkę, która u dołu miała namalowane błękitne kwiaty, a na wierzch narzuciłam płaszcz. Na nogi niestety wdziałam czółenka na wysokich obcasach i szczerze tego teraz żałowałam. Zbyt ciasne noski boleśnie gniotły mi palce.

Z ulgą zajęłam miejsce w małym busie i poprosiłam kierowcę, żeby mi powiedział, kiedy dojedziemy do Bielin, bo jadę tam pierwszy raz. Okolica za brudnym oknem pojazdu, w miarę oddalania się od odrobinę średniowiecznych w swojej zabudowie Kielc, robiła się coraz bardziej sielska. Pojedyncze domki porozrzucane pomiędzy polami uprawnymi wyglądały nawet całkiem uroczo na tle masywu Gór Świętokrzyskich.

Nigdy nie byłam na Łysej Górze, gdzie znajdował się usypany z kamieni ogromny krzyż wpisany w koło. Był symbolem Swarożyca, boga ognia. Postanowiłam, że postaram się tam pójść. Na pewno prowadzi tam jakaś cywilizowana droga i nie będę musiała przedzierać się przez żadne chaszcze. W końcu to miejsce kultu.

Bus stanął, a otyły kierowca odwrócił się i zawołał:

– Bieliny!

Złapałam torebkę i podziękowawszy, wyskoczyłam z rozklekotanego pojazdu. Rozejrzałam się dookoła. Otaczały mnie domki jednorodzinne skupione przy głównej drodze. Było ich znacznie więcej, niż zapamiętałam z dzieciństwa. Miasteczko rozrosło się pod moją nieobecność.

Po drugiej stronie ulicy był sklep spożywczy. Gdy wchodziłam do środka, dzwonek nad drzwiami wydał z siebie przeraźliwy dźwięk.

– Dzień dobry, czy mogłaby mi pani powiedzieć, gdzie mieszka szeptucha? – zapytałam sprzedawczynię.

Kobieta otaksowała mnie wzrokiem.

– Nie wiedziałam, że do Jagi przyjeżdżają spoza okolicznych wsi.

Pozwoliłam jej pociągnąć się za język. Prędzej czy później i tak wszyscy się dowiedzą, że jestem jej nową uczennicą. Nietrudno będzie to zauważyć, kiedy przez rok będę się tu kręcić.

– Przyjechałam do niej na staż – wyznałam.

– Och! Chcesz zostać szeptuchą? – ucieszyła się.

– Najwyraźniej nie mam wyboru. – Uśmiechnęłam się kwaśno. – Mogłaby mi pani powiedzieć, jak do niej trafić? Już i tak jestem trochę spóźniona.

– Oczywiście!

Wyprowadziła mnie na zewnątrz i pokazała palcem.

– Widzisz tamto skrzyżowanie? – Poczekała, aż kiwnę głową. – Musisz skręcić w lewo, w drogę prowadzącą do lasu. Ona leci prosto jak w mordę strzelił. Idź nią, aż dojdziesz do kolejnych zabudowań i skrzyżowania. Tam skręcisz w prawo, a potem musisz się trzymać wyasfaltowanej drogi. Ona zaprowadzi cię prosto do domu szeptuchy. To ostatni budynek, tuż pod lasem.

Starałam się zapamiętać szybko wszystkie informacje.

– A to daleko? – zapytałam, myśląc o moich stopach. – Może da się czymś podjechać, jakimś autobusem.

– Przykro mi, skarbie – zaśmiała się. – Musisz dojść pieszo. To niedaleko. Jakieś trzy albo cztery kilometry. Co to dla takiej młodej dziewuchy? Pozdrów, proszę, ode mnie naszą kochaną Jagę.

Poklepała mnie jeszcze po ramieniu i wróciła do sklepu obsłużyć kolejnych klientów. Usiadłam na murku obok spożywczaka i zdjęłam czółenka. Dokładnie obejrzałam swoje pięty. Nie pokonałam wprawdzie dotąd zbyt dużej odległości, ale skóra na obu ścięgnach Achillesa była zaczerwieniona. Zanim dojdę do szeptuchy, pewnie będę miała bąble.

Otworzyłam torebkę i przeszukałam ją dokładnie. W końcu na samym dnie znalazłam kilka plastrów. Schowałam je do kieszeni płaszcza. Teraz nie było sensu zdejmować w krzakach rajstop i ich naklejać. Postanowiłam, że po dotarciu na miejsce zabezpieczę pięty w łazience.

O ile szeptucha ma łazienkę. Zmroziło mnie na myśl, że mogłaby mieć tylko drewniany wychodek.

Czas w drogę! Przewiesiłam torebkę przez ramię i dzielnie ruszyłam w stronę skrzyżowania.

Okazało się, że jest dalej, niż myślałam. Zupełnie jakby z każdym krokiem się oddalało. Gdy wreszcie do niego dotarłam, zasapałam się jak po biegu. Było mi za ciepło w płaszczu, ale nie chciałam go zdejmować, bo musiałabym go nieść w ręku.

Nogi paliły żywym ogniem przy każdym kroku. Czułam, że mam pęcherze od niewygodnego i bardzo niepraktycznego na taką wędrówkę obuwia. Ukucnęłam i spojrzałam na swoje stopy. Spróbowałam zsunąć czółenko z lewej nogi. Nie chciało zejść. Po chwili wiedziałam dlaczego. Wyściółka buta przykleiła się do rajstop... Spojrzałam na krwawą miazgę po pękniętym bąblu i do oczu napłynęły mi łzy.

Za jakie grzechy? Za jakie grzechy bogowie mnie tak karzą?

No cóż, przynajmniej gdy bąbel na lewej pięcie pękł, przestało boleć.

Spojrzałam przed siebie. W oddali majaczyła ściana lasu, do której miałam dojść. Sprzedawczyni miała rację. Droga biegła prosto jak w mordę strzelił.

Z tym że biegła pod górkę...

Spróbowałam zrobić kilka kroków. Nogi bolały mnie coraz bardziej. W końcu zatrzymałam się i klnąc na czym świat stoi, zdjęłam buty, starając się nie myśleć o tężcu (przed przyjazdem ponownie się zaszczepiłam, na wszelki wypadek – a co!), i stanęłam w samych rajstopach na asfalcie. Przez chwilę czułam nawet ulgę, gdy ciasne zgrabne noski pantofli przestały uciskać palce, a piętki dotykać bąbli i ran.

Ulgę czułam do momentu, kiedy dotarło do mnie, jak bardzo asfalt był zimny. Termometry mogły sobie pokazywać kilkanaście stopni w słońcu, jednak ziemia wciąż była zmarznięta. Ruszyłam szybko przed siebie, starając się, żeby moje stopy miały jak najkrótszą styczność z podłożem.

Mimo to byłam przekonana, że złapię katar.

W połowie drogi pod górę poczułam, że nienawidzę mojego życia i że zaraz, nie bacząc na kleszcze, mrówki i węże, położę się na ciągnącej się obok zeschłej łące, żeby chwilę odpocząć.

Mój starannie spięty kok się rozsypał, a spocone włosy co chwila przyklejały mi się do twarzy. Dotknęłam policzków. Były lodowate. Pewnie wyglądam teraz, jakbym przesadziła z różem. Dawno nie padało, więc droga była zakurzona. Wiedziałam, że mam ten kurz na stopach, płaszczu i we włosach. Pełen profesjonalizm. Po prostu pani doktor idzie.

Usłyszałam za sobą stukot podków o asfalt. Posłusznie przesunęłam się na wąskie pobocze, żeby wóz mógł mnie minąć. Droga nie była zbyt szeroka, nie chciałam, żeby o mnie zawadził.

Gdy kilka minut temu przejeżdżał inny wóz, miałam nadzieję, że może załapię się na podwózkę, jednak był tak wypakowany drewnem, że za żadne skarby bym się na nim nie zmieściła. Mogłabym usiąść na koźle obok zapraszającego mnie rolnika, ale na dwa metry zalatywało od niego bimbrem, więc wolałam nie ryzykować.

Chwilę wcześniej jechał też samochód osobowy, ale wypakowany ludźmi po brzegi. Pozostawało iść na piechotę.

Minął mnie piękny kary ogier z białymi szczotkami na nogach. Odsunęłam się szybko. Jeszcze nigdy nie widziałam równie olbrzymiego konia! Miał ze dwa metry w kłębie! Wydawało się, że potężny rumak ciągnie za sobą furmankę bez żadnego wysiłku. Nagle zwolnił, gdy ktoś cmoknął i lekko szarpnął lejce.

– Może panią podwieźć? – odezwał się nade mną ciepły głos.

Podniosłam głowę zaskoczona.

W następnej sekundzie gorzko pożałowałam tego, jak wyglądam.

Na koźle siedział najprzystojniejszy mężczyzna, jakiego kiedykolwiek widziałam, albo tylko tak mi się wydawało, bo trochę oślepiało mnie światło, które miał za plecami.

Odgarnęłam szybko włosy z oczu, żeby lepiej wyglądać i – co najważniejsze – lepiej mu się przyjrzeć.

– Dziękuję – powiedziałam podejrzanie wysokim głosem. Odchrząknęłam szybko. – Bardzo chętnie.

Uśmiechnął się do mnie lekko, a ja poczułam, że miękną mi nogi. Miał przeraźliwie błękitne oczy, które przysłaniały niesforne półdługie włosy opadające mu na twarz. Światło migoczące w jego włosach sprawiało, że wydawały się złote. Jednodniowy zarost nadawał mu zawadiacki wygląd, tak samo jak uśmiech z jednym kącikiem ust uniesionym nieco wyżej niż drugi.

– Dziękuję – odpowiedziałam, gdy wciągnął mnie na kozioł.

Odgarnął koc, którym przykrywał nogi podczas jazdy, żebym i ja mogła schować tam zmarznięte stopy. Nie skomentował tego, że buty niosłam w ręku, zamiast mieć je na nogach, ale zauważyłam, że zerknął na nie z ciekawością.

Spojrzałam na niego z ukosa. Pasował rozmiarami do swojego konia. Był bardzo potężnym mężczyzną, na oko dużo wyższym ode mnie. Siedząc obok, przewyższał mnie prawie o głowę. Poczułam się jak liliputka.

Ubrany był w lekki brązowy kożuch. Nie zapiął go, więc mogłam zobaczyć białą płócienną koszulę, którą miał pod spodem.

Zauważyłam, że jego usta się poruszają. O bogowie, jaki on jest przystojny!

O bogowie! On coś do mnie mówi, a ja nie słucham!

– Przepraszam, mógłby pan powtórzyć? – poprosiłam, czując, że się czerwienię. – Zamyśliłam się.

– Pytałem, dokąd panią podwieźć, wygląda pani na nietutejszą – powtórzył uprzejmie. – Poza tym proszę mi mówić Mieszko, nie jestem żadnym panem.

Cmoknął na konia, a ten ruszył powoli pod górę.

– Ja nazywam się Gosia, to od Gosławy – wyjaśniłam. – Też możesz mi mówić po imieniu. Dopiero co przyjechałam z Warszawy do Kielc. A ty jesteś stąd?

Uśmiechnęłam się do niego promiennie, mając nadzieję, że w ten sposób odwrócę jego uwagę od bałaganu na mojej głowie.

– Nie, nie jestem stąd, ale mieszkam tu od jakiegoś czasu. Dobrze, Gosiu – odwzajemnił uśmiech. – A teraz powiedz mi, gdzie cię zawieźć.

Poczułam, że robię się jeszcze bardziej czerwona. Przecież jemu nie chodziło o lepsze poznanie mnie. Był po prostu miły.

– Do szeptuchy – powiedziałam.

– Naprawdę? A po co przyjechałaś do niej aż z Warszawy? – Popędził konia.

– Będę u niej przez rok na praktykach – odparłam.

Odwrócił się do mnie zaciekawiony. Przez chwilę czułam na sobie jego taksujący wzrok.

– Naprawdę? – upewnił się.

Zaperzyłam się. A co w tym takiego dziwnego? Może nie wyglądam teraz za dobrze, ale to jeszcze nie znaczy, że nie mogę uczyć się u szeptuchy. Poprawiłam włosy i założyłam za uszy pasma, które wymsknęły się z koka.

Wręcz przeciwnie. To właśnie mój niechlujny wygląd powinien sugerować, że zamiast być lekarzem w białym fartuchu, zamierzam zajmować się leczeniem za pomocą wywaru z zaskrońca.

– Będziesz tu w Noc Kupały?

– Pewnie tak, a co to ma do rzeczy? – Nie rozumiałam, o co mu chodziło.

– Szeptucha zawsze ma bardzo dużo roboty w to święto. Przyda jej się pomoc – odparł zdawkowo i wbił spojrzenie w drogę.

– A ty co tu robisz? – zaatakowałam.

Zaśmiał się krótko, słysząc ton mojego głosu.

– Jestem tak jak ty na praktykach.

– U szeptuchy? – Serce podeszło mi do gardła, gdy zdałam sobie sprawę, że być może zostałam wykolegowana z praktyk przez tego oto osobnika.

Spojrzał na mnie zakłopotany. No tak… szeptuchami mogą być tylko kobiety. Chyba nie ma takiej granicy poniżenia, której nie zdołałabym przekroczyć podczas rozmowy z Mieszkiem.

– U lokalnego żercy – wyjaśnił.

Już bardzo dawno nie słyszałam tego tytułu. Żerca to kapłan będący jednocześnie wróżem. Mówiąc krótko, jest to ktoś bardzo mądry.

– Szkolisz się na kapłana? – nie mogłam powstrzymać zdumienia.

– A to dziwne?

– Wyglądasz trochę za normalnie jak na kogoś, kto chce być wróżem – parsknęłam.

Nie powinnam podczas pierwszej rozmowy z obcą osobą dzielić się swoimi odczuciami, ale naprawdę tak sądziłam. Może moja mama miała rację, może jestem słowiańską ateistką, ale ja naprawdę nie mogę pojąć tych bzdur, którymi zajmują się kapłani.

Okej, może gdzieś tam faktycznie są bogowie ze Świętowitem i Welesem na czele – niech im będzie. Ale czy naprawdę, przykładowo, o powodzeniu wojny ma decydować to, czy czarny koń stanie na włóczni położonej na ziemi, czy nie?

To koń! One są głupie. Jest im wszystko jedno, na czym staną.

A mimo to ciągle ludzie zadają im takie głupie pytania. I co lepsze – wierzą w odpowiedzi, jakie serwują im stare tłuste szkapy.

– Chyba ich nie lubisz – skwitował lakonicznie, uśmiechając się pod nosem.

– Nie wierzę w to, co mówią.

Furmanka szybko pokonała prosty odcinek szosy.

– To szkoda.

– Szkoda?

– Teraz nie będziesz wiedziała, czy mi wierzyć, kiedy powiem, że rozmowa z tobą to przyjemna odmiana po całym dniu spędzonym na nauce.

Zaniemówiłam, patrząc na jego roześmianą twarz.

– Ja... ja...

Odwróciłam się szybko i wbiłam spojrzenie w zad konia ciągnącego furę.

– Pasujesz do swojego konia – palnęłam rozpaczliwie, byle tylko zmienić temat.

Od razu pożałowałam swoich słów. A jednak istnieją granice poniżenia, których jeszcze nie przekroczyłam.

– Słucham? – zdziwił się.

– Chodzi mi o to, że obaj jesteście potężni – brnęłam dalej.

– Dobrze, przyjmę to jako komplement.

Kary koń bez polecenia skręcił w wąską asfaltową szosę, jakby doskonale znał drogę i wcale nie były mu potrzebne wskazówki woźnicy.

– Przepraszam – powiedziałam. – Nie jestem dobrym rozmówcą.

Mieszko wybuchnął gromkim śmiechem. Spodobał mi się ten śmiech, był głęboki i zaraźliwy. I szczery.

– Przyznam, że dawno się tak nie uśmiałem.

– Mam nadzieję, że nie ze mnie.

– Z tobą, Gosiu, z tobą. To Nix. – Wskazał na konia. – Jest angielskiej rasy shire.

– Nigdy o niej nie słyszałam. – Pokręciłam głową.

Nie znałam się na koniach. Zupełnie mnie nie pociągały, mimo że w naszym cudownym kraju jazda konna była czymś, co wypadało umieć. Większość osób pochodzących z tak zwanych dobrych domów miała nawet własne wierzchowce. Ja zawsze trochę się ich bałam. Nigdy nie odważyłam się na żadnego wsiąść, chociaż mama bardzo mnie namawiała do nauki jazdy, kiedy byłam dzieckiem.

Krowy w moim mniemaniu są znacznie sympatyczniejsze. No i nie trzeba na nich jeździć.

– Ta rasa wywodzi się jeszcze ze średniowiecza – zaczął tłumaczyć Mieszko. – Były używane głównie przez rycerstwo. To jedne z największych koni na świecie. Należą do odmian pociągowych, ale są hodowane głównie na wierzchowce. W kłębie mogą przekraczać dwa metry. Nix ma równo dwa metry.

– A Nix? Dlaczego Nix?

– To imię pochodzi ze starej skandynawskiej legendy. Nix był złym duchem wodnym, który topił ludzi. Jedną z jego postaci był piękny biały wierzchowiec, czyli kelpie. Czekał na niczego niepodejrzewających ludzi koło jezior lub rzek. Gdy ktoś wsiadł na jego grzbiet, nie mógł już zsiąść. Koń wskakiwał do wody i topił śmiałka.

Legenda była naprawdę ładna. Niemniej jednak nie wiedziałam, jak mam zareagować na kogoś, kto swojego pupila nazywa imieniem demona. Na dodatek złośliwego.

– Twój Nix nie jest biały. – To była jedyna odpowiedź, jaka szybko przyszła mi do głowy.

– Nie ma białych koni shire. – Zaśmiał się. – Ale wierz mi, to imię bardzo do niego pasuje. Nix uwielbia włazić do wody albo stać w deszczu.

Uśmiechnęłam się do siedzącego mężczyzny. Nie wstydziłam się go już tak bardzo. Przejażdżka coraz bardziej mi się podobała. Przymknęłam oczy, ciesząc się słońcem. Może ten staż nie będzie taki zły?

Poczułam, że furmanka zwalnia.

– Jesteśmy na miejscu, Gosiu. To chata szeptuchy.

4.

Mieszko odjechał, nic więcej nie mówiąc. Pomachał mi tylko na pożegnanie. Nie mogłam się już doczekać, kiedy opowiem o tym flircie Sławie! Pęknie z zazdrości.

Oparłam się o krzywy płot przed rozpadającą się chałupą i włożyłam buty na zakurzone stopy. Zacisnęłam zęby z bólu, kiedy czółenka dotknęły bąbli i ran. Otrzepałam płaszcz i poprawiłam torebkę na ramieniu. Dopiero teraz mogłam dokładnie przyjrzeć się domowi szeptuchy.

Niestety spełniły się moje najgorsze obawy. Budynek nie wyglądał, jakby miał więcej niż jedną izbę. Co więcej, dostrzegłam starą wygódkę w głębi ogrodu. Pobielone dawno temu ściany chałupy oplatała winorośl, a strzecha od lat prosiła się o wymianę. Wszystkie okiennice były zamknięte.

Czy szeptucha w ogóle jest w środku?

Dotknęłam furtki, chcąc ją otworzyć, ale zatrzymałam się w pół ruchu. Jestem na wsi. Na pewno po obejściu kręcą się wściekłe burki, które zaraz rzucą mi się do nóg. Odczekałam chwilę, lecz żaden pies nie nadbiegał.

Pojawił się natomiast czarny kot. Najbrzydszy czarny kot, jakiego kiedykolwiek widziałam. Usiadł na środku wysypanej żwirem ścieżki i wbił we mnie spojrzenie żółtych, kaprawych oczu. Brakowało mu czubka lewego ucha, a przez sam środek pyska biegła długa szrama pozbawiona futra.

Gdy się ma takiego kota, nie trzeba mieć psa.

Westchnęłam ciężko i rozejrzałam się dookoła. Podejrzewałam, że szeptucha nie będzie mieszkać w luksusowych warunkach, jednak nie spodziewałam się, że będzie aż tak źle. Nawet ogród przed chałupą przedstawiał obraz nędzy i rozpaczy. Przerośnięta trawa walczyła z chwastami o dostęp do światła. Nigdzie nie widziałam ogródka warzywnego ani ziół. Poczułam się odrobinę zawiedziona.

Na końcu drogi pojawił się mały samochód. Zanim zdążyłam zdecydować, czy wejść na posesję, zatrzymał się obok mnie i obsypał pyłem z pobocza. Z miejsca kierowcy wytoczyła się tęga kobieta w średnim wieku. Jej ubiór przypominał strój uczennic prywatnych szkół. Miała na sobie plisowaną czarną spódnicę do pół łydki. Obfite piersi usiłowały rozerwać guziki białej, przyciasnej koszuli, którą było widać pod niedopinającą się kurtką. Grube rysy sugerowały, że kobieta lubiła od czasu do czasu zajrzeć do butelki. Potrząsnęła głową i poprawiła dłonią spalone trwałą ondulacją blond włosy.

– Pani do szeptuchy na wizytę? Ja byłam zapisana. Tylko trochę się spóźniłam – powiedziała, sapiąc. – Powinnam wejść przed panią.

No, na rozdanie świadectw licealnych to zdecydowanie się pani spóźniła...

– Nie, ja nie przyszłam na wizytę... – wyjaśniłam.

Otaksowała mnie wzrokiem i skrzywiła się. Najwyraźniej nie spodobało jej się to, co zobaczyła. I z wzajemnością!

– To ja idę – oświadczyła i pchnęła furtkę.

Czarny kot gdzieś zniknął. Ruszyłam za kobietą, licząc, że w razie czego jej grube łydki będą stanowiły o wiele bardziej łakomy kąsek dla wiejskich psów.

Zapukała do drewnianych drzwi, z których płatami odchodziła biała farba olejna. Nie czekała długo. Prawie od razu w wejściu stanęła szeptucha.

Jęknęłam w duchu. Miała około siedemdziesięciu lat, sądząc po zgarbionej sylwetce i ubiorze składającym się z wełnianej, ciemnozielonej, wytartej spódnicy, szarej bluzki oraz kwiecistej chustki na głowie.

Jednak jej twarz była zadziwiająco gładka i rumiana.

– Witojcie – powiedziała schrypniętym, odrobinę drżącym głosem.

Zauważyłam, że większość jej zębów błyszczała złotem.

– Ja dzisiaj przyjechałam bez zapisu – zaczęła tłumaczyć tęga kobieta, która stała obok mnie. – Ale mam nadzieję, że mnie pani przyjmie. To sprawa życia i śmierci.

Spojrzałam na nią z niedowierzaniem. Nie sądziłam, że nawet u szeptuchy są kolejkowe oszustki, które wmawiają innym w przychodniach, że mają wcześniejszy numerek. Coś takiego!

– A ty? – zwróciła się do mnie szeptucha.

– Nazywam się Gosława Brzózka. Przyjechałam do pani na roczne praktyki. Przepraszam za spóźnienie. Miałam małe problemy z transportem.

Staruszka spojrzała na moje brudne nogi i zakurzony płaszcz. Uśmiechnęła się i zaprosiła mnie do środka razem z kłótliwą kobietą.

O dziwo, chata nie wyglądała w środku źle. Izba była przestronna i bardzo czysta. Jeden z kątów zajmowała kuchnia węglowa, na której w dużym garnku powoli coś się gotowało. Na środku stał okrągły stolik przykryty śnieżnobiałym obrusem i kilka krzywych krzeseł. Szeptucha i kobieta usiadły przy stole. Mnie staruszka wskazała niską ławę pod uchylonym oknem.

Zmrużyłam oczy. Było bardzo ciemno. Zamknięte okiennice skutecznie blokowały dostęp światła. Pomieszczenie rozjaśniały tylko lampy oliwne rozstawione w strategicznych miejscach. Ich ciepłe, lekko drgające światło sprawiało, że atmosfera w izbie była odrobinę przerażająca.

Usiadłam i położyłam torebkę na kolanach. Zaczęłam rozglądać się po kątach. Ładnie pachniało ziołami i suszonymi grzybami, które były rozwieszone na belkach pod sufitem. Kredens stojący naprzeciw mnie pełen był słoików i pudełeczek. W niektórych słojach pływały dziwne rzeczy, którym wolałam nie przyglądać się zbyt dokładnie.

– Słuchom. – Szeptucha oparła obie dłonie na stole i spojrzała na swoją rozmówczynię.

– Krowa nie daje mleka – wyjaśniła kobieta. – Zawsze dawała go dużo, a od dwóch dni nic. Zaczynam się poważnie niepokoić.

– Casem to krowy dajo duza mleka, a casem to zupełnie obetno, tak ze ciezko co udoić – stwierdziła staruszka.

Otyła kobieta nie zamierzała dać się zbić z pantałyku.

– Wiem, że coś jest nie tak! Ta krowa nigdy tak się nie zachowywała. To dobra krowa!

Szeptucha westchnęła.

– A weterynioz widzioł krasule?

– Nie mam pieniędzy na weterynarzy – prychnęła.

Szeptucha nie wdawała się więcej w dyskusje. Podeszła do kredensu i zaczęła grzebać w jednej z licznych szuflad. Po długich poszukiwaniach wyciągnęła podłużny kamień zaostrzony na końcu.

To był tak zwany kamień piorunowy. Na wsiach wierzono, iż są to fragmenty piorunów Świętowita. Tak naprawdę w większości były to belemnity, czyli skamieliny o takim kształcie. Fulguryty, czyli kawałki kwarcu wytopione przez pioruny, też się trafiają, ale znacznie rzadziej.

Szczerze jednak wątpiłam, żeby w swoim kredensie wiejska znachorka trzymała całą szufladę fulgurytów.

– Wymiona krasuli, kiedy pamroka*, pociraj tsy dni do pełni. Potem na rososkach** psy drodze zakopisz – powiedziała szeptucha, podając kamień ucieszonej klientce.

– Dziękuję, bardzo dziękuję.

Kobieta wstała i sięgnęła do kieszeni. Podała staruszce dwadzieścia złotych. Szeptucha zerknęła na banknot, a następnie spojrzała kobiecie poważnie w oczy. Niezadowolona klientka niechętnie ponownie sięgnęła do kieszeni i wyjęła kolejny banknot dwudziestozłotowy.

– Rososzki! – upomniała ją jeszcze szeptucha, uśmiechając się szeroko.

– Pamiętam, pamiętam. Zakopię piorun. Nie zapomnę.

Po jej minie widać jednak było, że nie miała na to najmniejszej ochoty. W końcu był wart aż czterdzieści złotych!

Gdy usłyszałyśmy dźwięk odjeżdżającego samochodu, szeptucha wskazała mi krzesło naprzeciwko siebie.

Moja mina najwyraźniej musiała być sceptyczna, bo Jarogniewa roześmiała się szczerze.

– Widzę, że nie podoba ci się moja terapia – stwierdziła poprawną polszczyzną, która zastąpiła gwarę, w jakiej zwracała się do klientki. – To Nowakowa. Jej krowie najprawdopodobniej nic nie jest. Jak znam Nowakową, to jej mąż upił się do nieprzytomności i po prostu nie wydoił krasuli.

– Co się stało...?

– Z czym? – zdziwiła się. – A! Chodzi ci o to, że inaczej mówię?

Pokiwałam głową.

– To dla klientów – wyjaśniła. – Nie wystarczy być dobrą szeptuchą. W tych stronach trzeba jeszcze odpowiednio wyglądać.

---

* Pamroka – zmrok.

** Rososzka – rozwidlenie dróg.

Wstała od stołu i przeciągnęła się. Nie zgarbiła się ponownie. Najwyraźniej pochylona sylwetka także była chwytem marketingowym. Kobieta podeszła do kuchni węglowej. A może to był piec kaflowy? Nigdy ich nie rozróżniałam. Zamieszała chochlą w garnku i spojrzała na mnie pytająco.

– Trochę rosołu?

– Nie, dziękuję – odparłam grzecznie.

– To naleję ci mało. Specjalnie zrobiłam go na twój przyjazd.

Chwilę potem stanął przede mną pełen talerz zupy.

Przez uchylone okno wskoczył do izby czarny kocur i usiadł na ławie, którą wcześniej zajmowałam.

– Masz, Gałgan. – Szeptucha rzuciła w jego stronę kawałek kurczaka z rosołu.

Zwierzak połknął łakomie kąsek.

Jadłyśmy w milczeniu. W końcu Jarogniewa sięgnęła do ust i wyciągnęła z nich złotą licówkę. Położyła ją na serwetce obok talerza.

– Przepraszam – powiedziała. – Zapomniałam wyjąć wcześniej. Bardzo niewygodnie się w tym je.

Następnie ściągnęła z głowy chustkę, odsłaniając zgrabnie związany koczek z gęstych siwych włosów.

– Opowiedz mi coś o sobie – zażądała. – Możesz mi mówić po imieniu Jaga albo Baba Jaga. Wszyscy tak mnie nazywają.

Baba to staropolskie określenie znachorki, mądrej kobiety. Jednak Baba Jaga to mityczna wiedźma porywająca w lesie dzieci. Cudownie. Nie potrafiłam pojąć, jak ktoś może nosić taki pseudonim z własnej woli. Rozumiem, że Jarogniewa ma tak na imię i w ten sposób się je zdrabnia. Jednak połączenie z określeniem Baba jest dość niefortunne. Przecież Babą Jagą pożerającą dziatki i wysysającą szpik z kości do dzisiaj straszy się niegrzeczne dzieci na dobranoc!

– Nazywam się Gosława, ale wszyscy mówią do mnie Gosia. – Odłożyłam łyżkę. – Moja mama urodziła się tutaj, w Bielinach, ale ja pochodzę z Warszawy. Kilka razy odwiedzałam te okolice podczas wakacji, kiedy byłam dzieckiem. Dziwnie przyjechać tutaj aż na rok.

Gałgan bezczelnie wskoczył mi na kolana i zaczął obwąchiwać mój talerz w poszukiwaniu jedzenia. Pogłaskałam go po głowie.

– Dopiero co skończyłam studia – kontynuowałam i rozejrzałam się z ciekawością po izbie. – Chcę zostać lekarzem. Nie szeptuchą.

Postanowiłam podkreślić to na samym początku, żeby nie miała żadnych wątpliwości.

– Widzę, że nie jesteś zbytnią entuzjastką moich metod.

– To nie tak – zaprotestowałam szybko. – Ja po prostu w takie rzeczy nie wierzę. Nie ma południc zabijających rolników, tylko udar cieplny od przebywania na słońcu. Nie ma złych demonów, które kradną krowom mleko, tylko są niechlujni gospodarze niedbający o swój inwentarz.

Zaśmiała się ochryple. W niczym nie przypominała już starej kobiety. Teraz miałam przed sobą zadbaną sześćdziesięciolatkę, która z pewnością używa dobrych kremów przeciwzmarszczkowych.

– Moja droga, przecież nie twierdzę, że to strzyga kradnie krowie mleko. Zapewne krowa wcale nie potrzebuje pomocy, a jeżeli już, to weterynaryjnej. Potarcie wymion kamieniem piorunowym na pewno jej nie zaszkodzi. Pomoże natomiast jej właścicielce.

– Słucham?

– Musisz zrozumieć, że tutaj ludzie wierzą w takie rzeczy. Rozumiem, że w dużym, nowoczesnym mieście folklor i przesądy zanikają. Jednak tutaj są wciąż żywe. Zapewniam, że Nowakowa poczuje się znacznie lepiej, gdy użyje kamienia, a potem zakopie go na rozwidleniu dróg. Będzie miała wrażenie, że zrobiła dla tej krowy wszystko, co mogła.

Nie mogłam uwierzyć w to, co słyszę. Czyżby tak właśnie miał wyglądać cały mój przyszły rok? Nauczę się sprzedawać ludziom lecznicze kamienie? O bogowie...

– Naprawdę nie wierzysz w utopce i rusałki? – zapytała szeptucha.

– Nie – odparłam zgodnie z prawdą.

– A w ubożęta?

– Też nie.

– Widzę, że czeka nas ciężki rok – westchnęła.

Zabrała talerze, ku wielkiemu niezadowoleniu Gałgana, który skrupulatnie je wylizywał, i wstawiła do miski z wodą.

– Gdzie będziesz mieszkać?

– Wprowadziłam się do koleżanki, która mieszka w Kielcach – wyjaśniłam.

– I chcesz tu codziennie dojeżdżać?

Pokiwałam głową, głaszcząc kota po grzbiecie. Zastanawiało mnie, czy ma pchły.

– Mogłabyś mieszkać u mnie – zaproponowała.

Moje oczy rozszerzyły się z przerażenia. Rozejrzałam się po maleńkiej izbie. Nie było tu nawet łóżka dla szeptuchy, nie mówiąc o posłaniu dla mnie.

– Wolałabym nie – jęknęłam.

Jarogniewa zaśmiała się serdecznie.

– Przecież nie mówię, że w tej chałupie! To moje miejsce pracy. Mam dom po drugiej stronie ulicy. Wyjrzyj przez okno. Mogłabyś mieszkać w pokoju gościnnym.

Podeszłam do okna i uchyliłam okiennicę, wpuszczając do izby światło. Po drugiej stronie drogi faktycznie stała ładna duża willa wyglądająca na całkiem nową. Odwróciłam się zszokowana do Baby Jagi. Musiała w swoim życiu sprzedać sporo kamieni piorunowych!

– Już obiecałam koleżance – powiedziałam przepraszającym tonem.

– Spokojnie. – Machnęła ręką. – Przecież się nie obrażę.

Razem wyszłyśmy na podwórze.

– Po prostu zastanawia mnie, jak tu dojedziesz na piątą rano.

Potknęłam się o wystający kamień.

– Co?!

Widok mojej miny wyraźnie ją rozbawił.

– Szeptuchy wcześnie wstają – wyjaśniła. – Rano musimy zebrać świeże zioła w lesie.

– Ale jest zima – zaprotestowałam słabo.

– Niektóre rośliny rosną też zimą. – Zmarszczyła brwi. – Wiesz cokolwiek o ziołolecznictwie?

– Tylko tyle, że wykorzystuje się w nim zioła – przyznałam.

– Kup jakąś książkę. Przyda ci się, jeśli chcesz pracować ze mną cały rok. Może dam ci kilka dni na rozruch. – Poklepała mnie po dłoni, gdy doszłyśmy do ogrodzenia. – Takie kilkudniowe wakacje. Do tej pory powinnaś zdążyć zorientować się w rozkładzie jazdy busów i co najważniejsze, kupić buty, które nie obcierają.

Obie spojrzałyśmy na moje stopy. Na piętach widać było smugi krwi.

– Przeszłaś całą drogę pieszo od przystanku? – zapytała.

– Tylko część. Potem podwiózł mnie jakiś facet.

Uśmiechnęła się zadowolona.

– To taki nasz zwyczaj. Zawsze namawiam sąsiadów, żeby okazywali dobre serce i zabierali podróżnych. Niby nie jesteśmy daleko od głównej drogi, ale można się nieźle zmęczyć, idąc pieszo. Kto cię podwiózł?

– Powiedział, że ma na imię Mieszko.

Musiałam mieć przy tym rozanieloną minę, bo zmarszczyła brwi. Szybko przestałam sobie wyobrażać, jak by to było, gdyby mnie przytulił. W tych potężnych ramionach na pewno można poczuć się bezpiecznie.

Baba Jaga najwyraźniej wbrew pozorom nie była na tyle postępowa, żeby zachwycać się facetami.

– Mieszko?

– Taki blondyn, wysoki – sprecyzowałam. – Półdługie blond włosy, jednodniowy zarost, szerokie ramiona.

– Wiem, jak Mieszko wygląda – zmieszała się. – Po prostu zdziwiłam się, że był pierwszy.

– Pierwszy?

– Nieważne. – Machnęła ręką. – Poczekaj chwilę. Wezmę samochód od sąsiada i podwiozę cię do przystanku.

Posłusznie czekałam przy drodze.

– Aaa! – zawołała i odwróciła się do mnie. – Przypomniało mi się. Powiem ci teraz, bo potem jestem gotowa zapomnieć. Za trzy dni musisz iść na skrzyżowanie niedaleko Nowakowej.

– Po co? – zdziwiłam się.

– Musisz odkopać mój kamień piorunowy. To będzie twoje pierwsze zadanie. Tylko najlepiej idź w nocy. Znając Nowakową, to rano wróci w to miejsce, żeby sprawdzić, czy Świętowit go zabrał. Musimy pobawić się w boga.

No tak, co to byłyby za czary, gdyby Świętowit nie upomniał się o swój kamień!

– Dobrze – zgodziłam się. – A gdzie ona mieszka?

– Pokażę ci, gdy będziemy jechały. Po odkopaniu kamienia przyjdź do mnie następnego dnia koło południa.

– Dobrze… Babo Jago.

5.

Sława wpatrywała się we mnie roziskrzonym wzrokiem. Chłonęła każde moje słowo, gdy opowiadałam jej o przystojnym mężczyźnie, który zaproponował, że podwiezie mnie do Baby Jagi.

– Nie wierzę!

Westchnęła teatralnie i położyła się na plecach na szerokim łóżku, które dopiero co rozłożyłyśmy. Byłyśmy na tyle leniwe, że nawet nie poszłyśmy do sklepu po meble. Zamówiłyśmy je przez internet z mojej komórki.

Mieszkanie Sławy znajdowało się w samym centrum Kielc, niedaleko Galerii Handlowej Korona. Było o wiele większe, niż się spodziewałam. Miało trzy pokoje i maleńką kuchnię. Główne pomieszczenie przeznaczyłyśmy na wspólny salon. Pozostałe pokoje były tej samej wielkości, więc ominęła nas bitwa o to, która z nas weźmie większy. Mieszkanie miało jednak jedną wadę. Tylko kuchnia była umeblowana. Nie miałyśmy nawet łóżek.

Pierwszą noc spędziłam na podłodze, na karimacie, którą ze sobą przywiozłam. Dopiero gdy pojawiła się Sława, zabrałyśmy się do szukania mebli. Po podliczeniu naszych skromnych funduszy okazało się niestety, że nie możemy poszaleć.

Niemniej jednak na podstawowe sprzęty, takie jak łóżka, szafy i kanapę z małym stoliczkiem kawowym w salonie, starczyło nam pieniędzy.

Dzisiaj cały dzień składałyśmy meble i starałyśmy się nadać mieszkaniu jakiś charakter.

– Przyjechałam dzień później, a ty już wyhaczyłaś jakieś ciacho. A co ze mną? – pożaliła się Sława. – Teraz ja też będę musiała ruszyć na poszukiwania. Nie mogę być gorsza!

Tak jak sądziłam, od razu mi pozazdrościła. Z nas dwóch to ona zawsze zwraca uwagę facetów, jeśli gdzieś wychodzimy. Jest przyzwyczajona do ich zachwytów.

– Opanuj się. Raz z nim rozmawiałam – usiłowałam ostudzić jej emocje.

– Czuję w kościach, że nie ostatni! Jak ma na imię?

Nawet nie zdążyłam otworzyć ust, żeby odpowiedzieć.

– Poczekaj! – wrzasnęła. – Zgadnę! Bożydar?

– Nie. – Zaczęłam zbierać kartony po meblach. Mogłam się założyć, że Sława nie zabrałaby się do sprzątania wcześniej niż za kilka miesięcy.

– Miłobor?

– Nie.

– Drogosław?

– Nie, Sława, nie zgadniesz. Daj spokój.

– Ostatnia próba – poprosiła. – Mam do tego szósty zmysł. Mówię ci! To na pewno... Radosław! Tak! Radosław kojarzy mi się z wysokim blondynem.

– Nie...

Prychnęła zniesmaczona.

– No to powiedz...

– Mieszko. – Uśmiechnęłam się pod nosem na wspomnienie tego, jak się przy nim wygłupiłam. – Ale nie ma się co podniecać, bo na pewno uważa, że jestem niedorozwinięta umysłowo. Powiedziałam mu, że jest potężny jak jego koń.

Moja współlokatorka zerwała się z łóżka. Wyglądała na wstrząśniętą.

– Że co?!

– Bo wiesz, on naprawdę jest potężny.

– Nazywa się Mieszko?!

– Tak.

Zaskoczyła mnie jej reakcja. Sądziłam, że natychmiast porządnie mnie objedzie za to, że jak zwykle odezwałam się, zanim pomyślałam. Już wielokrotnie mnie upominała, że najpierw powinnam powiedzieć sobie w duchu każdą światłą myśl, zanim podzielę się nią ze światem.

– A co? Znasz go? – zdziwiłam się.

Mieszko to całkiem popularne imię w naszym kraju. Nie oszukujmy się. Chociażby co drugi członek rodziny królewskiej tak się nazywa. Mieszków u nas jak mrówek. Jak się dobrze zastanowić, to każdy zna jakiegoś Mieszka.

– Ja? Nie – żachnęła się. – Skąd ci to przyszło do głowy?

– Bo dziwnie się zachowujesz.

– Wydaje ci się.

Usiadłam obok niej na łóżku. Nie przekonała mnie. Coś kręci.

– O co ci chodzi? – naciskałam.

– Po prostu nie lubię tego imienia. Źle mi się kojarzy – wyznała. – Uważaj na facetów o tym imieniu. Różnie z nimi bywa.

– Czyżbyś chciała się ze mną podzielić jakąś niesamowitą historią miłosną?

– W żadnym razie. – Pokręciła głową tak energicznie, że jej pofarbowane na blond włosy aż zafurkotały.

Tak jak zapowiadała, ufarbowała włosy na kolejny szalony kolor. Tym razem wybrała platynowy blond, który gryzł się niemiłosiernie z jej karnacją i czarnymi oczami. Usiłowałam jej wytłumaczyć, że wygląda co najmniej dziwnie, ale nie zamierzała mnie słuchać.

– Wiem, co moglibyśmy dzisiaj zrobić! – wykrzyknęła. – Mam tu kilkoro znajomych z dawnych lat. Pójdźmy z nimi na jakieś disco albo drina, albo najlepiej na jedno i drugie. Co ty na to?

– No nie wiem.

Nie miałam zbyt wielkiej ochoty na poznawanie nowych ludzi. Szczerze mówiąc, wolałam ogarnąć mieszkanie, póki był na to czas. Nie wiedziałam, jak absorbująca okaże się później praktyka u szeptuchy.

– Chyba powinnyśmy zająć się mieszkaniem – bąknęłam.

– Powinnaś raczej poznać nowych ludzi i cieszyć się życiem – stwierdziła. – Poza tym ja też chcę znaleźć jakiegoś przystojniaka. Pomyśl o tych wszystkich możliwościach, jakie mamy przed sobą.

– Jak to?

– Skarbie, to twoja ostatnia chwila na szaleństwa. Za rok pójdziesz do pracy. Jak cię znam, będziesz karnie dyżurować kilka razy w tygodniu. Mówię ci: zostaniesz starą panną ze stadem kotów.

– Nieprawda. Przecież już spotkałam tego Mieszka – usiłowałam jakoś się bronić.

– Nie zawracaj sobie głowy Mieszkiem. Chyba znam kogoś, kto byłby dla ciebie w sam raz. A przynajmniej w sam raz na rok zabawy. Pomyśl tylko: jesteśmy same w nowym mieście! Żadnych rodziców, którzy będą się zastanawiać, gdzie się w nocy podziewamy. To jak trwająca przez rok impreza.

– Zawsze wiedziałam, że masz na mnie zły wpływ – mruknęłam.

Pobiegła do swojego pokoju. Po chwili wróciła z wypełnioną po brzegi różową walizką na kółkach ozdobioną kwiatami narysowanymi czarnym markerem. Przekręciła ją do góry dnem. Sterta kolorowych ciuchów spadła na łóżko.

– Masz całe życie na pracę – kontynuowała. – Raz na jakiś czas trzeba się zabawić. Co ty na to? Ogarnę fajną ekipę i pójdziemy potańczyć. Będzie super! Już nie mogę się doczekać!

– Czemu nie, ale nie zgadzam się na żadne randki w ciemno – skapitulowałam i spojrzałam z powątpiewaniem na zawartość jej walizki. – Tylko nie zabrałam tu zbyt wielu imprezowych ciuchów.

– Przecież nie musimy się jakoś bardzo stroić.

***

„Nie musimy się jakoś bardzo stroić" – słowa Sławy tłukły mi się po głowie, kiedy weszłyśmy do klubu. Moja przyjaciółka wzięła więcej imprezowych ciuchów niż ja. Miała na sobie małą czarną, która doskonale podkreślała wszystkie jej wdzięki. Inne osoby w klubie także nieźle się wystroiły.

Ja wyglądałam znacznie gorzej. Nie mając wielkiego wyboru, musiałam się zadowolić niebieską, odrobinę bezkształtną tuniką, która według mnie ma śliczny kolor (i tylko dlatego jeszcze jej nie wywaliłam do kosza), ale trochę źle leży w biuście, oraz czarnymi legginsami. Włosy związałam w wysoki koński ogon. Na nogi założyłam baleriny – jedyne buty, które nie urażały moich poranionych pięt. Szczyt seksapilu po prostu.

– O! Tam ich widzę – zawołała Sława i pociągnęła mnie w głąb lokalu. – Radek ci się spodoba. Zobaczysz!

– Mówiłam ci, że nie życzę sobie żadnych randek w ciemno – syknęłam, łapiąc ją za ramię.

– Spokojnie. To naprawdę fajny facet. Miły, zrównoważony, wręcz idealny dla ciebie!

– Sława!

Skoczna muzyka zachęcała do tańca, dzięki czemu większość gości podrygiwała na parkiecie, zamiast siedzieć smętnie przy stolikach. Jednak znajomi mojej przyjaciółki nie wykazywali najmniejszego zainteresowania zabawą. Siedzieli przy sześcioosobowym stoliku i sączyli drinki. Wyglądali na spiętych.

– Cześć, ludzie! – wrzasnęła Sława, gdy wreszcie zdołałyśmy się do nich przedrzeć przez tłum.

Napięcie z ich twarzy zniknęło jak za dotknięciem czarodziejskiej różdżki. Uśmiechnęli się do mnie jak na zawołanie. Poczułam się nieswojo. Było w nich coś dziwnego.

– To jest moja przyjaciółka z Warszawy, Gosia. Uczy się u szeptuchy. A to moi starzy znajomi: Tomira.

Posłusznie uścisnęłam dłoń, którą podała mi żylasta brunetka o wąskich, mocno zaciśniętych ustach.

– Jej siostra Myślibora.

– Mów mi Borka – sprostowała dziewczyna, także podając mi dłoń.

Jednak Borka w przeciwieństwie do Tomiry uśmiechnęła się do mnie całkiem szczerze. Siostry były bardzo do siebie podobne. Obie wyglądały na wysportowane.

– To Żywia.

Opalona na ciemny brąz dziewczyna kiwnęła do mnie głową.

– Sorry, że nie podam ci ręki, ale właśnie nałożyłam krem – wyjaśniła.

Pocierała energicznie dłonie, żeby pół tubki kremu, który na nie wycisnęła, szybciej się wchłonęło. Wyglądała, jakby przesadziła z solarium. I to nieraz. Mocna opalenizna wyraźnie kontrastowała z jej białą sukienką.

– A to Radowit, czyli Radek.

Młody mężczyzna uśmiechnął się do mnie serdecznie i uścisnął moją dłoń. Ubrany był w zbyt ciasny biały podkoszulek, który w zamierzeniu miał chyba eksponować nabite na siłowni bicepsy.

Zauważyłam na jego twarzy długą bliznę.

– Miło mi cię poznać – powiedziałam.

Usiadłyśmy na wolnych miejscach, które dla nas zajęli. Wzięłam do ręki kartę z alkoholami, żeby coś sobie wybrać.

– Radek, co ci się stało? – Sława pochyliła się przez cały stół i złapała go za podbródek, wykręcając mu twarz w stronę światła.

– To przez to ostatnie gradobicie na wiosnę – skrzywił się.

– Nieźle cię urządził.

Spojrzałam na nich zdziwiona, nie rozumiejąc, o czym mówią. Borka wyraźnie się zmieszała, ale Myślibora dała jej sójkę w bok.

– Chodzi o grad – wyjaśnił szybko Radek. – Z dachu zaczęłysypać się dachówki i dostałem w twarz jedną z nich.

– Och, rozumiem. Przykro mi – powiedziałam zawstydzona swoją ciekawością.

Radowit nie był brzydki. Gdyby nie poszarpana blizna na policzku, można by go nawet określić mianem przystojniaka. Należał do tego typu facetów, którzy uwielbiają wyglądać męsko. Eksponował mięśnie, co kilka chwil prężąc się zupełnie „przypadkiem". Miał ogolone na zapałkę blond włosy, przez co kwadratowa szczęka wydawała się jeszcze bardziej kwadratowa. Na stole leżały jego ray bany.

Blizna powinna tylko zwiększyć jego popularność na dzielni. Mogłabym się założyć, że podrywając dziewczyny, nie przyznaje się do tego, że to zła dachówka tak go urządziła.

– Co chcecie do picia? – zapytał, wstając. – Przepchnę się do baru i zamówię.

– Ja piwo – powiedziała Sława.

– To ja też. – Nie chciałam się wyrywać z czymś innym, mimo że miałam ochotę na miód pitny. Zauważyłam, że w karcie był spory jego wybór.

Gdy chłopak zniknął, Borka pochyliła się w moją stronę i zapytała, przekrzykując głośną muzykę:

– Chcesz zostać szeptuchą?

– Nie. – Pokręciłam przecząco głową. – Chciałabym zostać lekarzem. Po prostu muszę odbyć roczny staż u szeptuchy, żeby dostać pełne prawo wykonywania zawodu.

– Głupie – skwitowała.

– Niestety.

– Ja na twoim miejscu też trzymałabym się jak najdalej od tych wszystkich szeptuchowych spraw. Zawsze mnie to trochę przerażało. To całe czarowanie, zioła – wyznała Żywia. – A ty się nie boisz?

– Nie wierzę w magię i demony, jeżeli o to ci chodzi – odparłam.

Borka parsknęła śmiechem, ale szybko zamilkła, upomniana poważnym spojrzeniem starszej siostry.

– Uważasz, że nie ma bóstw pomniejszych i demonów? – zapytała szyderczym tonem Tomira.

– Szczerze mówiąc, to wątpię, czy są wyższe bóstwa – mruknęłam.

Czułam, że nie polubię zarozumiałej Tomiry. Cały czas patrzyła na mnie nieprzyjaźnie, jakby miała mi za złe, że przyszłam ze Sławą do klubu. Może faktycznie popsułam jej szyki i nie może poplotkować ze znajomymi, ale na wszystkich bogów, to nie był mój pomysł, żeby tu przychodzić. Nie sprawi, że zacznę czuć się winna.

– Wydaje mi się, że Baba Jaga wybije ci z głowy takie nastawienie – podsumowała.

– Zobaczymy – warknęłam.

– Może pójdziemy potańczyć? – zaproponowała zmieszana Borka i pociągnęła siostrę na parkiet.

Ludzie rozstąpili się, robiąc im przejście. Po chwili zrozumiałam, dlaczego tak się stało. Miały niesamowite wyczucie rytmu. Ich wspólny taniec wyglądał perfekcyjnie. Z pewnością musiały wcześniej ułożyć do niego choreografię.

– Nie zwracaj uwagi na Tomirę – powiedziała Sława.

– Taa, to wredna sucz – potwierdziła Żywia. – Też jej nie lubię.

Sława zaśmiała się zakłopotana szczerością koleżanki. Posłała mi przepraszające spojrzenie.

– Jestem obca, rozumiem – powiedziałam.

– Nie, to nie o to chodzi – zaprzeczyła szybko moja przyjaciółka.

– Sława ma rację. Chodzi o to, że jak już mówiłam, Tomira to... – Żywia nie zdążyła skończyć, bo Sława przerwała jej gwałtownie:

– ...mało sympatyczna osoba. Zgadza się.

– Ale ładnie tańczy – powiedziałam.

– Ta, to chyba jedyna rzecz, która jej wychodzi ładnie. – Żywia wciąż była sceptyczna. Zaczęła nakładać kolejną warstwę kremu na dłonie.

– Dziewczyny prowadzą razem szkołę tańca – wyjaśniła Sława.

Pokiwałam głową ze zrozumieniem. To tłumaczyło, dlaczego od razu wszyscy się odsunęli, gdy tylko pojawiły się na parkiecie. Najwyraźniej są dobrze znane stałym bywalcom klubów.

– A co ty robisz? – zagadnęłam Żywię.

– Pracuję w gabinecie kosmetycznym – wyjaśniła.

No tak, pewnie ma tam zniżki na solarium.

– Za to Radek pracuje w stacji meteorologicznej – powiedziała Sława.

Nie pasowało mi to do niego. Wyglądał raczej na trenera fitness albo bramkarza w dyskotece. Nie na kogoś, kto skończył studia.

– Idzie z waszymi piwami – zauważyła Żywia.

– Trochę mu to zajęło – mruknęła niezadowolona Sława.

– Pewnie podrywał jakieś laski – stwierdziła Żywia, smarując ręce. – Ciągle to robi.

Nagle przerwała smarowanie i odwróciła się do mnie.

– Jakby co, to Radek jest wolny – oznajmiła konspiracyjnym szeptem.

– Och, rozumiem, ale ja...

– Poza tym jest dobry w łóżku. Nie krępuj się. Serio.

– Żywia! – Sława nie mogła uwierzyć w zachowanie koleżanki.

– No co? Wiem, co mówię. Sprawdziłam.

W tym momencie Radowit podszedł do stołu i postawił przed nami piwo. Zadowolona, że mogę zająć czymś ręce, złapałam kufel i pociągnęłam długi łyk. Jednocześnie posłałam Sławie pełne jadu spojrzenie. Zawstydzona pochyliła głowę. No i dobrze jej tak! Chciała mnie wyswatać z jakimś podrywaczem.

Radek usiadł obok mnie i położył ramię na oparciu mojego krzesła.

– Cześć – powiedział, patrząc mi głęboko w oczy.

Zerknęłam na Sławę, która bezgłośnie powiedziała: „Przepraszam".

Poczułam, że wieczór w towarzystwie dziwnych przyjaciół Sławy zapamiętam na bardzo długo.

6.

Okrągły księżyc pysznił się na niebie w otoczeniu gwiazd. Jednak nie przyglądałam mu się zbyt uważnie. Siedziałam w ciemnościach, w krzakach, chuchając w ścierpnięte dłonie. Było mi okropnie zimno. Od ziemi ciągnął chłód, który wkradał się podstępnie pod zapiętą kurtkę. Nogi ścierpły mi już od kucania, ale nie chciałam siadać na trawie. Przy moim szczęściu obsiądą mnie mrówki albo ugryzie żmija.

Kiedy wychodziłam wieczorem z domu, Sława miała na mnie niezłe używanie. Będzie mi wypominać do końca życia, że zgodziłam się na wykopywanie kamieni z rozstajów dróg. Nie przeczę, nie można nazwać tego zadania ambitnym. Niemniej jednak to była moja pierwsza praca zlecona przez Babę Jagę i zamierzałam wykonać ją dobrze.

Ostatnie dni były dla mnie przełomowe. Po raz pierwszy w życiu byłam na swoim: meblowałam własne mieszkanie, kupowałam samochód (kosztował podejrzanie mało, miałam nadzieję, że nie rozpadnie się po tygodniu na kawałki) i robiłam samodzielnie zakupy.

Chociaż już dawno osiągnęłam pełnoletność, dopiero teraz poczułam się naprawdę dorosła. Przestałam się już tego bać, a nawet mi się to spodobało.

Na moje konto właśnie wpłynęła pierwsza pensja za marzec. Pomimo wcześniejszej niechęci do zawodu szeptuchy postanowiłam dać z siebie wszystko, żeby zasłużyć na te pieniądze. Na dodatek wypłacone, zanim cokolwiek zrobiłam jako praktykantka.

To właśnie dlatego kucałam teraz w pobliżu domu klientki Baby Jagi. Na szczęście rozdroże obok niej nie było wyasfaltowane, bo nie wiem, jak inaczej miałaby zakopać kamień piorunowy. Przyjechałam, gdy tylko zaczęło się ściemniać. Nie wiedziałam, kiedy pojawi się Nowakowa. Nie chciałam przegapić tego momentu. Postanowiłam załatwić sprawę szybko i sprawnie.

Zerknęłam w stronę nieoświetlonej szosy prowadzącej do Bielin. Jakieś dwieście metrów dalej zaparkowałam mój nowy poobijany samochód. Miałam szczerą nadzieję, że zdołam potem wyjechać z rowu, w który wpadłam, usiłując zaparkować na poboczu.

Jak się niestety okazało, w miejscu, które wybrałam na zostawienie samochodu, nie było pobocza...

Podniosłam się nieco, ale wciąż pochylona weszłam między drzewa, do lasu. Tu mogłam stanąć wyprostowana. Przeciągnęłam się z ulgą. Poklepałam mały skórzany plecak, żeby się upewnić, że jest na miejscu. Wrzuciłam do niego latarkę i łopatkę ogrodniczą. Byłam zadowolona z własnej przemyślności, a zwłaszcza z zabrania ze sobą łopatki. Dzięki temu nie będę musiała kopać rękami. Pożałowałam tylko, że nie zaparzyłam sobie kawy. Mogłam wziąć również termos.

Zrobiło się już całkiem ciemno. Poczułam się nieswojo. Na wszelki wypadek postanowiłam przenieść się z powrotem bliżej szosy. Bałam się dzikich zwierząt, które mogłabym spotkać w lesie. Sprawdziłam w internecie, że od kilku lat można było zobaczyć tu wilki i niedźwiedzie brunatne.

Księżyc w pełni świecił mocnym blaskiem, ale komuś takiemu jak ja, kto od dziecka przyzwyczaił się do rozświetlonych ulic miasta, wydawało się, że panują kompletne ciemności.

Szosa i skrzyżowanie nie były oświetlone. Zaczęłam się martwić drogą powrotną do samochodu. Czy idąc samotnie wzdłuż pól w prawie kompletnych ciemnościach, będę bezpieczna?

Czas dłużył mi się niemiłosiernie. Nie było śladu Nowakowej. Może wcale nie zamierzała zakopać kamienia? Może chciała zatrzymać go na następny raz, bo mućka niespodziewanie dała się wydoić? Chociaż z drugiej strony, jeśli go nie zakopie, zirytuje nieistniejącego boga.

Co za idiotyzm... mam nadzieję, że się pojawi, bo nie uśmiecha mi się sterczeć w krzakach przez całą noc.

Ryzykując zdradzenie pozycji, włączyłam latarkę i sprawdziłam, czy na trawie, w której stałam, nie widać żadnych węży. Gdy tylko się upewniłam, z ulgą usiadłam. Będę miała jutro niezłe zakwasy w nogach od tego kucania.

Cholera... od siedzenia na zimnej ziemi zachciało mi się sikać...

Na szczęście nie miałam zbyt wiele czasu, żeby zacząć się nad tym zastanawiać. Zobaczyłam na drodze światła. Zbliżały się do skrzyżowania. Wprawdzie było to rozdroże najbliższe domu klientki szeptuchy, ale i tak znajdowało się od niego dość daleko. Spodziewałam się, że podjedzie samochodem, albo przynajmniej rowerem.

Chociaż po chwili namysłu nie potrafiłam jakoś wyobrazić sobie tej otyłej kobiety na rowerze.

Samochód stanął i wysiadł z niego jakiś mężczyzna. Nie zgasił silnika, zostawił włączone światła. Zauważyłam, że niesie dużą łopatę.

– Co do...? – jęknęłam.

Mężczyzna stanął w świetle reflektorów i sprawnie zaczął kopać dół w zmarzniętej ziemi. Góra wykopanej gleby robiła się coraz większa. W niedługim czasie zagłębienie sięgało mu już do kolan. On jednak kopał dalej.

Mąż Nowakowej musiał bardzo poważnie potraktować zadanie, które powierzyła mu głęboko wierząca w bogów żona.

– Cholera – mruknęłam pod nosem. – W jaki sposób Świętowit ma znaleźć ten kamień, skoro zamierzacie przekopać się do Chin?!

Dopiero gdy dół sięgał mu do połowy uda, mężczyzna wyszedł z wykopu. Stojąc na krawędzi, wyjął z kieszeni jakiś mały przedmiot. Następnie wrzucił go do dołu i zaczął zakopywać.

Spojrzałam na trzymaną w dłoni małą łopatkę ogrodniczą, która w porównaniu z długim narzędziem Nowaka przypominała raczej zabawkę, jaką dzieci kopią dołki w piaskownicy.

– Cholera! – powtórzyłam.

Patrzyłam, jak samochód wykręcił i zaczął oddalać się w stronę, z której przyjechał. Po chwili czerwone tylne światła zniknęły w mroku.

Dla pewności posiedziałam jeszcze kilka minut w ciemnościach. Wolałam nie zostać nakryta, gdyby przypadkiem wrócił sprawdzić, czy dobrze uklepał ziemię.

Stanęłam na środku skrzyżowania. Zapaliłam latarkę i skierowałam jej światło na szosę. No cóż, przynajmniej gleba jest wzruszona, więc powinno mi się łatwiej kopać. Teoretycznie.

Ukucnęłam i wzięłam się do roboty. Szybko odgarniałam ziemię na bok, ale dół nie pogłębiał się w takim tempie, w jakim bym sobie tego życzyła. Rozejrzałam się niespokojnie. Na szczęście nikt nie nadjeżdżał. Wolałabym, żeby żaden mieszkaniec nie nakrył mnie w nocy na rozkopywaniu drogi. Nie zdołałam wymyślić ani jednego przekonującego kłamstwa, które nie wpędziłoby szeptuchy w kłopoty.

Wychodząc z domu, związałam włosy w koński ogon, którego koniec cały czas zsuwał mi się z ramienia i obijał o twarz. Zirytowana dmuchnęłam, usiłując odkleić włosy od ust. Obie ręce miałam usmarowane wilgotną od ostatniego deszczu glebą, więc nie mogłam ich użyć.

A jednak nie byłam zbyt zapobiegliwa. Powinnam zabrać rękawiczki.

Odgarnęłam włosy, nie bacząc dłużej na brudne ręce. Robiło się już późno, a ja tkwiłam w tych ciemnościach sama, i w dodatku tuż koło lasu. Najwyższy czas stąd pójść. Zbyt długo kusiłam los. Nie wiadomo, jacy zboczeńcy mogą się tu kręcić. W końcu skądś się wzięły te wszystkie ludowe opowieści o rusałkach, które podczas nowiu wabiły mężczyzn i zabijały ich tańcem albo łaskotkami.

Co prawda była teraz pełnia, ja nie jestem zbyt męska i wątpię, żeby ktoś zdołał zabić mnie łaskotkami, ale nigdy nic nie wiadomo.

Poza tym zawsze zostawała jeszcze kwestia ludowych opowieści o wilkołakach. A w tych lasach żyły wilki. Wilki chyba lubią pełnię, prawda?

– Co robisz?

Cichy głos za moimi plecami, który przerwał te rozmyślania, sprawił, że zrobiłam trzy rzeczy jednocześnie. Co było dość zaskakujące, bo przeważnie nie przejawiam takiej podzielności uwagi.

Przeraźliwie wrzasnęłam. Na tyle głośno, by usłyszeli mnie w Kakoninie, czyli sąsiedniej wsi.

Odwróciłam się i rzuciłam łopatką prosto w napastnika.

Oraz zaczęłam biec w kierunku lasu.

Prawdopodobnie udałoby mi się uciec, gdyby nie to, że na mojej drodze stanął dołek, który dopiero co wykopałam. Był wielkości mojej stopy. A moja stopa oczywiście skwapliwie wykorzystała ten fakt.

Upadłam na ziemię, boleśnie wykręcając sobie nogę. Nie zdążyłam się podeprzeć, więc uderzyłam podbródkiem o nawierzchnię i zadzwoniłam zębami.

– Gosia! Nic ci nie jest?

Czyjeś silne dłonie złapały mnie pod pachy i podniosły do góry, a następnie postawiły na nogi. Skręcona kostka zapiekła bólem. Jęknęłam, unosząc stopę, by nie dotykała podłoża. Przejechałam językiem po zębach, żeby sprawdzić, czy żadnego nie uszkodziłam. W duchu podziękowałam bogom za to, że go sobie niechcący nie odgryzłam.

Dopiero teraz odważyłam się spojrzeć na stojącego obok mężczyznę. Zadarłam głowę i napotkałam wzrok Mieszka.

– Ooo... to ty – powiedziałam z ulgą, widząc znajomą twarz.

– Tak, to ja. – Uśmiechnął się lekko. – Spodziewałaś się kogoś innego?

– Ja... nie. Nikogo się nie spodziewałam – odparłam zakłopotana.

Chyba raczej nie powinnam mu się zwierzyć, że wzięłam go za wilkołaka, jeżeli kiedyś chciałabym mieć u niego jakiekolwiek szanse.

– Możesz mi powiedzieć, czemu kopiesz dziury w drogach?

Na końcu języka miałam odpowiedź, że wykonuję tajną misję i musiałabym go zabić, gdybym mu powiedziała jaką, ale po co bardziej się pogrążać. Poza tym jest praktykantem u lokalnego kapłana. Na pewno też odwala za niego brudną robotę.

– Baba Jaga zleciła mi wykopanie kamienia piorunowego, który sprzedała jakiejś kobiecie – wyjaśniłam.

– W nocy?

– Bo inaczej rano ta kobieta sama by tu przyszła, żeby go odkopać i zatrzymać.

– Rozumiem, a jeżeli ty go odkopiesz, to szeptucha sprzeda go jej jeszcze raz, tak?

W swojej naiwności sądziłam, że wykopuję kamień tylko po to, żeby Nowakowa uwierzyła mocniej w Świętowita, jednak Mieszko miał rację. Po raz kolejny pomyślałam, że Baba Jaga ma głowę do interesów.

– W końcu jestem jej praktykantką. Najgorsza robota trafia na mnie. Pomóż mi usiąść.

Mieszko delikatnie posadził mnie na drodze w pobliżu mojego małego wykopu. Zdjął z ramion plecak i postawił obok na ziemi. Odczepił wiszącą na nim dużą przenośną lampę LED i ją zapalił.

Zalało nas zimne, niebieskawe światło.

Zauważyłam, że na samym froncie jego białej koszuli wystającej spod kożucha widnieje idealny odcisk mojej łopatki. Nie mam cela. Chciałam trafić napastnika w głowę, a trafiłam w mostek.

– Przepraszam. – Wskazałam na jego klatkę piersiową.

Spojrzał tam i machnął ręką.

– Nic nie szkodzi.

– Co tu robisz? – zapytałam tknięta niechcianą myślą.

Mężczyzna ukucnął obok mnie. Upiorne ledowe światło sprawiło, że jego oczy wydawały się chabrowe. Przypomniałam sobie słowa mojej przyjaciółki. Chyba faktycznie muszę uważać na facetów o tym imieniu.

Jednak to chyba nie imienia powinnam się obawiać. Co ja właściwie o nim wiedziałam poza tym, że jest dużo wyższy i silniejszy ode mnie? Zacisnął dłonie w pięści, wyglądały na przyzwyczajone do ciężkiej pracy.

Czy byłam przy nim bezpieczna?

– Wracam z Kakonina – wyjaśnił. – Pokaż kostkę.

Cofnęłam nogę, gdy tylko dotknął łydki.

– Nic mi nie jest – powiedziałam szybko.

Uśmiechnął się zaintrygowany.

– Boisz się mnie?

7.

„Boisz się mnie?" – jego pytanie brzęczało mi w głowie.

Zaczęłam się nad tym zastanawiać.

– Jestem pośrodku niczego, w kompletnych ciemnościach, częściowo unieruchomiona, z facetem, z którym raz w życiu rozmawiałam. Przecież nie mam się czym stresować! – powiedziałam, żeby cisza, która zabrzmiała po jego pytaniu, przestała dzwonić mi w uszach.

– Nic ci nie zrobię. Naprawdę.

Wyciągnął do mnie rękę.

To był odruch. Przysięgam. Poza tym naprawdę się przestraszyłam. Każdy na moim miejscu czułby chociaż lekki niepokój, prawda? Mało to się słyszy o zaginięciach, zabójstwach i innych tego typu rzeczach?

Poza tym największymi psychopatami zawsze okazują się ci najspokojniejsi sąsiedzi, których nigdy nie podejrzewałoby się o mordercze skłonności.

Pochylił się ku mnie, a ja z całej siły walnęłam go latarką w skroń. Jęknął głucho i upadł obok mnie, łapiąc się za głowę w miejscu, w którym go uderzyłam.

Szybko podczołgałam się do niego, oparłam kolano na jego szyi i uniosłam rękę z latarką.

– Gadaj, co tu robisz – warknęłam. – Czaiłeś się na mnie? Śledziłeś mnie?

Wpatrywał się we mnie kompletnie zdziwiony. A może po prostu za mocno go poddusiłam?

– Mogę nie dotykać już twojej nogi, obiecuję. Nie wiedziałem, że to takie drażliwe miejsce.

– Mów, co tu robisz – naciskałam.

Zdziwienie w jego oczach zamieniło się w zainteresowanie. Poczułam pod sobą, że jego pierś drży od ledwo powstrzymywanego śmiechu.

– Byłem w Kakoninie u sołtysa. Zbliża się Jare Święto. Jestem na praktykach u tutejszego kapłana Mszczuja, pamiętasz? Mówiłem ci o tym, kiedy się poznaliśmy. Nie tylko ciebie nocami opiekun praktyk wysyła na tajemne misje. Musiałem porozmawiać z sołtysem w jego imieniu.

Poczułam się głupio. Było mi przykro, że go uderzyłam. Na dodatek trafiłam w skroń. Mogłam mu zrobić krzywdę. Opuściłam rękę z latarką.

– Przepraszam – powiedziałam, odsuwając się.

– Nie szkodzi. Gdybym miał złe zamiary, i tak z łatwością bym się uwolnił i cię złapał. Niemniej jednak to dobrze o tobie świadczy, że chociaż usiłowałaś się bronić.

Przestało mi być przykro, że go uderzyłam.

Odsunęłam się i opadłam na ziemię. Usiadł obok, masując skroń. Teraz nie tylko front koszuli miał ubrudzony wilgotną ziemią, ale także plecy lekkiego kożucha. Dobry sposób na rozpoczęcie znajomości...

– Dasz mi obejrzeć tę nogę? – zapytał.

– Nic mi nie jest – odparłam i poruszyłam nią na próbę.

Nie czułam już tak mocnego bólu. Pewnie tylko lekko ją skręciłam.

Poza tym to ja z nas dwojga jestem lekarzem! Ale nie powiedziałam tego głośno. Kto wie, może tak naprawdę nie jest zboczeńcem, tylko miłością mojego życia? Na wszelki wypadek lepiej go do siebie nie zrażać.

Zdążę to zrobić, gdyby mnie zaatakował.

– Jak uważasz. – Uniósł dłonie w obronnym geście. Był rozbawiony. – Tylko nie bij mnie więcej.

Przez chwilę siedzieliśmy w milczeniu. Sięgnęłam po moją łopatkę i spojrzałam na dołek o głębokości około trzydziestu centymetrów, który zdążyłam wykopać.

– Jeszcze raz cię przepraszam – powiedziałam.

– Już mówiłem, że nic się nie stało. Rozumiem, że mogłaś poczuć się nieswojo. – Zerknął na mój wykop. – Pomóc ci?

Uśmiechnęłam się do niego pojednawczo i podałam mu łopatkę. Uklęknął obok i zaczął odgarniać ziemię.

– Jak głęboko jest zakopany? – zapytał.

– Tak z metr.

Przerwał kopanie i odwrócił się do mnie z kamienną twarzą.

– Hej! Sam zaproponowałeś, że pomożesz. – Tym razem ja uniosłam ręce. – Mogę potrzymać światło.

– Jesteś... – zawiesił głos, szukając odpowiedniego słowa – ...nietuzinkowa.

– Dziękuję – odparłam niepewna, czy był to komplement, czy przytyk.

Patrzyłam, jak sprawnie odgarnia ziemię. Podał mi kożuch, żeby go bardziej nie pobrudzić, i pracował w samej rozchełstanej koszuli. Wydawało się, że w ogóle się nie męczy. Podwinął rękawy, dzięki czemu mogłam zobaczyć, jak pracują mięśnie jego przedramion. Coraz bardziej podobało mi się to zadanie. Tak to ja mogę wykopywać kamienie.

– Czemu szedłeś po ciemku? – zapytałam.

– Jest pełnia. – Spojrzał na mnie. – Nie jest ciemno. Po co marnować żarówkę?

Speszyłam się. Może rzeczywiście mam zbyt duże wymagania. Kiedyś nie było latarni i ludzie jakoś sobie radzili.

– W przyszłym roku mają instalować oświetlenie przy głównych drogach – powiedział. – Wtedy nie będziesz już musiała chodzić z latarką.

– O, to fajnie!

– Nie, wtedy nie będzie tak dobrze widać nieba. – Spojrzał do góry. Podążyłam za jego wzrokiem. Księżyc sprawiał, że gwiazdy były mniej widoczne, jednak wyraźnie było widać zarys Drogi Mlecznej.

Wrócił do kopania. Moja łopatka była zdecydowanie za mała do tego zadania. Na szczęście ziemia była już wzruszona i sypka. Mieszko sprawnie przedzierał się coraz niżej. Musiał poszerzyć dół, żeby wejść do środka i sięgnąć głębiej. Głupi pan Nowak. Nie mógł tego zakopać płyciej? Jakby bogu robiło to jakąś różnicę.

– Duży ten kamień? – zapytał.

– Z pięć centymetrów długości – odparłam i zaczęłam rozgrzebywać ziemię, którą wyrzucał z dołu w poszukiwaniu zguby.

Nagle usłyszeliśmy zgrzyt metalu o kamień. Nachyliłam się do otworu z lampą. Mieszko sięgnął i wyciągnął kamień. Podał mi go.

– Teraz Baba Jaga będzie mogła sprzedać dwa.

Położył na mojej dłoni przełamany na dwie części belemnit.

– Przepraszam, za mocno uderzyłem łopatką. Podłoże robiło się coraz twardsze.

– Daj spokój, nic się nie stało. Sama pewnie w życiu bym się tam nie dokopała. Jeśli szeptucha będzie miała pretensje, to po prostu zwrócę jej za niego pieniądze.

Mówiąc to, położyłam dłoń na jego ramieniu. Mogłam stwierdzić, że nie tylko podłoże jest twarde.

– Dziękuję.

Mieszko wyskoczył z dołu i szybko zaczął go zakopywać. Pomagałam mu, jak mogłam, nagarniając ziemię rękami.

– Chyba będziemy się myć przez kilka godzin – zaczęłam marudzić, oglądając dłonie w świetle jego lampy.

– To tylko ziemia – odpowiedział lakonicznie i pomógł mi wstać.

Delikatnie oparłam stopę na drodze. Poczułam ostry ból w kostce, promieniujący do śródstopia. Skrzywiłam się i zachwiałam.

Złapał mnie w pasie.

– Pobrudzę cię – zaprotestowałam.

– Daj spokój. Ta koszula i tak nadaje się tylko do prania. Złap się mnie.

Posłusznie objęłam go w pasie jedną ręką. Trzymając się Mieszka, spróbowałam dać krok niesprawną nogą. Zabolało, ale od biedy mogłam oprzeć na niej ciężar ciała. Na próbę wykonałam młynek stopą. Wydawało mi się, że nie uszkodziłam jej zbyt mocno. Samochód nie został daleko. Może uda mi się tam dokuśtykać.

– Odprowadzić cię do szeptuchy? – zaproponował Mieszko.

– Nie, przyjechałam samochodem. Muszę wrócić dzisiaj do Kielc, bo moja współlokatorka będzie się niepokoić. Już się pewnie martwi, że mnie tu ktoś zamordował. Podasz mi plecak?

Posłusznie podniósł moje rzeczy. Sięgnęłam do małej kieszonki w plecaku i wyjęłam telefon komórkowy. Zauważyłam, że nie mam ani jednej kreski zasięgu. Nawet nie mogłam się z nią skontaktować.

– Muszę wracać – powiedziałam.

– Dasz radę prowadzić? – Miał wątpliwości.

– To prawa noga. Po prostu nie będę mocno naciskać na gaz. Pewnie tylko wyjdzie mi to na zdrowie.

– A gdzie zaparkowałaś? Odprowadzę cię tam.

– Dam radę – uniosłam się honorem.

– Z plecakiem i skręconą nogą? Trzymaj lampę.

Wręczył mi urządzenie i włożył kożuch. Następnie otworzył swój plecak i wrzucił do niego mój mały skórzany plecaczek.

– Tylko mnie znowu nie uderz – zastrzegł.

Pochylił się i bez wysiłku wziął mnie na ręce. Przyznam szczerze, że pierwszy raz mężczyzna niósł mnie na rękach.

I cholera! Podobało mi się to!

Chociaż po pewnym czasie, gdy ramiona Mieszka zaczęły wbijać mi się w plecy, doszłam do wniosku, że twarde mięśnie są fajne, ale nie wtedy, kiedy przylegają do czyichś pleców.

Jednak nie będę narzekać. To prawie przytulanie.

– Gdzie zaparkowałaś? – powtórzył pytanie.

Odważyłam się spojrzeć mu w twarz. Nic na to nie poradzę. To dlatego, że nie mam chłopaka i właściwie nigdy nie byłam zakochana. Strzała Amora musiała kiedyś wreszcie trafić mnie boleśnie w tyłek. Najwyraźniej zrobiła to teraz. Zaparło mi dech w piersiach. Po prostu zatonęłam w tych chabrowych oczach. Miałam przemożną chęć pogłaskać go po policzku i sprawdzić, jaki w dotyku jest jego zarost.

Czy na pożegnanie mnie pocałuje?

Wskazałam lampą kierunek.

– Jakieś dwieście metrów w tamtą stronę na poboczu.

Zmarszczył brwi.

– Tam nie ma pobocza. Jest tylko rów.

Romantyczny nastrój prysł jak bańka mydlana.

– Też już o tym wiem...

8.

Czarny kocur siedzący mi na kolanach zamruczał donośnie. Delikatnie dotknęłam jego grzbietu, żeby za bardzo się nie pobrudzić. Jego klatka piersiowa zaterkotała niczym popsuty wzmacniacz. Mimo to wolałam zbytnio się z nim nie spoufalać. Nie ufałam Gałganowi. Kto go tam wie, gdzie się wcześniej szlajał? Jego czarne futerko było odrobinę przykurzone, jakby przed chwilą wytarzał się na poboczu szosy. Co zapewne zrobił. Na wszelki wypadek zepchnęłam go z siebie.

– Jak noga? – zapytała Baba Jaga.

– Lepiej – odparłam z westchnieniem.

Siedziałam na ławie pod oknem, z nogą ułożoną na wysokim stołku. Mój rozklapciany trampek leżał porzucony na podłodze. To był jedyny but, w który zdołałam rano wsunąć opuchniętą stopę. Spojrzałam krytycznie na bandaże, spod których wystawały kawałki leczniczych roślin i ziół.

Śmierdziało to niemiłosiernie, ale musiałam przyznać, że opuchlizna zeszła bardzo szybko. Noga przestała mnie też boleć.

Baba Jaga skończyła ugniatać zioła w dużym kamiennym moździerzu. Dolała do nich jakiegoś zawiesistego płynu i wymieszała energicznie. Nabrała odrobinę wywaru małą chochlą i przelała do kubka.

– Proszę – podała mi go.

Ostrożnie powąchałam zawartość i spojrzałam na nią nieufnie.

– Co to takiego?

– Lek na ból i spędzenie opuchlizny.

– Z czego?

Kobieta nie była zdziwiona moją ostrożnością.

– Nie zaszkodzi. Zobaczysz, że będzie ci lepiej.

– Ale co jest w środku?

– Jesteś bardzo podejrzliwa. To wywar z miodu pszczelego, octu z ziół, sproszkowanego gniazda remiza i omanu.

Znałam nazwy połowy składników. Chyba nie jestem aż taka głupia, jeśli chodzi o to całe ziołolecznictwo!

– Co to jest oman? – drążyłam dalej.

Baba Jaga westchnęła ciężko i usiadła obok mnie. Poprawiła kwiecistą chustkę na głowie. Irytowała ją, bo kok pod nią się spłaszczał i włosy traciły puszystość. Sama mi to powiedziała. No, ale czego się nie robi w ramach autopromocji! Kto to słyszał, żeby wsiowa szeptucha nie miała prząśnej chustki na głowie!

Też dostałam od niej taką w prezencie. Prędzej umrę, niż założę ją na głowę. Nie będę udawać wiejskiej znachorki.

Poza tym włosy mi się pod nią uklepią...

– W takim razie zaczynamy pierwszą lekcję. Oman to roślina, taka bylina o żółtych kwiatkach, należy do rodziny astrowatych. Nie jest trująca.

– A... tylko proszę, nie obraź się, umyłaś go przed wrzuceniem do moździerza?

– Jest z mojego osobistego ogrodu zielnego. – Jej spojrzenie robiło się coraz mniej przyjazne.

Pokazała mi go dzisiaj rano. Był całkowitym przeciwieństwem bałaganu widocznego od szosy. Za chatką rozciągały się równe grządki z posadzonymi ziołami. Każde było zaopatrzone w tabliczkę z nazwą. Wszystkie chwasty zostały wyplenione. Nie było tam miejsca na nieporządek.

– No wiem, ale nie jest dokładnie ogrodzony. W lesie są lisy. Mogły przyjść do ogrodu i na przykład nasikać na rośliny, zakazić je tasiemcem albo innymi pasożytami.

– Umyłam je.

Nie byłam do końca pewna, czy powiedziała to tylko po to, żebym się odczepiła, czy faktycznie je umyła.

– No dobrze. A co to jest gniazdo remiza? – zapytałam i popiłam łyk wywaru.

Nawet nie smakował źle. Trochę jak rumianek. Lubię rumianek.

– Remiz to taki mały ptak wędrowny.

Zakrztusiłam się. Szeptucha kilka razy poklepała mnie po plecach. O bogowie, wypiłam właśnie sproszkowane gniazdo ptaka? Sproszkowane gałęzie pełne kleszczy i innego robactwa?

Poczułam, że robi mi się słabo.

Drzwi do chaty zatrzęsły się, gdy ktoś z werwą zastukał w stare drewno.

– Oho! – Szeptucha zerwała się z ławy. – Następna klientka. Zachowuj się!

Poprawiła chustkę, zgarbiła się i otworzyła drzwi drżącą ręką.

– Witojcie! – powiedziała jowialnie.

Szczupła kobieta uśmiechnęła się nieśmiało. W dłoniach, niczym tarczę, trzymała małą skórzaną torebkę.

– A, dzień dobry. Droga szeptucho, przyszłam po ten krem do rąk dla moich dziewczyn. Pamiętasz? Umawiałyśmy się, że odbiorę go w tym tygodniu.

– Ocywiście, ocywiście. – Baba Jaga pokiwała głową i zaprosiła ją do środka.

Kobieta zerknęła na mnie z ciekawością.

– Dzień dobry – przywitałam się. – Jestem praktykantką.

– Widzę, że to niebezpieczne zajęcie. – Zaśmiała się, wskazując na moją nogę.

– Mały wypadek. – Zaczerwieniłam się.

Kobieta usiadła przy okrągłym stoliku. Rozglądała się z ciekawością po półkach. Gdy Baba Jaga szukała obiecanego specyfiku, opowiadała o swoich trzech córkach, które pojechały do Warszawy na studia.

– Toż to mondry dziopy*, w stolycy nauki biorą.

– Niech te studia najpierw skończą – odparła kobieta, ale wyprostowała się zadowolona z uwagi szeptuchy.

Staruszka podała jej trzy słoiki bladoróżowego kremu. Nie wiedziałam, z czego został zrobiony, ale użyłam go na próbę. Był bardzo dobry, momentalnie się wchłaniał i nawilżał. Sława miała rację – Baba Jaga robiła niesamowite kosmetyki wedle własnych przepisów.

– Przyda im się ten krem. Wszystkie mają bardzo suchą skórę. W Warszawie to ze świecą szukać takiej dobrej szeptuchy – chwaliła klientka.

– Cóś jesce trzeba? – zapytała Baba Jaga.

– W zasadzie to tak. – Kobieta się zawahała. – Chodzi o mojego męża, Wojtka. Kojarzysz go, szeptucho, prawda? Jak nie z imienia, to z tego jego przezwiska – Czapla. W każdym razie już nie wiem, jak mu do rozumu przemówić. Straszny z niego bałaganiarz. Nie ma na to jakiejś rady?

Szeptucha zacmokała swoją złotą licówką. Po chwili namysłu odpowiedziała:

– Kto robi niepoządek koło chałpy, to aby go oducyć od tego, potseba wziąć z pieca goruncego popiołu, nim posypać taki niepoządek, a zara tylną część ciała okryją parchy u tej osoby, co zrobiła niepoządek.

Klientka lekko pobladła.

---

* Dziopy – dziewczyny, podlotki.

– Hm, może jednak wolałabym, żeby nie dostał… parchów.

– Pogadać li z nim musis. Mundry to człek, a nie gułaj*.

– Tak zrobię. Dziękuję, szeptucho. Do widzenia!

I już jej nie było. Nie dziwię się, gdyby mnie szeptucha zaproponowała, żeby upiększyć własnego męża parchami, to też bym uciekała w podskokach.

– Wydaje mi się, że powinnaś niedługo pojechać do domu – powiedziała Baba Jaga. – Dzisiaj z tą nogą i tak mi w niczym nie pomożesz. Jutro sobota. Przyjedź do mnie dopiero w poniedziałek.

– Dobrze.

Czułam się głupio, będąc kompletnie bezużyteczna. Nie leżało to w mojej naturze. Jestem raczej osobą chorobliwie uporządkowaną, która nie uśnie spokojnie, jeśli nie zrobi wszystkiego, co zaplanowała, i to na dodatek w kolejności alfabetycznej. To jeszcze nie są natręctwa, ale w psychiatrii na moje zachowanie też jest odpowiednia nazwa…

Baba Jaga nie powiedziała tego głośno, ale była chyba odrobinę mną zawiedziona. Moja mama pewnie naopowiadała jej o mnie cudów. Podejrzewam, że szeptucha spodziewała się kogoś nieco bardziej zainteresowanego ziołolecznictwem. No cóż… nie wdałam się w mamusię, jeżeli chodzi o rodzinne tradycje.

– A może posiedzę jeszcze trochę i na przykład zrobię inwentaryzację kredensu? – zaproponowałam.

Kobieta spojrzała na mnie podejrzliwie.

– Naprawdę chcesz to zrobić?

– Czemu nie! Chyba najwyższy czas, żebym trochę się podszkoliła. Jak na razie umiem rozpoznać tylko rumianek. – Mówiąc to, wskazałam na wazonik na stole, w którym tkwił bukiecik białych kwiatków.

---

* Gułaj – człowiek nierozgarnięty, głupiec.

– To margerytka, nie rumianek – skwitowała.

– No tak... – Odchrząknęłam. – Są podobne.

Margerytka? Co to, do cholery, jest margerytka?

– Margerytka, czyli inaczej jastrun albo złocień właściwy. Bardzo pospolity kwiatek. Rośnie na każdej łące i trawniku – wyjaśniła, widząc moje zmieszanie.

Uśmiechnęłam się szeroko, tak jakbym dzięki jej tłumaczeniu osiągnęła oświecenie. Nic bardziej mylnego – nadal będę się upierać, że w tym wazonie jest rumianek.

– Masz jeszcze dzisiaj jakichś klientów? – zmieniłam gładko temat.

– Nie, dzisiaj nie mam nikogo w kalendarzu. – Poklepała opasłą księgę leżącą przy drzwiach, którą pierwszego dnia wzięłam za księgę zaklęć.

Wiem, że szeptuchy nie zajmują się czarami, ale jakoś tak mi się skojarzyło, kiedy zobaczyłam czarnego kota. Oglądam za dużo telewizji. Nawet Sabrina, nastoletnia czarownica, miała kota.

– Masz rację co do tej inwentaryzacji! – Usłyszałam w jej głosie zadowolenie. – To dobry początek twojej nauki. Mam nadzieję, że niedługo będziesz już samodzielnie przyjmowała pacjentów. Musisz wiedzieć, co gdzie leży.

Wzięła krzesło i postawiła je przy wielkim kredensie z jasnego drewna. To chyba była wiśnia. Usiadłam obok niego i pogłaskałam wąski blat. Uwielbiam stare meble. Mają w sobie duszę.

Baba Jaga otworzyła górne skrzydła kredensu i wyjęła kilka karafek.

– Na najwyższej półce trzymam nalewki i syropy – powiedziała.

Przesunęłam się bliżej i dokładnie obejrzałam butelkę wypełnioną żółtawym płynem.

– To nalewka z kwiatów czarnego bzu.

Zdjęłam korek i powąchałam. Ostry zapach alkoholu natychmiast zapiekł mnie w nos, a oczy zaczęły łzawić.

– O bogowie, to chyba jest mocne!

– Nalewki robi się na spirytusie – wyjaśniła. – Czarny bez jest doskonały na przeziębienia. Zapewniam cię. Jeden kieliszek przed snem i możesz zapomnieć o katarze.

– I o wątrobie – mruknęłam.

– Każda butelka jest podpisana. – Wskazała mi małą naklejkę tuż pod korkiem. – Dzięki temu łatwo wszystko znaleźć. Klienci uwielbiają dostawać lekarstwa w tej formie i sporo za nie płacą. – Puściła do mnie oko.

Następnie zaczęła mi wyjaśniać, która nalewka na co jest najlepsza. Pokuśtykałam szybko do torebki i wyciągnęłam z niej zeszyt. Chciałam wszystko zapisać, żeby nie zapomnieć.

– Nalewka z szyszek chmielu to doskonałe lekarstwo na problemy ze snem. Nalewka z czosnku na przeziębienia, poza tym obniża ciśnienie krwi i działa przeciwmiażdżycowo. Nalewka z pigwy jest świetna na kaszel, wzdęcia, skurcze mięśni i gojenie ran. Nalewka z dzikiej róży zapobiega przeziębieniom i wzmacnia serce. Jarzębinówka działa moczopędnie. Nalewka kminkowa jest na bóle żołądka, likwiduje wzdęcia i pobudza perystaltykę. Likier malinowy albo nalewka malinowa działają przeciwgorączkowo i napotnie.

Skrupulatnie notowałam działanie kolejnych nalewek i likierów. Gdyby nie były podpisane, pewnie mogłabym nauczyć się je odróżniać po kolorze i zapachu. W kredensie Baby Jagi stała butelka każdego z trunków. Powiedziała, że w piwnicy u siebie w domu ma ich jeszcze więcej. Ponoć we wsi gadają, że to ona robi najlepsze nalewki w całym województwie.

Sięgnęłam po kolejną butelkę. Jako jedyna była w połowie pusta. Powąchałam. Pachniała słodko i bardzo apetycznie.

– A to? – zapytałam.

– Aaa... to likier poziomkowy.

– Na co pomaga? – Moja ręka z długopisem zamarła nad kartką.

Szeptucha wydawała się lekko wytrącona z równowagi. Szybko wsadziła likier z powrotem do kredensu i zatrzasnęła drzwiczki.

– To na poprawę humoru. Zwłaszcza mojego – powiedziała.

Wysunęła kilka górnych szuflad. Były bardzo pojemne. W każdej znajdowały się starannie zapakowane pudełka pełne suszonych ziół. Na każdym plastikowym pudełku była nalepka z nazwą. Ucieszyło mnie to. Najwyraźniej nie tylko ja jestem patologicznie pedantyczna.

Baba Jaga podała mi opasłą książkę o ziołach.

– Teraz chciałabym, żebyś porównała sobie wyschnięte zioła z rysunkami w książce. W poniedziałek pójdziemy do lasu szukać żywych składników – oznajmiła i z ulgą podeszła do pieca, gdzie jak zawsze stał garnek, w którym coś się warzyło.

– W marcu? – zdziwiłam się. – Przecież jeszcze nic nie wyrosło.

– Rośliny lecznicze to nie tylko ziółka dorastające do dziesięciu centymetrów. W poniedziałek przejdziemy się po lesie, żebyś wiedziała, gdzie rosną dobre brzozy, jałowce, lipy, kasztanowce i głogi. Drzewa to też rośliny lecznicze. I zapewniam, że w marcu również rosną.

Skurczyłam się w sobie. Nie sądziłam, że w reakcji na pytanie o likier poziomkowy zrobi się taka drażliwa.

Zgodnie z rozkazem skupiłam się na nauce rozpoznawania liści ślazu, macierzanki, piołunu czy podbiału. Przyznam szczerze, że było to skomplikowane zadanie, biorąc pod uwagę, że od dziecka nie odróżniam pietruszki od koperku.

W końcu sama zapragnęłam pocieszyć się za pomocą likieru poziomkowego.

– Wracasz do domu na Jare Święto? – zagadnęła mnie po jakimś czasie Baba Jaga.

– Nie, zostaję tutaj. Mama mnie wystawiła. Chce skorzystać z wolnego tygodnia i jechać na wakacje do Egiptu. – Skrzywiłam się, zazdroszcząc jej tego wyjazdu. Też bym chciała zobaczyć piramidy. Zawsze mnie fascynowały. – Nie mam co wracać do pustego mieszkania w Warszawie. Zostanę tutaj.

– To świetnie! – ucieszyła się szeptucha. – W takim razie mam nadzieję, że pomożesz mi w przygotowaniach do obchodów w Bielinach.

– Oczywiście.

– Spodobają ci się obchody na wsi. Są bardzo tradycyjne.

– Jestem ich ciekawa – wyznałam. – Mama bardzo mi je zachwalała. A co będziemy robić? To znaczy, o jakie przygotowania ci chodzi?

– Do moich licznych obowiązków należy między innymi wypiekanie świątecznego kołacza, więc będziesz musiała mi pomóc. Jest z tym trochę roboty.

– Och, nigdy czegoś takiego nie piekłam.

– Spokojnie. Powinnyśmy wyprodukować około trzydziestu kołaczy. Myślę, że przy dziesiątym załapiesz już, o co chodzi. Poza tym musimy udekorować kilka tuzinów jaj. Przy odpowiedniej reklamie sprzedamy je z dużą nawiązką.

Nie miałam nic przeciwko sprzedawaniu „magicznych" jajek, bylebym tylko nie musiała potem wykopywać ich z rozdroży.

– A jak dokładnie wyglądają obchody? – zapytałam.

Szeptucha aż się cofnęła.

– Nie wiesz?

– W Warszawie nie obchodzimy tego jakoś szczególnie. Maluje się jajka, polewa wodą i tak dalej. Trochę też zaczerpnęliśmy z obchodzonej na Zachodzie Wielkanocy. Na przykład czekoladowe zające. – Na myśl o nich pociekła mi ślinka.

– I tak dalej...? – Kobieta była wstrząśnięta. – Wiedziałam, że te duże miasta są złe, ale nie podejrzewałam, że aż tak.

Odeszła od paleniska i usiadła obok mnie.

– Jare Święto jest w tych stronach obchodzone bardzo hucznie. To powitanie wiosny, najważniejszej pory roku. Wtedy budzi się całe życie na polach. Obchody zaczną się dwudziestego pierwszego marca.

– W równonoc wiosenną, no tak.

– Właśnie. Pierwszego dnia tutejszy żerca od siedmiu boleści odprawi modły, zapali rytualny ogień i pokropi zebranych wodą, o ile nie spadnie deszcz. Potem rozpocznie się festyn, tańce i zabawy. Wieczorem na wszystkich wzgórzach zapłoną święte ognie. Każdego wieczoru przez trzy dni przy ogniskach będą odbywać się biesiady.

Słyszałam co nieco o tych „biesiadach" na wsiach. Podobno po każdej takiej imprezie dziewięć miesięcy później wzrastał w naszym cudownym kraju przyrost naturalny.

– W następne dni warto dać się zmoczyć chłopcom. To przynosi pomyślność wszystkim pannom na wydaniu, a ty chyba się jeszcze do nich zaliczasz.

Skrzywiła się przy tym nieznacznie. Poczułam się dotknięta. Wcale nie byłam taka stara!

– Poza tym codziennie należy kogoś odwiedzić i wręczyć świąteczne jajka w prezencie – dokończyła. – Najlepiej jajka kupione u szeptuchy!

Uśmiechnęłam się pod nosem na myśl o innych krajach, które ściągnęły od nas zwyczaj polewania wodą i odwiedzania znajomych. Połączyli je w tak zwany śmigus-dyngus.

Jedno można śmiało powiedzieć o Słowianach – umiemy się dobrze bawić. Nieważne, czy to święto wiosny, czy zmarłych, obowiązkowe tańce przy ognisku muszą być.

– Ten kapłan, który przeprowadzi rytuały, to Mszczuj, tak?

– W rzeczy samej. Jest żercą w Bielinach.

– Wiesz, że też ma praktykanta? – zagadnęłam. – Mieszko się u niego uczy. To on podwiózł mnie pierwszego dnia, a wczoraj pomógł mi wyciągnąć samochód z rowu.

– Tak... Mieszko. – Spojrzała na mnie uważnie. – Jesteś tu kilka dni, a widziałaś go już dwa razy. Ciekawy zbieg okoliczności.

– Czy ja wiem... Nowakową też widziałam już dwa razy. Szła szosą, kiedy do ciebie jechałam. Podwiozłam ją kawałek. Myślałam, że mój samochód nie uciągnie pod górę, kiedy wsiadła.

– Uważaj na Mieszka – ostrzegła mnie.

Coś w jej głosie sprawiło, że aż zmroziło mnie w środku. Przerwałam pracę i spojrzałam na nią. Baba Jaga była już drugą osobą, która mnie przed nim ostrzegała.

– O co chodzi? – zapytałam. – Najpierw moja przyjaciółka Sława ostrzega mnie przed facetami o tym imieniu, a teraz ty. Co jest z nim nie tak?

Oprócz tego, że w nocy chodzi po ciemku, mimo że ma latarkę?

– Nie, wszystko jest z nim dobrze. To bardzo miły chłopak.

– Ale...? – Starałam się pociągnąć ją za język.

– Ale szkoli się na żercę – odpowiedziała. – I to na dodatek szkoli się u jednego z najmniej rozgarniętych kapłanów, jacy chodzą po tej ziemi. Mszczuj nigdy nie był zbyt bystry. Nie ufam kapłanom. To wszystko.

Nie wierzyłam jej, ale nie chciałam się kłócić.

– Skoro jest taki nierozgarnięty, to jak został żercą? Przecież żerca powinien umieć wróżyć.

– Jedyne, co dobrze wychodzi Mszczujowi, to wciskanie ludziom ciemnoty, ale to tylko moje osobiste zdanie. Mogę się mylić.

Jej mina sugerowała coś zupełnie przeciwnego.

Baba Jaga podeszła do okna i spojrzała na ciemne chmury. Każdego dnia było coraz cieplej. Tylko patrzeć, aż nadejdzie pierwsza wiosenna burza.

– Oj niedobrze, niedobrze – mruknęła do siebie szeptucha.

– Słucham?

– Zbiera się na deszcz – powiedziała. – Oby tylko nie spadł przed obchodami.

– A co za różnica?

– Pierwszy deszcz powinien spaść dopiero w dniu obchodów!

Było to bardzo ważne dla głęboko wierzących Słowian. To właśnie wtedy Jaryło zapładnia deszczem ziemię, by po zimie wydała owoce. Nienawidziłam tego mitu. Wydawał mi się obleśny.

Szeptucha podeszła do słoika, w którym trzymała mąkę. Nabrała garść, następnie otworzyła okno i wyrzuciła ją na wiatr.

– Może Mszczuj wezwie płanetnika na wszelki wypadek? – powiedziała i dalej mówiła coś do siebie.

– Czemu wysypałaś mąkę za okno? – zapytałam, poważnie martwiąc się o jej równowagę psychiczną.

– Złożyłam płanetnikowi dar.

Pokręciłam głową z niedowierzaniem i po raz kolejny zaczęłam się zastanawiać, co ja właściwie tu robię. Jeszcze jestem skłonna zrozumieć zmiażdżone gniazda ptaków, zioła i magiczne kamienie. To także co prawda kłóci się z moimi przekonaniami na temat zasad BHP i higieny, ale jeszcze mogę to przełknąć.

Jednak wiara w mitycznych płanetników, czyli młodych przystojnych mężczyzn rzekomo porywanych przez wiatr podczas burzy w chmury, by walczyli z czającymi się tam żmijami i smokami, przekraczała moje zdolności powstrzymywania ironii.

– Jak go oślepisz mąką, to raczej nie pokona żmija... – prychnęłam.

– Wy, młodzi, nic nie wiecie – skwitowała.

Naszą rozmowę przerwało ciche pukanie do drzwi.

– A któż to? – zdziwiła się Baba Jaga i pospieszyła przywitać gościa.

Okazało się, iż jest to pan Wojtek, alias Czapla, małżonek kobiety, która przyszła wcześniej po krem do rąk dla ich trzech córek.

– Droga szeptucho kochana! – Uściskał Jagę. – Przepraszam, że tak bez zapowiedzi, ale ja z pilną sprawą.

– Gadojcie, z czem psychodzita. – Uśmiechnęła się i poprowadziła go do stołu.

– Ja w sprawie Lolusi, mojej żony. Lolusia ostatnio ciągle jakaś zła na mnie. Już sam nie wiem, o co jej chodzi!

– A rozmówiliśta się? Moze zapytoć warto? – zasugerowała.

– Zbywa mnie półsłówkami. – Machnął ręką. – Nie wiem. Wydaje mi się, że tęskni za dziewczynami. Ciągle na mnie warczy, że niby robię bałagan.

Szeptucha pokiwała głową.

– Mom cóś w som roz! Gosia, głogówkę doj.

Posłusznie wyciągnęłam z kredensu butelkę pełną pomarańczowozłotego trunku. Nalewka była sporządzona z owoców i kwiatu głogu, a dla smaku doprawiona wanilią. Dowiedziałam się wcześniej, że jest znakomita na serce. Poza niewątpliwymi walorami smakowymi odznaczała się zdolnością obniżania ciśnienia tętniczego. W sam raz na rodzinną kłótnię.

– Rozmówta sie psy półkwaterku nalewki – doradziła szeptucha.

– Dobrze. Dziękuję ci.

– I rade mom. Pomnij, ze krosty, bolaki i wszelakie parchy ginom od wody źródłowej, rzecznej i rosy zebranej w jakie naczynie w piontek psed rankiem.

Zdziwił się niezmiernie, ale podziękował grzecznie za radę i wyszedł. Ciekawe, czy za jakiś czas faktycznie będzie musiał szukać źródełka?

Gałgan ponownie wskoczył na moje kolana, usilnie domagając się pieszczot. Baba Jaga skrzywiła się z niesmakiem na ten widok.

– Na twoim miejscu bym go nie głaskała, dziecko – powiedziała. – Nie wiadomo, gdzie się wcześniej szlajał…

9.

Okłady szeptuchy zadziałały. Noga do poniedziałku przestała mnie boleć. Mogłam już normalnie chodzić i założyć każde buty.

Dzisiaj było chłodno, tak jak zapowiedziała Baba Jaga. Chmury z każdą minutą ciemniały. Wydawało się, że lada moment rozpęta się porządna burza. Nie byłam pewna, czy to dobry pomysł iść na spacer do lasu. Czy pioruny przypadkiem nie uderzają w drzewa?

Długo myślałam o rozmowie, którą odbyłam z Babą Jagą na temat Mieszka. Miała rację. Wróże wydają się nieco oderwani od rzeczywistości. Kapłan to słaby materiał na chłopaka.

Postanowiłam, że przestanę się tak bardzo przejmować tym, że nie mam faceta. Szeptucha do dzisiaj nie znalazła męża i jest szczęśliwa. Ma dobrze prosperujący biznes, szacunek lokalnego społeczeństwa, kota, kości zwierząt w kredensie, złotą licówkę...

Bogowie, jednak muszę znaleźć sobie faceta.

Przypomniała mi się noc, podczas której spotkałam Mieszka na rozstaju dróg. Do dzisiaj byłam zażenowana całą tą sytuacją i moim atakiem. Na dodatek dwukrotnym.

Nie widziałam dokładnie, jak to się stało, ale zdołał wydostać moje auto z rowu! Posadził mnie na miejscu kierowcy i kazał jechać na wstecznym. W tym czasie pewnie podkładał pod koła gałęzie. Też zamierzałam tak zrobić, gdybym go nie spotkała. Widziałam coś takiego na filmach.

Mieszko miał tyle okazji, kiedy mógłby ze mną poflirtować. Już samo trzymanie mnie w ramionach było świetną okazją, żeby zacząć.

Szczerze mówiąc, liczyłam na to. I to bardzo.

Obserwowałam go przez przednią szybę, gdy oświetlony reflektorami samochodu usiłował wypchnąć go z powrotem na szosę. Miał w sobie coś władczego. Nie potrafiłam tego dokładnie określić, ale budził respekt. Nie powinien zostawać kapłanem kryjącym się w ciemnościach świątyń.

Całe te nasze wierzenia były dla mnie nieźle pokręcone. Zawsze chciało mi się śmiać na myśl o tym, że w świątyniach Świętowita nie wolno oddychać, bo inaczej bezcześciło się „jego czcigodną boskość". Mieszko nie wyglądał mi na kogoś, kto wstrzymywałby oddech, bo ktoś mu tak kazał.

Poza tym żercy nie muszą być dobrze zbudowani, a Mieszko przecież ma się czym pochwalić.

Zaraz, dlaczego ja ciągle myślę o Mieszku? Bogowie... jeszcze nigdy nie poświęciłam tyle czasu na rozmyślania o facecie. Nie podoba mi się to. Zupełnie jakby ten mężczyzna rzucił na mnie jakiś urok.

Postanowiłam więcej o nim nie myśleć.

Ostatni raz spojrzałam krytycznie na swój ubiór. Porządnie przygotowałam się do chodzenia po lesie. Miałam na sobie wysokie buty, jeszcze wyżej podciągnięte skarpetki, długie jasne spodnie, podkoszulek i długi płaszcz ze stójką. Na głowę zamierzałam włożyć letnią czapkę z rondem przypominającą nakrycia głowy niedzielnych wędkarzy. Ale dopiero w lesie. Ludzie w Kielcach mogliby na mnie dziwnie patrzeć.

Po chwili namysłu stwierdziłam, że lepiej będzie, jeśli dziś nie spotkam Mieszka.

Jednak nie ma żartów. Sezon na kleszcze już się zaczął. Zadowolona z własnej przezorności wyszłam na ulicę.

W drzwiach prowadzących na klatkę schodową zderzyłam się z jakimś starym mężczyzną. Lekko śmierdziało od niego moczem. Cofnęłam się szybko i bąknęłam niewyraźne przeprosiny. Wyglądał na bezdomnego, miał na sobie znoszoną, brudną kurtkę i kraciaste portki. Długie, skołtunione włosy z nitkami siwizny otaczały jego pobrużdżoną twarz. Usta ginęły w gęstej brodzie. Zauważyłam ze zgrozą, że był na bosaka, a jego stopy przedstawiały senny koszmar każdej pedikiurzystki.

– Hej! – zawołał za mną.

Mnąc przekleństwo w ustach, odwróciłam się do niego i uśmiechnęłam słodko.

– Przepraszam pana, ale bardzo się spieszę. Do widzenia. – Już miałam odejść, gdy powstrzymał mnie, łapiąc za rękę.

Przez głowę przebiegł mi szereg informacji ze studiów na temat wszy, pcheł i świerzbu. Nie chciałam się od niego zarazić żadnym z tych pasożytów.

Otworzył usta, szczerząc pożółkłe zęby.

– Czy wierzysz w bogów? – zapytał poważnie.

– Proszę mnie puścić – warknęłam. – Bo nigdy nie dam panu nic w jałmużnie!

– Czy wierzysz w bogów?

– Będę krzyczeć! – ostrzegłam, czując, jak jego kościste palce coraz mocniej zaciskają się na moim nadgarstku.

– Odpowiedz – naciskał.

– Nie wierzę! – ryknęłam mu prosto w twarz. – Puszczaj!

Mężczyzna zdawał się stracić czucie w dłoni. Zdołałam wyciągnąć rękę spomiędzy zagiętych w szpony palców.

– Zwariował pan? – warknęłam, masując zaczerwieniony nadgarstek.

– Niedługo uwierzysz – oświadczył poważnie. – Niech twój wybór lepiej będzie mądry. Inaczej pożałujesz.

Odwrócił się do mnie plecami i powłócząc nogami, ruszył ulicą. Patrzyłam na jego zgarbione plecy zbita z tropu. Czy ten menel właśnie mi groził? Na wszystkich bogów, nie spodziewałam się, że spotkam fanatyka religijnego w centrum Kielc.

Sięgnęłam do torebki po płyn dezynfekujący, który zawsze noszę przy sobie (w przeciwieństwie do Sławy, która nosi buteleczkę perfum). Zadowolona z siebie popsikałam nim skórę rąk w miejscach, gdzie dotknął mnie bezdomny.

Gdy dojechałam do szeptuchy, wysłałam przyjaciółce SMS z ostrzeżeniem. Powinna uważać na tego faceta. Może być niebezpieczny.

Prawie od razu przyszła odpowiedź zwrotna.

„To tylko pan Witek. Nie przejmuj się. Jest totalnie niegroźny".

No dobrze. Skoro tak twierdziła. Wolałabym jednak więcej go nie spotkać, a tym bardziej dotykać.

***

Szeptucha krzątała się przy szafie, szukając swojej laski, którą podpierała się, chodząc po lesie. Pierwszy raz miałam okazję zobaczyć jej piękną willę od środka. Była zaskakująco nowoczesna. Dominował w niej chrom i szkło. Nie tego się spodziewałam po Babie Jadze. Liczyłam raczej na jakieś ręcznie tkane maty i meble ze starego, nadgryzionego przez korniki drewna, które mają wartość tylko sentymentalną.

– Idziemy! – Jej rozkaz oderwał mnie od podziwiania obrazu, który ni mniej, ni więcej przedstawiał czerwoną plamę rozbryźniętą malowniczo na czarnym tle.

Nie wiem dlaczego, ale obraz mnie przestraszył. Było w nim coś złowrogiego. Witał gości tuż po wejściu do domu, lecz do niego nie zapraszał.

Nie mogłam oderwać od niego wzroku. Niby zwykły kleks, a jednak w tajemniczy sposób przyciągał do siebie. Gruba warstwa czerwonej farby wystawała ponad płótno. Miałam ochotę jej dotknąć i sprawdzić, czy wciąż jest mokra. Zupełnie niedorzeczne.

Obraz musiał być dla szeptuchy ważny, ponieważ oprawiła go w piękną, ręcznie rzeźbioną ramę z bardzo ciemnego, prawie czarnego drewna.

Starsza kobieta zauważyła moje zainteresowanie. Stuknęła laską w płótno.

– Podoba ci się? – zapytała.

– Nie. – Pokręciłam głową. – Jest w nim coś... złego.

– To wróżba – zdradziła.

Odwróciłam się do niej zdziwiona.

– Dziecko, my już nie zarzynamy kur i nie grzebiemy się w ich wnętrznościach – zaśmiała się. – Teraz do oceny przyszłych zdarzeń używa się rozbryzgów farby.

Szczerze mówiąc, nie spodziewałam się takiej nowoczesności. Miłe zaskoczenie.

– Miejscowy kapłan używa farby?

– Gdyby umiał wróżyć, to pewnie by używał – mruknęła pod nosem. – Nie, on naprawdę zabija kury, które przynoszą mu lokalni wyznawcy.

– Ale po co, skoro może użyć farby? – Nie mogłam tego pojąć.

– Bo potem może taką kurę zeżreć. Farbą zbytnio by się nie najadł.

Spojrzała krytycznie na mój strój, który uzupełniłam o grube rękawice i kapelusz z rondem. Nie zapomniałam także wsadzić spodni w skarpetki. Ona miała na sobie to co zwykle plus laskę.

– Ty naprawdę boisz się kleszczy – skwitowała.

– O czym mówi ta wróżba? – zapytałam, nie zwracając uwagi na przytyk.

Kobieta westchnęła i wróciła spojrzeniem do obrazu.

– Mówi, że niebawem coś się wydarzy. Będą ze sobą walczyć potężne siły, ale tylko jedna wygra.

Serio? Czerwony kleks?

– Jakie siły?

– Nie wiem. Chodź, idziemy. Pogoda się psuje.

Tuż przed wyjściem jeszcze raz zerknęłam na płótno. Po plecach przebiegł mi dreszcz. Nie umiałam czytać wróżb, ale ta wydawała mi się niezbyt dobra. Wydarzenie, o którym rzekomo mówi, nie będzie chyba należało do najprzyjemniejszych.

– Och, przypomniało mi się. Gosiu, gdy będziesz w Kielcach, kup mi kilka żarówek, dobrze? – poprosiła Baba Jaga.

– Jasne, nie ma sprawy.

– Ostatnio często mi się przepalają – dodała szybko, usiłując się usprawiedliwić.

– Może instalacja jest wadliwa.

– Może.

Podeszłyśmy drogą do skraju lasu, a następnie zagłębiłyśmy się między drzewa. Puszcza przypadła mi do gustu. Z daleka wydawała się gęstą ścianą roślin, jednak naprawdę wyglądała zupełnie inaczej. Nie było wcale tak dużo krzaków, widoczność sięgała około dwudziestu metrów. Z łatwością da się zauważyć grożące niebezpieczeństwo.

Na ziemi leżały zeschłe liście, zalegające od jesieni. To też mi się spodobało. Kleszcze zwykle siedzą w trawie.

– Najpierw pójdziemy do świętego dębu – powiedziała szeptucha. – Będziesz tu często przychodzić.

– Jak to? – jęknęłam.

Szłyśmy powoli ścieżką biegnącą skrajem lasu. Jak na kobietę o lasce moja towarzyszka była zadziwiająco zwinna. Gdy ja się zasapałam, ona oddychała równo, mimo że cały czas opowiadała mi o mijanych drzewach. Jak przystało na osobę całkowicie uzależnioną od technologii, która kompletnie nie zna się na roślinach, fotografowałam każde opisywane drzewo telefonem komórkowym, żeby potem w domu przyjrzeć im się jeszcze raz na spokojnie.

Gdy zagłębiłyśmy się w las, zauważyłam, że komórka zaczęła tracić zasięg.

W końcu dotarłyśmy do zadbanej dróżki wyłożonej płaskimi kamieniami. W jedną stronę prowadziła w głąb puszczy, a w drugą do jakiejś wiejskiej drogi ciągnącej się między domostwami.

– Nie mogłyśmy tu podjechać samochodem? – zapytałam, posapując ze zmęczenia.

– Wtedy nie zobaczyłabyś lasu. Idziemy!

Miałam już serdecznie dość naszej wycieczki. Poznałam chyba wszystkie możliwe mijane drzewa. Zresztą i tak usłyszałam, że jeżeli będę chciała zbierać ich korę lub owoce, to powinnam wejść głębiej, tam gdzie nie ma ścieżek i szlaków, bo drzewa przy drodze mogą być zanieczyszczone.

Prędzej umrę. Już i tak czułam się wystarczająco nieswojo, podążając za Babą Jagą.

Po kilkunastu minutach doszłyśmy do małej polanki, pośrodku której rósł rozłożysty dąb. Poznałam to drzewo od razu.

Było święte.

Oznaczało miejsce, gdzie należy składać ofiary Świętowitowi. Pod drzewem leżał wielki głaz, spod którego biło źródełko. Żeby drzewo było święte, musiało spełniać trzy warunki: powinno być dębem, mieć kamień i źródło.

Przez to, że zima była wyjątkowo łagodna, nie wszystkie zżółkłe liście opadły z dębu. Wyglądał naprawdę pięknie na tle wiecznie zielonych świerków, które go otaczały.

– To najstarsze drzewo w całym Królestwie – powiedziała szeptucha.

Pokiwałam głową. Pamiętałam jego zdjęcie z podręcznika do wiedzy o kulturze, którą miałam w podstawówce. Wydaje mi się, że od tamtego czasu znacznie urosło albo po prostu fotografia nie oddawała jego prawdziwych rozmiarów.

Potężne konary zwieszające się nisko nad ziemią były bardzo grube. Na moje oko miały w obwodzie więcej, niż ja mam w biuście. A zaręczam, że mam czym oddychać.

– Będziesz tu przychodzić po wodę – oświadczyła Baba Jaga.

– Będę?

– Nie rób min, bo ci tak zostanie. To bardzo czyste źródło, woda jest świeża. Świetnie nadaje się do leków, które wytwarzam. Poza tym jest idealna na herbatę.

– A nie można tu podłączyć jakiejś rury i podciągnąć do twojego domu? – zapytałam, podchodząc bliżej. – To niedaleko. Na pewno jakoś by się dało załatwić pozwolenie. W końcu jesteś szeptuchą.

Posłała mi pełne zgorszenia spojrzenie. Okej, rozumiem. To by zbezcześciło święte miejsce. Jasne... bo na pewno bóg gdzieś tu siedzi i nas obserwuje.

Kobieta z wysiłkiem ukucnęła przy źródełku i napiła się wody. Ja nie miałam takiego zamiaru. Cholera wie, jakie bakterie pływają w tym bełcie, skoro każdy do niego pluje.

– Powinnyśmy porozmawiać o bogach – powiedziała poważnie.

– Eee tam. Mam dość takich rozmów jak na jeden dzień – westchnęłam i usiadłam na kamieniu.

Szybko z niego wstałam spiorunowana wzrokiem Baby Jagi.

– Jak to? – zapytała i podniosła się, podpierając się laską.

– Przed moim blokiem zaczepił mnie jakiś obwieś – wyjaśniłam. – Pytał, czy wierzę w bogów. Był obrzydliwy.

Mocarny dąb nad naszymi głowami zaszumiał, gdy wiatr zatańczył w jego potężnych gałęziach.

– Jak wyglądał?

– Jak bezdomny. Miał skołtunione włosy i śmierdział. Złapał mnie za rękę. – Wyłuskałam spod kilku warstw ubrań nadgarstek i przyjrzałam mu się uważnie. – Jak myślisz, mogłam złapać od niego świerzb albo inne paskudztwo?

– A co mu odpowiedziałaś?

– Że nie wierzę w bogów. On się wtedy wkurzył i powiedział, że niedługo zacznę. – Prychnęłam z niesmakiem. – Stary pijaczyna, który...

Nagle duży żołądź uderzył mnie prosto w głowę, przerywając mi w pół słowa. Spojrzałam podejrzliwie na drzewo nad moją głową i pomasowałam rosnącego guza. Szukałam wzrokiem wiewiórki, która zgubiła swój łup.

– To chyba nie jest dobre miejsce na tę rozmowę – stwierdziła Baba Jaga, również przyglądając się dębowi. – Powinnaś uważać na to, co mówisz.

Podeszła do pnia i pogłaskała go delikatnie.

– Dlaczego? – zdziwiłam się. – Przecież jesteśmy pośrodku niczego. Nikt mnie tu nie podsłucha.

– Lepiej już chodźmy.

Wzruszyłam ramionami i odwróciłam się na pięcie, chcąc jak najszybciej dotrzeć do ścieżki. W tym samym momencie zderzyłam się z jakimś człowiekiem. Przestraszona odskoczyłam i upadłam na plecy, pośliznąwszy się na gnijących liściach.

Nade mną górował starszy mężczyzna. Miał na sobie ciemnozielony mundur leśniczego. W lewej dłoni ściskał ubłoconą siekierę. Wyprane z koloru oczy przyglądały mi się spokojnie. Pochylił się i podał mi sękatą, zniszczoną ciężką pracą dłoń. Z wdzięcznością przyjęłam pomoc przy wstawaniu. Szybko otrzepałam spodnie.

– Przepraszam – bąknęłam. – Nie widziałam pana. Bardzo cicho pan chodzi!

Staruszek pokiwał głową i uśmiechnął się do mnie zza siwej brody. Dopiero kiedy wstałam, zauważyłam, jak bardzo jest wysoki. Mimo że stał zgarbiony, to i tak było widać, że ma ze dwa metry wzrostu. Musiałam zadrzeć głowę, żeby spojrzeć mu w oczy.

– Wow, ale pan wysoki – wyrwało mi się.

– Lepiej już chodźmy – powiedziała szeptucha i złapała mnie mocno za łokieć.

Kiwnęła głową do mężczyzny. Ruszyłyśmy kamienistą ścieżką w stronę wiejskiej drogi. Zdziwiło mnie chłodne zachowanie Baby Jagi. Przyzwyczaiłam się już, że zna wszystkich okolicznych mieszkańców i dla każdego jest życzliwa.

– Do widzenia! – krzyknęłam jeszcze przez ramię, żeby leśniczemu nie zrobiło się przykro.

Baba Jaga dostała niesamowitego przyspieszenia. W ogóle nie podpierała się laską, gdy właściwie biegłyśmy ścieżką. Nie rozumiałam, skąd ten pośpiech.

Gdy tylko wyszłyśmy z lasu, zapytałam ją, o co chodziło. Może leśniczy to jej były? Był od niej co prawda dużo starszy, ale w pewnym wieku przestawało to być problemem.

– Przy panu Leszku trzeba być ostrożnym – powiedziała.

– Przecież wyglądał sympatycznie.

– Trzymał w ręku siekierę – mruknęła. – Wobec każdego, kto ma broń, należy być ostrożnym. Musisz to sobie dobrze zapamiętać.

Eee tam. W tym wieku nie zdołałby się pewnie nawet porządnie zamachnąć z obawy o swój reumatyzm.

Stanęłyśmy na asfaltowej drodze. Niedaleko zaczynały się wiejskie zabudowania.

– Gosławo, jak już mówiłam, musisz uważać na bogów.

– Przecież nie obnoszę się publicznie z moją niechęcią. Głośno narzekam tylko w obecności przyjaznych mi osób – westchnęłam i spojrzałam na nią z ukosa, mając nadzieję, że uważa się za jedną z nich.

– Gosiu...

– Wiem, że tutaj ludzie naprawdę wierzą. Szanuję to, ale nic nie poradzę, że sama nie wierzę.

– Bogowie są znacznie bardziej realni, niż ci się wydaje. – Pogroziła mi palcem.

– A jeszcze bardziej realne są bakterie.

– Bogowie upomną się o ciebie – kontynuowała spokojnie, jakby mnie nie słyszała, i ruszyła dalej.

Przewróciłam oczami.

– I niby co ci bogowie mi zrobią?

– Bogowie są mściwi i źli. Upomną się o ciebie. Zapamiętaj moje słowa.

– A po co ja im jestem do szczęścia potrzebna? – prychnęłam.

– Witajcie!

Odwróciłyśmy się w stronę głosu. Za płotem, na posesji znajdującej się najbliżej lasu, stał Mieszko. Uśmiechał się do nas i machał ręką. Miał na sobie płócienną koszulę i skórzaną kamizelkę z kieszeniami. Jakimś cudem wyglądał odrobinę steampunkowo.

– Witojcie, Mieszko! – zagruchała Baba Jaga, zniekształcając słowa.

– Cześć – odwzajemniłam uśmiech.

– Ciekawy strój – powiedział.

Poczerwieniałam i szybko zerwałam z głowy kapelusz. Cholera jasna! Przecież miał mnie nie widzieć w moim kombinezonie na owady!

– Wiesz... sezon na kleszcze się zaczął – bąknęłam.

10.

Przez kolejne tygodnie pilnie uczyłam się zawodu szeptuchy. Była to żmudna praca. Nie zdawałam sobie sprawy, że istnieje tyle ziół, które można z powodzeniem wykorzystać w domowym lecznictwie. Nie byłam tylko przekonana, czy w ogóle chcę się tego dowiedzieć.

Tuż przed Jarym Świętem Baba Jaga pozwoliła mi nawet samodzielnie przyjąć klientkę. W noc poprzedzającą moją pierwszą próbę nie mogłam spać ze zdenerwowania.

Przygotowałam się gruntownie. Przeczytałam dwa podręczniki, które poleciła mi szeptucha, przejrzałam kilkakrotnie zawartość kredensu, a nawet zadbałam o swój wygląd i włożyłam kwiecistą sukienkę. Czułam się jak prawdziwa szeptucha! Brakowało mi tylko chustki na głowie, ale przysięgłam sobie, że nigdy jej nie założę.

– Co panią sprowadza? – zapytałam, kiedy usiadłyśmy z klientką po przeciwnych stronach okrągłego stołu.

Baba Jaga spoczęła na ławie, pod oknem. Zamierzała tylko obserwować mnie z boku. Skrzywiła się, słysząc mój głos. Mogłam przebrać się w kieckę, której nikt o zdrowych zmysłach by nie włożył, ale nie dam się przekonać do wsiowego zaciągania każdego słowa.

Nie przesadzajmy z tą autentycznością.

– Przyszłam do pań z kilkoma problemami – wyznała klientka i odchrząknęła.

Miała około trzydziestu paru lat. Wydawała się lekko speszona.

– Wysłuchamy wszystkich potrzeb. Proszę mówić – usiłowałam ją zachęcić.

O bogowie, niech się okaże, że ona tu przyszła ze zwykłą chorobą. Mogę znać się na ziółkach, ale błagam, bym nie musiała mówić tych pierdół o składaniu ofiar w lesie i zakopywaniu kamieni. Proooooszę, żeby to była tylko kurzajka alba łamliwe włosy.

– Przeziębiłam się – powiedziała kobieta i znowu chrząknęła.

Natychmiast obudził się we mnie żądny symptomów lekarz. Moje ręce mimowolnie zaczęły szukać kieszeni fartucha, w której trzymam stetoskop, otoskop i drewniane szpatułki do zaglądania w gardło.

Niestety, nie miałam teraz stetoskopu, bo szeptucha nie pozwoliła mi go przynieść, a tym bardziej nie miałam na sobie fartucha lekarskiego z poręcznymi kieszeniami. Byłam wściekła. Tak dawno nie osłuchiwałam nikomu serca ani płuc. Tęskniłam za tym.

– A jakie są objawy? – zapytałam natarczywie.

– Od tygodnia pokasłuję i trochę leci mi z nosa.

– To kaszel suchy czy mokry?

– Chyba suchy...

– Przez cały dzień ma takie samo nasilenie?

– Eee... tak?

– A może nocą jest silniejszy?

– Chyba nie...

– Czy choruje pani na astmę albo alergię?

– Nie...

– A czy w rodzinie zdarzały się takie choroby?

– Nie...

– Pali pani papierosy?

– Nie...

– Czy w rodzinie były przypadki raka płuc?

Siedząca w kącie szeptucha syknęła ostrzegawczo. Nie zwróciłam na nią uwagi. Dobrze przeprowadzony wywiad lekarski to podstawa!

– Nie – mruknęła klientka. – Wydaje mi się, że po prostu się przeziębiłam. Tydzień temu zbierałam sitowie nad rzeką. Zamoczyłam wtedy nogi, a było zimno.

Poziom mojego podniecenia gwałtownie opadł. Wyglądało na to, że kobieta rzeczywiście tylko się przeziębiła.

– Myśli pani, że to może być rak? – Kobieta wyglądała na autentycznie przerażoną.

Baba Jaga posłała mi pełne niechęci spojrzenie.

– Nie, tylko się pani przeziębiła – starałam się, żeby w moim głosie nie było słychać żalu.

Wstałam i podeszłam do kredensu. Otworzyłam górne drzwiczki i przez chwilę grzebałam w środku, postukując małymi buteleczkami. Zadowolona wyciągnęłam jedną z nich i podałam kobiecie.

– Ma pani szczęście. To ostatnia flaszeczka syropu z sosny. Proszę pić jedną łyżkę stołową dwa razy dziennie przez tydzień. Objawy powinny ustąpić – powiedziałam.

– Dziękuję bardzo. – Ścisnęła buteleczkę w dłoniach, jakby miało od niej zależeć całe jej życie.

Zerknęła na Babę Jagę, a potem na mnie. Zmarszczyłam brwi. Nie wiedziałam, o co jej chodzi.

– Tylko że ja mam jeszcze jeden problem – wyznała.

– Tak?

– Trochę się wstydzę...

– Proszę się nie wstydzić. Jesteśmy tu po to, żeby pani pomóc.

Czyżby wyskoczyły jej pryszcze, ale niekoniecznie na twarzy?

– Podoba mi się taki jeden...

Ręce mi opadły. Miałam ochotę zacząć tłuc głową w blat stołu. I nie jestem do końca pewna, czy swoją głową...

– Taaaak? – mruknęłam przez zęby.

– To mój nowy sąsiad. Jest bardzo przystojny – wyznała, spuszczając wstydliwie oczy. – Tylko w ogóle nie zwraca na mnie uwagi.

– A rozmawiała z nim pani? – spytałam.

– Nie! – zaprzeczyła gwałtownie. – Wstydzę się odezwać. Chciałabym, żeby zwrócił na mnie uwagę.

Po dłuższym namyśle stwierdziłam, że lepiej nie uderzać jej głową w stół. Najwyraźniej była pusta w środku. Istniało niebezpieczeństwo, że pęknie niczym szklana bombka.

Baba Jaga uznała, że to właściwy moment, by wkroczyć do akcji. Byłam jej za to wdzięczna. Wiedziałam, co należy zastosować na rozkochanie mężczyzny, ale nie chciało mi to przejść przez gardło.

Staruszka podeszła do kredensu i wyciągnęła z niego pudełko po zapałkach. Podała mi je i uśmiechnęła się pocieszająco. Wiedziała, że tego nie pochwalam.

– Proszę. – Przekazałam pudełeczko kobiecie. – Musi pani podać ten proszek mężczyźnie.

– W jaki sposób? – Chwyciła pudełko gwałtownie, przez co omal nie stłukła buteleczki z syropem.

– Najlepiej dosypać go do herbaty. Herbata zabije smak proszku.

– Ale... ale... – zająknęła się klientka.

– Tak, to znaczy, że musi się pani do niego odezwać i zaprosić go na herbatę – rozwiałam złośliwie jej wątpliwości. – Ale zanim pani to zrobi, proszę znaleźć lipę rosnącą najbliżej jego domu i złożyć wieniec ofiarny.

Kiepską porę roku wybrała na zaloty. Wieńce ofiarne robiło się z kwiatów. W marcu za wielu nie znajdzie.

– Lipa to drzewo wdzięku, piękna i płodności – tłumaczyłam. – Jeżeli ofiaruje mu pani wieniec, to podniosą się pani noty. Niemniej jednak bez zastosowania proszku nic z tego nie będzie.

Poczułam mściwą satysfakcję, kiedy za kobietą zamknęły się drzwi.

– Mam pytanie. – Odwróciłam się w stronę Baby Jagi.

– Tak? – Podeszła do kuchni i zaczęła mieszać chochlą w garnku.

– Z czego w sumie jest to lekarstwo na miłość?

– Ze sproszkowanego serca kreta – wyjaśniła spokojnie.

Poczułam, że zbiera mi się na mdłości na myśl o tym, że ten biedny facet będzie musiał to wypić.

– A czy one nie są pod ochroną?

– Są. Niestety, ostatnio wiele osób ma problemy w miłości...

– To skąd...? – nie zdążyłam skończyć pytania.

– To było serce z hodowlanego kreta. Sprowadzam je z Mazur.

To rozwiało wszystkie moje wątpliwości.

– A co? Potrzebujesz trochę tego proszku?

– Nie, dziękuję.

– Dam ci zniżkę – kusiła.

Zniżka na ten specyfik faktycznie by się przydała. Tamta zdesperowana kobiecina zapłaciła trzysta złotych za pół pudełka po zapałkach.

– Chyba brzydziłabym się pocałować kogoś, kto wcześniej spożył serce kreta.

– Rozumiem. Tak przy okazji, to było świetne zagranie, kiedy powiedziałaś jej, że nie mamy więcej syropu z sosny. Szybko się uczysz.

– Naprawdę go nie mamy. To była ostatnia butelka.

Teraz już wiem, że nie powinnam była tego mówić. Gdybym tylko utrzymała język za zębami, nie musiałabym, jak to określiła szeptucha, „biec w podskokach do lasu po świeże pączki sosny".

Nawet tłumaczenia, że nie mam na sobie mojego stroju na kleszcze, na nic się nie zdały wobec groźby braku zapasu syropu z sosny, który na wiosnę schodzi jak świeże bułeczki po piętnaście złotych za butelkę.

Straszne zdzierstwo swoją drogą.

Z tego też powodu stałam teraz na granicy pola z lasem ubrana w szare gumiaki i zgniłozielony płaszcz Baby Jagi. Niestety, nie miała mi do zaoferowania kapelusza z szerokim rondem, więc dokładnie owinęłam się jedną z jej kwiecistych chust.

Postawiłam na ziemi wiadro, na którego dnie leżały małe metalowe szczypce do oddzielania pączków, i poprawiłam szelki niskiej, kilkustopniowej, drewnianej drabiny, którą szeptucha zawiesiła mi na plecach. Bo oczywiście muszę zbierać pączki z drzew znajdujących się jak najgłębiej w lesie, najlepiej z gałęzi znajdujących się około dwóch metrów nad powierzchnią ziemi. Poprawiłam szelki drabiny. Strasznie ciężka! Zaraz mi przepuklina wyskoczy.

Od dzisiaj oficjalnie nienawidzę syropu z sosny.

Po raz ostatni odwróciłam się i spojrzałam na chatę Baby Jagi. Nie miałam wyboru. Musiałam wypełnić powierzone mi zadanie.

Było nawet w tej cholernej książeczce praktyk...

Złapałam wiadro i klnąc na czym świat stoi, ruszyłam w głąb lasu. Drzewa rosły luźno, bez trudu przedzierałam się przez krzaki, chociaż zeszłam ze szlaku. Poklepałam się po kieszeni. Szeptucha zaopatrzyła mnie w kompas, gdybym zapomniała, którędy szłam. Wiedziałam, w którą stronę powinnam się udać, gdy zabłądzę.

Po kilkudziesięciu metrach dotarłam do wąskiego potoku. Z łatwością go przeskoczyłam, nie mocząc nawet gumiaków. Musiał wypływać ze źródła bijącego spod dębu. Gdybym ruszyła w górę potoku, pewnie po jakimś czasie doszłabym do miejsca kultu.

Uznałam, że jestem już wystarczająco daleko od cywilizacji. Przystawiłam drabinę do najbliższej sosny i zaczęłam obcinać pąki. Pamiętałam słowa Baby Jagi. Nie wolno mi ogołocić całego drzewa. Po chwili przeniosłam się do następnej sosny koło strumienia. Nie chciałam stracić go z oczu, bo wiedziałam, że w razie utraty orientacji, trzymając się go, dotrę do drogi.

Potok robił się coraz szerszy i coraz bardziej błotnisty. Pomiędzy sosnami zaczęły pojawiać się olchy i wierzby. Dzięki naukom szeptuchy wiedziałam, że te drzewa są nieprzydatne do jej leczniczych naparów. Od wieków uważano je w naszej kulturze za złe. Zwiastowały obecność wodnych demonów.

Na szczęście ja nie wierzę w takie idiotyzmy.

Zobaczyłam zwieszające się nad wodą ostre liście szaleju jadowitego. Był bardzo trujący. Baba Jaga pokazała mi rośliny używane do sporządzania silnych i niebezpiecznych leków. Szalej, powszechnie nazywany cykutą, był jedną z nich. Jak głosi legenda, to właśnie od zatrucia tą rośliną zmarł Sokrates. Ukucnęłam obok, żeby przyjrzeć mu się dokładniej. Nie zamierzałam go nawet dotykać. Jednak postanowiłam zapamiętać to miejsce, gdybym kiedyś została wysłana, by go zebrać.

Słońce powoli chyliło się ku zachodowi, a ja wciąż nie miałam pełnego wiadra. Robiło się coraz cięższe, gdy coraz bardziej oddalałam się od Bielin. Bałam się, że nie dam rady wrócić.

Dookoła mnie panowała złowroga cisza. Dla dodania sobie animuszu zaczęłam podśpiewywać pod nosem. Żałowałam, że zawędrowałam aż tak daleko. Zerknęłam na drugą stronę potoku. Tam rosło więcej sosen. Jednak za żadne skarby nie udałoby mi się go teraz przeskoczyć. Mogłam spróbować przejść po śliskich kamieniach, może nie wpadłabym do wody. Jednak wolałam nie ryzykować.

Spojrzałam na zegarek. Robiło się późno. Nie chciałam, żeby noc zastała mnie w lesie. Szeptucha będzie mi musiała wybaczyć, że nie zapełniłam całego wiadra. Przyspieszyłam kroku.

Omijałam kolejne wierzby. Na ich długich witkach zwieszających się do wody także pojawiały się pierwsze pąki.

Nagle zrobiło się ciemniej i zimniej. Mój oddech zaczął formować się w obłoczki pary. Poprawiłam płaszcz i przestraszona rozejrzałam się dookoła.

To tylko moja wyobraźnia. Nigdzie nie ma żywego ducha.

Ujrzałam jeszcze jedną sosnę i przystawiłam do niej drabinę. Postanowiłam, że to będzie ostatnie drzewo, z którego zbiorę pączki. Zaraz po tym ruszam z powrotem do domu.

Weszłam na ostatni stopień, przytrzymując się pnia. Ta sosna miała bardzo mało pąków. Wydawały się przemarznięte. Mimo to ścięłam kilka i wrzuciłam do kieszeni.

W tym momencie usłyszałam za sobą szelest.

Las pełen był opadłych liści niezależnie od panującej pory roku. Tu nikt ich nie zamiatał. Leżały tak długo, aż się rozłożyły. Każdy krok na takim podłożu był dobrze słyszalny.

Odwróciłam się szybko. Bardzo nie chciałam spotkać dzikiego zwierzęcia. Nasłuchałam się kilku nieciekawych historii na temat zdziczałych wiejskich psów porzuconych przez gospodarzy. Niejednokrotnie były gorsze od wilków. Wilki bały się ludzi. Psy nie.

Jednak nie zobaczyłam niczego. Najwyraźniej musiałam się przesłyszeć. Ścięłam szybko jeszcze kilka pąków i zeszłam po drabinie. Opróżniłam kieszenie do wiadra. Trzy czwarte kubła powinno Babie Jadze wystarczyć.

Znów coś zaszeleściło.

Obejrzałam się. Las był pusty jak okiem sięgnąć. Poczułam, że robi mi się niedobrze.

Nie było słychać ptaków. Dlaczego?

Nie schowałam nożyczek do kieszeni. Schyliłam się i podniosłam wiadro. Uważnie obserwując las, cofnęłam się kilka kroków w stronę szerokiego w tym miejscu potoku. Moje kalosze zapadły się w miękkie błoto.

– Jest tu kto? – zapytałam.

Słońce już prawie schowało się za horyzontem. Coraz szybciej robiło się ciemno. Pomarańczowe promienie ledwie prześlizgiwały się pomiędzy koronami drzew.

Kompletna cisza przerażała mnie coraz bardziej. Las nie powinien tak wyglądać. Powinien być pełen dźwięków. Jakby w odpowiedzi na moje myśli coś ponownie zaszeleściło między drzewami.

Spojrzałam w dół strumienia. Teren opadał. Wierzby prawie całkowicie przesłaniały widok.

Serce ze strachu omal nie wyskoczyło mi z piersi. Jęknęłam, kiedy w mroku mignęło coś czerwonego. To były oczy!

Zaczęłam się cofać. Czerwone punkty kilka razy znikły, zupełnie jakby mrugały.

Kalosz wpadł głębiej w wodę. Przez grubą gumę buta poczułam, że coś oplata mi nogę w kostce. Z ust wyrwał mi się wysoki krzyk przerażenia.

Szarpnęłam mocno. Uwolniona zatoczyłam się, a następnie pobiegłam co sił w górę strumienia. Kwiecista chustka zsunęła mi się z włosów i powiewała za mną na wietrze. Ciężkie wiadro obijało się boleśnie o udo.

Zatrzymałam się dopiero, kiedy potoczek zrobił się na tyle wąski, że łatwo mogłam przez niego przeskoczyć. Zaczęłam poznawać otoczenie. Byłam tu wcześniej. Po niedługim czasie w oddali, pomiędzy drzewami, zobaczyłam chatkę szeptuchy.

Odważyłam się zwolnić i odwrócić.

Las był spokojny. Pomarańczowe promienie zachodzącego słońca rzucały ciepłe blaski pomiędzy gałęziami smukłych sosen. W koronach drzew śpiewały ptaki. Cicho szumiał wiatr. Odetchnęłam głęboko. Tym razem wydychane przeze mnie powietrze nie zamieniło się w parę. Dziwne.

Powoli odstawiłam wiadro na ziemię i oparłam dłonie na kolanach. Musiałam się uspokoić.

Byłam bezpieczna. Tutaj nic mi nie groziło.

Zaśmiałam się. Bagnista polana nieźle podziałała na moją wyobraźnię. Czerwone punkty zapewne wcale nie były oczami. Nic mnie też nie złapało za nogę. Po prostu zahaczyłam stopą o jakiś korzeń. Pełno ich tam było.

Rozbawiona spojrzałam na kalosze. Poczułam, jak uśmiech zamiera mi na ustach. Obie cholewki były ubłocone tak samo. Jednak tylko na bucie, który utknął w bagnistym potoku, szlam ułożył się dość osobliwie. Ukucnęłam, nie mogąc uwierzyć w to, co widzę. Przyłożyłam rękę do zaschniętego błota.

Układało się w kształt dłoni...

11.

Szeptucha nie była zadowolona. Nie opowiedziałam jej o czerwonych oczach i błocie. Nie chciałam wyjść na idiotkę. Podczas drogi powrotnej przez łąkę, która ciągnęła się pomiędzy lasem a domem Baby Jagi, zdołałam uspokoić się na tyle, by zrozumieć, że mam zbyt bujną wyobraźnię.

Teraz było mi tylko wstyd, że tak głupio się przestraszyłam.

Opiekunka moich praktyk miała mi za złe, że nie zebrałam całego wiadra pąków sosny. A za porzucenie jej drogocennej drabiny pośrodku lasu właściwie się obraziła.

Obiecałam jej, że odkupię drabinę, jeśli ktoś ukradnie ją przez noc.

Następnego dnia, zanim ponownie wyruszyłam w las z metalowym wiadrem, postanowiłam wziąć ze sobą kogoś do pomocy. Tak na wszelki wypadek, gdybym miała spotkać zdziczałe psy.

Długo się wahałam, zanim podjęłam tę decyzję. W końcu przełknęłam dumę i wsiadłam do samochodu.

Podjechałam do chatki miejscowego wróża Mszczuja. Chociaż spędziłam w Bielinach już prawie miesiąc, nie znałam nikogo poza Mieszkiem. Tylko jego mogłam poprosić o pomoc.

Był wyjątkowo ciepły poranek jak na marzec. Już za kilka dni równonoc wiosenna i początek obchodów Jarego Święta. Nie chciałam przyznać tego głośno, ale byłam ciekawa ich przebiegu.

Stanęłam przed rozpadającą się ze starości chałupiną. Jej dach przekrzywiał się niebezpiecznie, grożąc zawaleniem. Na pewno przeciekał. Gdy zastukałam do drzwi z obłażącą farbą, te uchyliły się do środka.

Zaczęłam doceniać chatkę szeptuchy. Przy zabudowaniach należących do wróża wydawała się wręcz ekskluzywna.

– Halo! – zawołałam. – Jest tu kto?

Weszłam do izby. W środku nie było żywego ducha. Poczułam ulgę, gdy na podłodze zobaczyłam tylko jeden brudny siennik. Nie chciałam, by Mieszko okazał się aż takim fanatykiem religijnym, żeby mieszkać w tak podłych warunkach. Tylko co teraz? Gdzie mam go szukać?

– Słucham? – usłyszałam za plecami.

Podskoczyłam przerażona i odwróciłam się do stojącego za mną mężczyzny. To musiał być Mszczuj. Dobrze pamiętałam opowieść Baby Jagi o miejscowym pijaku, który uważa się za świetnego kapłana.

Był niskim, zgarbionym starcem, dużo mniejszym ode mnie. Razem z wysokim Mieszkiem musieli tworzyć dość zabawny duet. W siwej, długiej, skołtunionej brodzie tkwiła masa okruchów z chleba i o ile mnie wzrok nie mylił, także dokładnie obgryziona kość z kurczaka.

– Dzień dobry – odpowiedziałam uprzejmie.

– To zależy, czy dobry – odparł. – Może to w łatwy sposób określić odpowiednia wróżba. Za niewielką opłatą, rzecz jasna.

– Taaaak. Nie przyszłam po wróżby. Szukam Mieszka.

– I zaglądasz do mojej chaty?

Zmarszczył krzaczaste brwi, które dość skutecznie zasłaniały mu oczy. Przypominał odrobinę jednego z tych fikuśnych małych psów, które często hodują celebryci.

– Stukałam do drzwi, ale moja nieposkromiona siła sprawiła, że się otworzyły – parsknęłam.

Mężczyzna spojrzał podejrzliwie na moją rękę, a następnie na drewniane deski zbite byle jak gwoździami, które uważał za drzwi.

Czyżby wziął na serio to, co powiedziałam?

Dzięki niemu z pewnością nie zmienię zdania na temat inteligencji kapłanów. Aż nazbyt pasował do stereotypu.

– Były otwarte – dodałam.

Starzec wyraźnie się uspokoił.

– Faktycznie mogłem ich nie zamknąć – odparł i dorzucił szybko: – Bardzo się spieszyłem na poranną modlitwę.

Jego oddech zalatujący alkoholem mówił coś innego.

– Szukam Mieszka – przypomniałam mu. – Wie pan, gdzie mogę go znaleźć?

– Wynajmuje piętro w tamtym domu. – Pokazał powyginanym od reumatyzmu palcem na budynek niedaleko. – Musisz wejść po schodach.

– Dziękuję.

Ruszyłam we wskazanym kierunku, ale złapał mnie za łokieć.

– A kim jesteś? – zapytał.

– Nazywam się Gosława Brzózka – odparłam. – Jestem na praktykach u szeptuchy.

Wodniste oczka Mszczuja rozszerzyły się, a następnie odjechały w tył czaszki. Przestraszyłam się nie na żarty, patrząc na jego białkówki.

– Proszę pana! – zawołałam.

O bogowie! Może to jakiś atak spowodowany alkoholem?! Nie chcę udzielać mu pierwszej pomocy. Nie wiem nawet, gdzie ma usta w tej splątanej brodzie! Nie dam rady robić sztucznej wentylacji metodą usta-usta.

Jego oczy wróciły na swoje miejsce, a on odezwał się jak gdyby nigdy nic.

– A tak. Istotnie. Powodzenia w poszukiwaniu drabiny, Gosiu.

Następnie puścił moją rękę i wszedł do chaty, zostawiając mnie samą na podwórzu.

Skąd, do diabła, wiedział, że zamierzam szukać porzuconej drabiny? Po plecach przebiegł mi dreszcz niepokoju. Aż mnie zmroziło. Zdecydowanie nie lubię kapłanów.

Nie zamierzałam tego roztrząsać. Zachowanie Mszczuja w żadnym razie nie było normalne. Postanowiłam wyprzeć je ze świadomości.

Szybko udałam się do Mieszka. Weszłam po dobudowanych na zewnątrz domku drewnianych schodach i zastukałam do drzwi. Nie czekałam długo. Praktycznie od razu mi otworzył.

A pode mną ugięły się nogi.

O, cholera jasna! Poczułam, że robi mi się gorąco.

Jakiż on jest przystojny! To powinno być zabronione. Tacy mogą być tylko aktorzy i piosenkarze, których nie da się dotknąć.

Bo ja miałam wielką ochotę go dotknąć.

Mieszko musiał dopiero co wyjść spod prysznica. Nie było w tym nic dziwnego, biorąc pod uwagę, że dopiero minęła szósta. Praktykując u Baby Jagi, przyzwyczaiłam się do rannego wstawania i zupełnie zapomniałam, że o tej godzinie normalni ludzie jeszcze śpią.

Moje spojrzenie ześlizgnęło się po jego nagiej umięśnionej klatce piersiowej i twardym, wyrzeźbionym brzuchu, zatrzymując się na chwilę na czarnym ręczniku, którym był przewiązany w biodrach. Drugim ręcznikiem wycierał mokre włosy.

– Gosia? – zdziwił się. – Co tu robisz?

Rozpływam się na twój widok...

Nadludzką siłą oderwałam wzrok od jego brzucha. Potrzeba dotknięcia i sprawdzenia, czy jest prawdziwy, była nie do zniesienia. Aż musiałam wcisnąć ręce do kieszeni.

W ten oto sposób moja szczera chęć, żeby przestać o nim obsesyjnie myśleć, zniknęła. Ten brzuch z pewnością będzie mi się śnił po nocach.

– Ja... – wychrypiałam przez zaschnięte gardło.

– Tak? – Rozbawiony patrzył, jak zmagam się ze sobą.

– Przyszłam prosić o pomoc – zdołałam w końcu z trudem wydusić.

Zauważyłam, że tuż pod sercem, pomiędzy żebrami, miał cienką bliznę długości około pięciu centymetrów.

– Może wejdziesz? – Odsunął się, robiąc mi przejście w drzwiach. – Poczekaj chwilę. Tylko się ubiorę.

Posłusznie stanęłam w kąciku. Gdy się odwrócił, zobaczyłam tatuaż na jego ramieniu. Był to dość popularny słowiański symbol oznaczający słońce w swojej najstarszej, najczystszej postaci. Krzyż równoramienny zamknięty w kole. Tak zwany krzyż słoneczny.

Taki sam, lecz olbrzymi, ułożony z kamieni symbol znajdował się na szczycie Łysicy. Otaczał go dwumetrowy wał w kształcie podkowy. To od tego symbolu wzięła się nazwa Gór Świętokrzyskich.

Zaczęłam się rozglądać po surowo urządzonym wnętrzu. Na pierwszy rzut oka wyglądało jak pokój hotelowy. Mieszko nie miał żadnych pamiątek ani zdjęć. W tym miejscu mógł mieszkać każdy.

– Od jak dawna jesteś już na praktykach u wróża? – zawołałam.

– Od pół roku – odpowiedź dobiegła z sąsiedniego pomieszczenia, które chyba było sypialnią.

Najwyraźniej nie lubił przywiązywać się do miejsc. A może tego wymagało od niego kapłaństwo? Jednak wiedziałam, że nasi wróżowie nie muszą się umartwiać. Mogą w pełni korzystać z życia, mieć rodziny, dobrze się bawić.

– Usiądź, Gosiu. Nie stój tak. – Mieszko wszedł do pokoju.

Posłusznie zajęłam miejsce na wysłużonej kanapie. Jej kraciaste obicie było poprzecierane. Jedna ze sprężyn boleśnie wbiła mi się w tyłek.

Mieszko zajął fotel naprzeciwko mnie. Pierwszy raz widziałam go w podkoszulku i dżinsach. Do tej pory zawsze chodził ubrany w płócienne koszule. Czyżby miał dzisiaj dzień wolny od pracy? Może Mszczuj każe mu, tak jak mnie szeptucha, nosić strój roboczy? Jego bez żadnych wątpliwości był bardziej stylowy od kwiecistej chusty, którą powinnam zakładać na głowę.

– Poczęstowałbym cię herbatą – powiedział odrobinę zakłopotany. – Ale jej nie mam. Kawy też nie. Mogę ci zaoferować tylko wodę. I to z kranu.

Pomyślałam o zarazkach mogących czyhać na mnie w starych zardzewiałych rurach kanalizacyjnych.

– Nie, dziękuję. – Szybko pokręciłam głową.

– W takim razie słucham. W czym mogę ci pomóc?

Intrygował mnie. Jeszcze nie spotkałam nikogo, kto byłby tak tajemniczy. Siedział naprzeciwko mnie dumnie wyprostowany. Wyglądał bardzo poważnie. Miałam wrażenie, że jest w nim coś znajomego. Nie mogłam sobie tylko uzmysłowić, co to takiego.

Skrzywiłam się nagle, zdając sobie sprawę z tego, jak głupia jest moja prośba.

– Tylko nie pomyśl sobie, że jestem wariatką – zastrzegłam.

– Nie śmiałbym.

Nie byłam pewna, czy sobie ze mnie przypadkiem nie kpi.

– Pójdziesz ze mną do lasu znaleźć drabinę? Niechcący wczoraj wieczorem ją tam zgubiłam – powiedziałam szybko jednym tchem.

Jedna z jego brwi drgnęła, ale poza tym zachował kamienną twarz.

– Jak można zgubić drabinę? – zapytał.

– Łatwo. – Wzruszyłam ramionami. – Ja potrafię.

Jego potężne ramiona zatrzęsły się od śmiechu, którego nie mógł już powstrzymać.

– Opowiedz mi po kolei – poprosił.

– Baba Jaga kazała mi nazbierać pąków sosny. – Skrzywiłam się z niesmakiem.

Ostatni raz dałam się wmanewrować w takie zadanie. Od wczoraj ręce śmierdzą mi jak tandetna samochodowa zawieszka aromatyczna w kształcie choinki. Nie tak łatwo zmyć z siebie „sosnową świeżość".

– Poszłam do lasu z drabiną – tłumaczyłam dalej. – Szeptucha pozwoliła mi zbierać najwyżej dwie garści pączków z jednego drzewa, co jest według mnie idiotyczne, a sosny w środku lasu są dość wysokie, więc często nawet z drabiną do nich nie dosięgałam i dość wolno szło mi napełnianie wiadra. Szłam wzdłuż tego małego potoczku, który wybija spod dębu, żeby się nie zgubić. I w pewnym momencie, jak już słońce zachodziło, wydało mi się, że coś widzę.

– Coś widzisz?

– Dwa czerwone punkty – wyznałam zawstydzona. – Pomyślałam, że to mogły być oczy.

– Mogły. – Pokiwał głową. – Dużo zwierząt żyje w tych lasach.

– Przestraszyłam się. Złapałam wiadro i uciekłam.

– A drabina została?

– Tak... pójdziesz ze mną po nią?

– Pójdę.

Kamień spadł mi z serca.

– Dziękuję. Przepraszam, ale nie mam się do kogo zwrócić. Tylko ciebie mogłam poprosić o pomoc.

– Nie ma sprawy. Pójdę z tobą.

– Super.

– O ile znowu mnie nie zaatakujesz – dodał lekko. – Mam wrażenie, że lubisz bić osoby, które chcą ci pomóc.

12.

Podjechaliśmy moim samochodem do skraju lasu, w pobliże świętego dębu. Stamtąd zamierzaliśmy iść wzdłuż potoku, aż natrafimy na miejsce, w którym porzuciłam drogocenną drabinę.

Mieszko bardzo zabawnie wyglądał we wnętrzu mojego samochodu. Trzydrzwiowy opel, którego jestem dumną właścicielką, należy do małych pojazdów. Mężczyzna mierzący dwa metry wzrostu ledwo mieścił się na siedzeniu pasażera. Miałam wrażenie, że jego nogi i ręce były wszędzie, a biedne auto przechyli się zaraz na prawy bok i wyląduje w rowie.

Wyciągnęłam z bagażnika wszystkie części mojego antykleszczowego kombinezonu i zaczęłam je wkładać. Mieszko przyglądał mi się w milczeniu. Niedbale oparł się o bagażnik autka i śledził każdy mój ruch. Czułam się nieswojo pod ciężarem tego spojrzenia. Było mi głupio, że tak się zbroję. Jednak moja hipochondria miała znaczną przewagę nad zakłopotaniem.

Zerknął na swój czarny podkoszulek, a następnie na mój płaszcz ze stójką, który założyłam na golf.

– Nie będzie ci za ciepło? – zapytał poważnie, ale przeczulona na tym punkcie usłyszałam nutkę rozbawienia w jego głosie.

– Jest środek marca – przypomniałam.

Jednocześnie poczułam, że zaczynam się pocić.

– Jeszcze nie ma siódmej rano i jest dwadzieścia stopni na plusie.

– To nic nie znaczy. W lesie na pewno będzie chłodniej – zaperzyłam się. – Poza tym to strój chroniący mnie przed kleszczami.

– To kleszcze, a nie smoki. Nie potrzebujesz zbroi...

– Już wolałabym spotkać żmija... – mruknęłam ponuro, wkładając na głowę kapelusz z rondem.

– Może powinnaś przejść się do Huty Szklanej. Tam jest dużo pasiek. Pszczelarze mają takie czapki z siatką na twarz...

– Nie bądź złośliwy. – Wręczyłam mu duże metalowe wiadro. – Za karę będziesz dźwigał.

– Nie złość się – poprosił ugodowo. – Po prostu wydaje mi się, że nie powinnaś tak panicznie bać się wszystkiego.

Włożyłam ogrodnicze rękawiczki i zamknęłam klapę bagażnika.

– Nie boję się wszystkiego – zaprzeczyłam nieszczerze.

Doskonale zdawałam sobie sprawę z licznych lęków, które mnie nawiedzały i które spokojnie wystarczyłyby na kilka spotkań z psychoterapeutą. Nie miałam jednak ochoty o nich rozmawiać.

Odrobina hipochondrii jeszcze nikomu nie zaszkodziła.

– Jak uważasz. Pamiętaj tylko, że nie da się żyć pod kloszem.

Weszliśmy do lasu. Po chwili stanęliśmy obok źródła. Wielki dąb szumiał nad naszymi głowami. Nigdzie nie było widać tajemniczego leśniczego, którego tak nie lubiła szeptucha.

Mieszko przykląkł na jedno kolano i nabrał wody w dłonie. Napił się. Odnotowałam w pamięci, że jeżeli kiedykolwiek zapragnę go pocałować, to najpierw zmuszę go do umycia zębów. W tym ścieku mogą być lamblie!

Westchnęłam ciężko. Niepotrzebnie studiowałam medycynę. Dzięki zdobytej wiedzy zbyt dobrze znałam się teraz na bakteriach, wirusach, a co gorsza, pasożytach, które mogłam złapać.

Bez tego pewnie tylko obsesyjnie myłabym ręce, a tak – dokładnie je dezynfekuję. To nie jest zdrowe dla skóry.

– Idziemy? – zapytałam zniecierpliwiona. – Bo jeszcze ktoś ukradnie tę drabinę i będę musiała ją odkupić. A wyglądała porządnie... pewnie była droga.

Mieszko podniósł się, pocałował opuszki palców i dotknął kory drzewa. Powiedział coś pod nosem. Zapewne poprosił Świętowita o pomyślność.

– Jesteś niewierząca? – zapytał.

– Można tak powiedzieć. – Wzruszyłam ramionami. – Nie wierzę w utopce i południce. Kto wie? Może bogowie faktycznie gdzieś tam są. Jednak dopóki nie zobaczę na własne oczy, to nie uwierzę.

Pokręcił głową ze śmiechem.

– Co? – warknęłam i poprawiłam kołnierz. – Wiem, że chcesz być kapłanem i nie powinnam pewnie mówić przy tobie takich rzeczy, ale to prawda. Będziesz kiedyś żercą. Powinieneś przyzwyczaić się do takich wyznań. Wierzę w to, co widzę.

– Musiałaś w takim razie widzieć wiele kleszczy...

Strzeliłam go w ramię, gdy powoli ruszyliśmy w dół potoku.

– Kleszczy w przeciwieństwie do bogów się boję.

– Zauważyłem.

Nie obchodziły mnie jego poglądy. Skoro chciał, to mógł się ze mnie nawet śmiać. Nie zamierzałam zdjąć nawet jednej części garderoby.

– Musisz tutaj uważać, Gosiu.

Zgrabnie przeskoczyłam na drugą stronę potoku. Wysokie buty miały grube podeszwy z bieżnikiem. Niestraszne mi były śliskie kamienie.

– Dam radę!

– Nie o tym mówię. – Zrównał ze mną krok. – Chodzi mi o bogów.

– Jak to?

– Jesteś teraz w miejscu, w którym wiara jest bardzo ważna. Łysica jest miejscem pielgrzymek wiernych z całego kraju. To tutaj na obchody Nocy Kupały zjeżdżają się najmądrzejsze szeptuchy i najważniejsi żercy – wyjaśnił. – Tu bogowie są znacznie żywsi, niż ci się wydaje.

– Spokojna głowa. – Mrugnęłam do niego. – Dam sobie radę z każdym zabobonem.

Znowu pokręcił głową. Wyraz jego twarzy sugerował, że wie znacznie więcej niż ja. Powoli zaczynał mnie irytować ten jego mentorski ton. Udaje mądrego i doświadczonego, a sam jest niewiele starszy ode mnie.

– Nie jestem dzieckiem – syknęłam. – Poradzę sobie.

– Gdybyś potrzebowała pomocy, to daj znać.

– Jasne.

Powoli zaczynałam żałować, że poprosiłam go o wsparcie w tej wyprawie. W ostrym świetle dnia las nie wyglądał strasznie. Szybko ucinałam pąki z dolnych gałęzi, gdzie dosięgałam bez drabiny, i wrzucałam je do wiadra, które Mieszko posłusznie niósł.

Po drugiej stronie potoku dostrzegłam kilka ładnie wyglądających sosen. Strumień zrobił się już za szeroki, żeby przez niego przeskakiwać. Zawahałam się, przestępując z nogi na nogę.

Mieszko nie miał oporów. Nie dbając o swoje buty, wszedł jedną nogą do wody. Postawił wiadro na drugim brzegu i odwrócił się do mnie.

– Pomogę ci, żebyś się nie zamoczyła – oświadczył.

Zanim zdołałam odpowiedzieć, że nie życzę sobie jego pomocy, złapał mnie w pasie i przeniósł nad wodą. No i jak tu człowiek może się na niego długo wściekać?

– Hm, dzięki.

– Nie ma sprawy.

Było mi okropnie gorąco. Czułam, że mam czerwone policzki. Trudno było mi jednak przełknąć dumę i chociażby rozpiąć stójkę płaszcza.

– Słyszałaś kiedyś, Gosiu, o kwiecie paproci? – zagadnął Mieszko.

– Tak. Jak byłam mała, mama czytała mi o nim bajki.

– Wiesz, że jedna z tutejszych legend mówi, że to właśnie w tych lasach raz na dwanaście tysięcy trzysta czterdzieści pięć pełni księżyca w czasie przesilenia letniego...

– ...zakwita kwiat paproci – dokończyłam za niego. – Wiem. Zawsze mnie zastanawiało, dlaczego akurat raz na dwanaście tysięcy trzysta czterdzieści pięć pełni. Szkoda, że nie można policzyć, kiedy będzie ta konkretna pełnia. No i przecież nie każdego roku w Noc Kupały jest pełnia.

– W tym roku będzie.

– Naprawdę?

– Tak. Zwykle wtedy ludzie z całego Królestwa zjeżdżają na obchody, a potem gorączkowo przeszukują las.

– To niedobrze. – Pokręciłam głową. – Zniszczą puszczę z powodu głupiego mitu.

Rozejrzałam się po praktycznie dziewiczym lesie. Nigdzie nie było widać śmieci, butelek czy opakowań po jedzeniu, które zwykle zostawiają po sobie niechlujni wędrowcy. Puszcza Świętokrzyska była oczkiem w głowie tutejszych leśników. Miałam nadzieję, że żadnego z nich nie spotkamy. Nie poruszaliśmy się po wyznaczonym szlaku, a ja na dodatek okaleczałam drzewa.

Podejrzewam, że gdybym powiedziała, że robię to na zlecenie szeptuchy, pewnie przymknęliby oko. Niemniej jednak Mieszkowi z całą pewnością nieźle by się oberwało, że depcze świętą ziemię bez pozwolenia.

Chociaż kto wie? W końcu to podopieczny Mszczuja. Może ten pijak, to znaczy kapłan, ma tu jakieś poważanie.

– Zawsze zostawiają po sobie śmieci. Leśnicy mają później mnóstwo roboty – powiedział, zupełnie jakby czytał w moich myślach.

– A spotkałam raz leśniczego. Wiem od szeptuchy, że nazywa się Leszek. Miły staruszek. Chociaż wydaje się trochę za stary na leśniczego. Jeszcze dostanie zawału gdzieś w środku lasu i będzie nieszczęście.

Mieszko wyglądał, jakby ktoś uderzył go mocno w żołądek.

– Spotkałaś Lesz... Leszka?

– Tak. – Nie rozumiałam, dlaczego robi z tego taką aferę. – Sympatyczny, tylko mógłby uprać ten mundur. Wygląda, jakby nie zdejmował go od stu lat.

Nie wytrzymałam. Rozpięłam płaszcz.

– Mieszko, powiedz mi coś o sobie – zażądałam. – Skąd jesteś?

Nie odpowiedział.

– Mieszko? – Odwróciłam się do niego. Szedł za mną z marsem na twarzy.

– Z północy – rzucił nieuważnie.

– Och, jesteś znad morza? – ucieszyłam się. – Zazdroszczę ci.

– Nie ma czego.

No cóż, rozmowny to on z całą pewnością nie jest.

– Co mówił leśniczy? – zapytał.

– Nic. – Wzruszyłam ramionami. – Mówię ci, że był dziwny.

Potok dzięki licznym dopływom zrobił się już całkiem szeroki. Płaski teren sprawił, że rozlewał się na boki, zamieniając brzeg w błotnisko. Przy każdym kroku podeszwy naszych butów wydawały mlaszczące odgłosy.

Sosny poprzedzielane były olchami i wierzbami. Znajdowaliśmy się coraz bliżej miejsca, w którym porzuciłam drabinę.

– To chyba już niedaleko – powiedziałam i przyspieszyłam. Był środek dnia, ale światło nie mogło przebić się przez gęste korony drzew. Zrobiło się chłodniej. Ja nie odczułam tego zbyt mocno, bo miałam na sobie kilka warstw ubrań, ale zauważyłam, że na przedramionach Mieszka pojawiła się gęsia skórka. Jednak się nie skarżył. Udawał twardziela.

– Daleko zawędrowałaś – powiedział, rozglądając się niespokojnie.

Poczułam satysfakcję na myśl o tym, że on także czuje się tutaj nieswojo. Trochę usprawiedliwiało to moją wcześniejszą panikę.

– Przerażające miejsce, nie? – podchwyciłam. – Nie wiem, czemu przylazłam aż tutaj.

W końcu zobaczyliśmy moją drabinę. Stała tam, gdzie ją zostawiłam, tuż obok gęstwiny wierzb, których witki opadały posępnie do samej ziemi.

– Zobacz! Nikt jej nie ukradł! – ucieszyłam się jak małe dziecko.

Zerknęłam na wiadro, które trzymał Mieszko. Było pełne. Spokojnie mogliśmy zabrać drabinę i ruszyć w drogę powrotną do samochodu. Chociaż muszę przyznać, że spacer jednak okazał się całkiem przyjemny. Przez większość czasu idący obok mnie facet milczał jak zaklęty lub irytował mnie swoimi komentarzami, ale miło było mieć go koło siebie.

– Tam widziałam czerwone oczy. – Wskazałam palcem gęstwinę, gdy stanęliśmy obok drabiny.

Mieszko zrobił kilka kroków w tamtym kierunku i zagłębił się między zwieszające się witki wierzb. Po chwili zniknął mi z oczu.

Sięgnęłam do drabiny i szybko ją złożyłam. Bynajmniej nie zamierzałam jej nieść. W końcu po coś wzięłam ze sobą faceta! Skoro Baba Jaga uważała, że ja dam sobie radę z wiadrem i drabiną, to tym bardziej on podoła temu zadaniu.

Ukucnęłam i przyjrzałam się rączkom drabiny. Były ubłocone. Ja na pewno ich nie pobrudziłam. Moje kalosze mogły nanieść rzeczny szlam na stopnie, ale nie na pionowe belki. Przyłożyłam dłoń do jednego ze śladów. Był w kształcie ręki.

Co do licha?

– Hej! Mieszko! Ktoś tu był, ale jej nie ukradł! – krzyknęłam, nie mogąc w to uwierzyć.

Gdy wczoraj szeptucha dowiedziała się, że porzuciłam jej drogocenną drabinę, dość dobitnie mi wyjaśniła, że tutejsi ludzie nie marnują rzeczy i jak coś znajdą, to sobie zatrzymują, a potem twierdzą, że mieli to od zawsze.

Odwróciłam się w stronę, w którą udał się mój towarzysz, ale nigdzie go nie widziałam.

– Mieszko? – zawołałam.

Chociaż było mi ciepło, poczułam pełznący po plecach lodowaty dreszcz niepokoju.

– Mieszko?!

Porzuciłam drabinę i ominęłam wiadro, które postawił obok, zanim wszedł między drzewa. Odgarnęłam wierzbowe witki i weszłam głębiej. Moje stopy od razu zapadły się w błoto. Gałęzie uderzały mnie w twarz, kiedy przedzierałam się przez gęstwinę, głośno wołając Mieszka po imieniu.

Nagle moja stopa zawadziła o wystający korzeń i runęłam do przodu. Lecąc na spotkanie błota, przedarłam się przez ostatnią warstwę witek i wypadłam na niedużą polanę. Mieszko stał naprzeciwko mnie podparty pod boki.

– Dlaczego nie odpowiadasz, jak wołam? – warknęłam, podnosząc się na nogi i poprawiając przekrzywiony kapelusz.

Dopiero po chwili dotarło do mnie, czemu z takim zainteresowaniem się przygląda. Krajobraz, który rozpościerał się za grubym murem złożonym z wierzb i olch, był niesamowity.

Staliśmy na skraju dużego trzęsawiska, nad którym unosiła się szara mgła. Wszędzie dookoła majaczyły zarysy wierzb.

Wyglądały jak czarownice pilnujące spokoju tego miejsca. Na środku rosło potężne drzewo, którego nie potrafiłam rozpoznać. Z daleka trochę przypominało ogromną topolę czarną. Pierwszy raz widziałam taki gatunek. Odruchowo sięgnęłam do kieszeni, żeby zrobić mu zdjęcie. Niestety okazało się, że zostawiłam telefon w samochodzie.

– Nawia – szepnął Mieszko.

Wszędzie rosły rośliny, przed którymi przestrzegała mnie Baba Jaga. Zobaczyłam czarcie żebro, żywokost, szalej jadowity i rdest. Były to zioła używane do bardzo niebezpiecznych naparów. Największą moc miały podobno te, które zerwano na bagnach. Szeptucha pewnie by się ucieszyła, gdybym zebrała stąd trochę ziół.

Mieszko miał rację. Krajobraz rzeczywiście przywodził na myśl mityczne słowiańskie zaświaty, nazywane Nawią albo Wyrajem. Chociaż mnie raczej kojarzył się z bramą do nich prowadzącą. Brakowało tylko rusałek i topielców, które usiłowałyby nas zabić za wtargnięcie na zakazany teren.

– Musimy stąd iść – powiedział Mieszko i złapał mnie za ubłoconą rękę.

– Daj spokój – żachnęłam się. – Przecież to nie Wyraj. To zwykłe bagno, żadne zaświaty. Nie musisz bać się wodnych demonów.

– Demony czy nie demony, a dziki z całą pewnością lubią takie miejsca – mruknął.

Nie zwracając uwagi na moje protesty, pociągnął mnie w stronę wierzb. Po chwili heroicznego wręcz przedzierania się przez gęstwinę wróciliśmy do miejsca, w którym las znowu wyglądał zwyczajnie. Mieszko zarzucił na ramię drabinę, złapał wiadro i wciąż trzymając mnie za rękę, szybkim krokiem ruszył w górę potoku.

– Co się dzieje? Możemy zwolnić? – wysapałam kilkanaście minut później.

– Co widziałaś? – zapytał.

– No, widziałam bagno i jakieś drzewo. – Nie rozumiałam, o co mu chodzi.

– Drzewo?

– Tak.

– Pośrodku bagna było drzewo?

– No było jakieś drzewo, a co?

– Jak wyglądało? – zapytał natarczywie.

Cała ta rozmowa zaczynała robić się coraz dziwniejsza. Wbiłam mocno pięty w ziemię i zaparłam się stopami, żeby go zatrzymać. Zirytowany stanął, kiedy szarpnęłam go za rękę. Wiadro przechyliło się niebezpiecznie, ale nie wysypały się z niego drogocenne pąki.

– Stój!

– Jak wyglądało to drzewo?

– A ja wiem? Nie znam się na drzewach. Duże było. Jakieś takie dziwne. Nie widziałam takiego wcześniej.

– Widziałaś... więc to ty...?

Zaczęłam się zastanawiać, czy przypadkiem nie nawąchał się jakichś oparów nad moczarami. Na pewno przebywanie w takim miejscu nie mogło być zbyt zdrowe.

– Za szybko znalazłaś to miejsce – mruknął pod nosem. – A ja go nie widziałem...

– Słucham?

Litości, przecież wystarczyło iść wzdłuż potoku. Nie trzeba było do tego zbytniej inteligencji.

– No i znalazłam stare bagno, wielkie mi rzeczy – parsknęłam.

Mieszko odstawił wiadro na ziemię i wziął moją twarz w dłonie.

– Dobrze, że poprosiłaś mnie o pomoc. Nie wolno ci nigdy więcej iść samej w tamto miejsce, rozumiesz?

Nad naszą głową ćwierkały wesoło ptaszki, szumiał wiatr. Słońce grzało niemiłosiernie. Sielanka po prostu.

Natomiast my staliśmy śmiertelnie poważni na małej polance. Ja byłam cała w błocie, a Mieszko odgrywał scenę rodem z jakiegoś dramatu.

Dziwne. Niemniej jednak całkiem miłe, kiedy tak mnie trzymał i w napięciu patrzył w oczy.

– Okej, to teraz powoli – powiedziałam i delikatnie odsunęłam jego dłonie od twarzy. – Czy tam były jakieś trujące opary, których się nawdychałeś? Kręci ci się w głowie? Masz zaburzenia widzenia?

– Gosia, to nie są żarty! To niebezpieczne miejsce. Obiecaj mi, że nie pójdziesz tam sama.

– No dobra, nigdy więcej tam nie pójdę!

Szczerze mówiąc, to i tak nie miałam zamiaru, ale nie musiałam mu o tym mówić. To miłe, że na swój pokręcony sposób się o mnie martwi.

– Dziękuję – powiedział.

– A powiesz mi teraz, co było nie tak z tym miejscem? – naciskałam.

– Wiele osób zaginęło na moczarach – powiedział krótko. – To bardzo niebezpieczne miejsce.

Powoli ruszyliśmy w dalszą drogę.

– Ale po jakimś czasie się znaleźli?

Odpowiedziała mi wymowna cisza.

13.

Przeciągnęłam się na łóżku. Wysunęłam spod kołdry rękę i sięgnęłam po komórkę leżącą na nocnym stoliku zrobionym z kartonowego pudła. Wciąż nie było mnie stać na porządne meble. Sława także miała tymczasowe problemy finansowe. W związku z tym upojone wczorajszym winem (na wino zawsze znajdą się fundusze) stwierdziłyśmy rozkosznie, że stworzymy własne szafki nocne.

Użyłyśmy w tym celu kartonowych pudeł, które zostały nam po przeprowadzce, i farb do malowania pisanek kupionych przeze mnie w ilościach hurtowych. Teraz nasze sypialnie wyglądały jak koszmar przybyłego z kultury Zachodu wielkanocnego zajączka.

Westchnęłam z irytacją, kiedy odkryłam, że telefon przykleił się do kartonu. Najwyraźniej położenie go na mokrej farbie nie należało do najlepszych pomysłów.

Odgarnęłam kołdrę i podważając komórkę pilnikiem do paznokci, wreszcie zdołałam ją oderwać.

Farba została niestety na telefonie. Spojrzałam na wyświetlacz. Mama przesłała mi SMS-a z życzeniami. Świetnie się bawiła w tym Egipcie. Zazdrościłam jej. Też chętnie poleżałabym na plaży. Zamiast tego musiałam niestety czym prędzej jechać do Bielin, żeby przygotować pisanki na sprzedaż.

Dzisiaj dokładnie w południe miał się rozpocząć festyn z okazji pierwszego dnia obchodów Jarego Święta. Po części oficjalnej razem z szeptuchą miałyśmy zająć się sprzedażą „magicznych" jajek, które pracowicie malowałam przez ostatni tydzień.

Chciałabym tylko zaznaczyć, że nie mam talentu i artystka raczej ze mnie marna. Świadczyły o tym chociażby moje szafki nocne.

Sława wstała wcześnie rano. W barze, w którym pracuje, mieli przeprowadzać tego dnia inwentaryzację. Uzgodniłyśmy, że jeżeli nie wróci do południa, będę zmuszona pojechać na festyn i biesiadę z Radkiem, a ona dotrze później z Żywią, Tomirą i Borką.

Szczerze mówiąc, wolałam na nią czekać, nawet gdybym miała tu umrzeć z głodu, niż jechać gdzieś sam na sam z Radkiem.

Gdy na samym początku pobytu w Kielcach byłyśmy w klubie, cały czas się do mnie przystawiał. Nie wiem, co Sława mu o mnie naopowiadała, ale nie chciał się ode mnie odczepić.

Nie mogłam mu odmówić, gdy poprosił mnie do tańca trzeci raz z rzędu. Techno, które puszczał DJ, nie nadawało się zbytnio do tańczenia, ale dzielnie próbowałam.

W przeciwieństwie do Radka, który usiłował złapać mnie za tyłek...

Do wyjazdu na festyn w plenerze starannie się przygotowałam. Założyłam wysokie trampki (nigdy zbyt wiele zabezpieczeń przed kleszczami czającymi się w trawie), długie czarne lniane spodnie i białą bluzkę w czerwone maki. Miała bardzo głęboki dekolt. Uznałam, że wyglądam bardzo dobrze.

Moja komórka zasygnalizowała przychodzącego SMS-a. To Sława. Pisała, że chyba nie zdąży przyjechać na czas. Pytała też, w co się ubieram. Odpisałam jej.

Nie musiałam długo czekać na odpowiedź. Zupełnie nie podobał jej się mój „outfit". A dokładniej mówiąc, napisała mi, że tak to się mogę ubrać do cioci na imieniny. Stwierdziła, że na potańcówki wkłada się sukienki.

Cholera... jeśli miała rację i faktycznie wszystkie dziewczyny włożą sukienki, to trochę będę się rzucać w oczy w tych spodniach. Zwłaszcza że są luźne i mój tyłek wygląda w nich na większy, niż jest w rzeczywistości.

Jeszcze raz przejrzałam szafę i włożyłam rozkloszowaną amarantową sukienkę na ramiączkach. Sięgała nieco powyżej kolana, a dekolt miała w kształcie serca. Usta pociągnęłam szminką w tym samym kolorze i rozpuściłam warkocz, który nosiłam niemalże codziennie. W sumie to wyglądałam całkiem nieźle.

Oczywiście pomijając trampki, których nie miałam najmniejszego zamiaru zdejmować. Kleszcze są wszędzie! Trudno. Najwyżej ludzie stwierdzą, że wyglądam rockowo albo jestem hipsterką. Żeby cokolwiek pasowało do butów, przewiesiłam przez ramię malutką czarną torebkę na cieniutkim pasku. Schowałam do niej telefon.

Niestety Sława nie przyjechała na dwunastą. Nie miałam wyboru, musiałam stawić czoło Radkowi. Skutecznie unikałam go od tamtego pamiętnego wieczoru w klubie. Mógł mieć mi też za złe, że ani razu nie odebrałam od niego telefonu. Dzielnie próbował się do mnie dodzwonić kilka razy na dobę. Potem najwyraźniej pojął aluzję i zredukował liczę prób do jednej na dwa dni.

– Cześć! – Wyszczerzył radośnie zęby na mój widok, kiedy otworzyłam mu drzwi. Jego wzrok od razu zlokalizował mój dekolt. Wydawał się w ogóle nie zauważać trampek sięgających nad kostki. Cel osiągnięty.

– Hej, miło cię widzieć – odpowiedziałam nieszczerze.

– Pozwól, że pomogę. – Szybko się pochylił i wyrwał mi z rąk torby z farbami.

Ani na chwilę nie zerwał kontaktu wzrokowego z moimi piersiami. Imponujące. Miałam tylko nadzieję, że podczas jazdy skupi się na drodze.

– Czemu nie odbierałaś moich telefonów? – zapytał, gdy wsiedliśmy do samochodu.

Jego jeep bardzo do niego pasował. Wydawał się równie nieokrzesany jak Radek.

– Popsuł mi się telefon – skłamałam gładko.

A on, patrząc w mój dekolt, uwierzył. O bogowie...

Szrama na jego policzku zbladła, poza tym odkąd widzieliśmy się ostatnio, ostrzygł się bardzo krótko. Po żołniersku, prawie do gołej skóry.

Zadowolony, że przyglądam mu się z uwagą, założył na nos okulary przeciwsłoneczne i ruszył. Na szczęście był dobrym kierowcą. Istniało spore prawdopodobieństwo, że dojedziemy do Bielin żywi.

– Czemu jedziesz na festyn do Bielin? – zapytałam.

Żywia i taneczne siostry miały dojechać później, bo chciały spędzić dzień z rodzinami. Zamierzały pojawić się tylko na biesiadzie i tańcach.

– Mam tam pewną robotę – powiedział. – Przy takich imprezach zawsze można trochę zarobić.

– Sława mówiła, że pracujesz w jakiejś stacji meteorologicznej. Co tam dokładnie robisz?

– Trochę to uogólniła – zaśmiał się. – Pracuję w ośrodku meteorologicznym. Przewidujemy tam pogodę na podstawie pomiarów ze stacji.

Spojrzałam na niebo, po którym leniwie sunęły pojedyncze białe chmury przypominające puszyste owce tuż przed strzyżeniem.

– To będzie dzisiaj padać? Zdradzisz mi ten sekret? – zapytałam.

– Będzie.

– A wcale się nie zanosi.
– Spokojna głowa. Będzie padać. Macie to jak w banku.
– My?
– No... – zmieszał się. – No... ludzie na festynie. Przecież pokropienie wodą jest bardzo ważne.
Wyobraziłam sobie boga Jaryłę, jak stoi nad nami w chmurach i polewa nas deszczem, który ma symbolizować... pewną wydzielinę, która zapłodni pola. Aż mną wstrząsnęło. Naprawdę szczerze wolałam czekoladowe zajączki, które przywędrowały do naszego kraju z Zachodu. Były znacznie mniej obrzydliwe.
Gdy wysiadałam pod chatą szeptuchy, Radek złapał mnie za rękę i spojrzał głęboko w mój dekolt.
– Do zobaczenia na biesiadzie – pożegnał się czule z moimi piersiami.
– Taaa... – Pomachałam mu i czym prędzej uciekłam.
Na szczęście ominęło mnie pieczenie świątecznych kołaczy, czyli okrągłych „ciastoplacków". W swojej chacie Baba Jaga nie miała piecyka z termoobiegiem, więc ostatnio głównie siedziałyśmy w komfortowych warunkach w jej nowoczesnej willi po drugiej stronie ulicy. Jarogniewa szybko poznała moje kuchenne zdolności, gdy przez kilkanaście minut bezskutecznie usiłowałam ubić pianę z jajek, a potem niechcący zgasiłam płomień i gaz ulatniał się z kuchenki przez dobre pół godziny. Od tamtej pory nie prosiła mnie już o pomoc przy wypiekach.
Co ja poradzę? Nie jestem dobrą kucharką. Z tego też powodu kilka dni temu dostałam do pomalowania kilkadziesiąt wiejskich jaj. Na dzisiaj zostało mi ostatnie piętnaście sztuk.
Tuż przed wyjściem na festyn musiałam jeszcze tylko sprawdzić, czy wyschły, i poukładać je w przygotowanych wcześniej koszach wyłożonych sianem. Zostaną zawiezione przez sąsiada szeptuchy na nasz mały kramik postawiony na skraju łąki.

– Ładnie wyglądasz – pochwaliła mnie Baba Jaga.

– Dziękuję!

– Bałam się, że założysz ten swój strój na kleszcze.

– Po co? – zdziwiłam się i schowałam stopy pod krzesłem, żeby nie zobaczyła trampek. – Przecież festyn odbędzie się na łące za wsią.

– Tak, ale wieczorem idziemy na ognisko na Łysą Górę.

– Idziemy? – jęknęłam.

– Tak. To tradycja. W pierwszą noc Jarego Święta wszystkie okoliczne szeptuchy i wróżowie spotykają się przy świętym ogniu na Łysej Górze...

Szybko przestałam jej słuchać. Wystarczyła mi informacja, że żercy też będą. Zadowolona z siebie spojrzałam na wydekoltowaną sukienkę. Wreszcie Mieszko zobaczy mnie ubraną w coś normalnego. Dzięki reakcji Radka już wiedziałam, że mój biust dobrze się prezentuje. Może Mieszko też go zauważy?

– Zaraz. – Zmarszczyłam brwi zaniepokojona nagłą myślą. – A czy na tę górę idzie się przez las?!

– Pojedziemy do Huty Szklanej. Stamtąd jest wygodna droga prowadząca na szczyt. Pewnie ktoś nas podrzuci.

Odetchnęłam z ulgą. Nie będę musiała się przedzierać przez zakleszczone chaszcze. Spojrzałam z dumą na dziesięć koszy, w których umieściłam własnoręcznie pomalowane pisanki. Pstrokacizna godna czterolatka co wrażliwszych mogła przyprawić o atak padaczki.

– Bardzo... ładne – bąknęła szeptucha.

– Myślisz, że wszystkie się sprzedadzą? – spytałam z nadzieją.

Baba Jaga zapowiedziała przedtem, że podzielimy się zyskami po połowie, więc miałam nadzieję, że ludzie rzucą się na nie jak na świeże bułeczki. W końcu to magiczne jajka!

– Nigdy wszystko się nie sprzedaje – odparła wymijająco.

Sąsiad szeptuchy, tak jak obiecał, zawiózł nas na miejsce, a nawet pomógł rozstawić kosze na długiej ladzie.

Okoliczni mieszkańcy zebrali się już na łące dookoła olbrzymiego stosu drewna, który miał zapłonąć tego dnia. Na obrzeżach łąki ustawiono proste drewniane stoły, na których wykładali swoje towary sprzedawcy. Aż mi ślinka pociekła, kiedy dotarł do mnie aromat pieczonych kiełbasek.

Niedaleko, tuż pod lasem, orkiestra strażacka ustawiała swoje instrumenty w pobliżu zaimprowizowanego parkietu z ułożonych obok siebie długich desek.

– Chodź. – Baba Jaga ruszyła powoli w kierunku stosu.

– Zostawimy tak nasze rzeczy? – oburzyłam się. – Jeszcze ktoś ukradnie jajka!

Szeptucha spojrzała na mnie z powątpiewaniem. Poczułam się urażona.

– Nikt niczego ode mnie nie ukradnie – powiedziała. – Kto je ukradnie, takowy bolaki mieć będzie przed zamrokiem i na sto łokci przepadnie w ziemię!

Ostatnie zdanie krzyknęła głośno. Kilka osób stojących najbliżej nas odeszło czym prędzej. Nie ma to jak dobra reklama.

Szeptucha podała mi parasolkę, ale zaprotestowałam. Niebo było praktycznie bezchmurne. Nie było szans na deszcz, nieważne jak mocno kapłan będzie starał się go przywołać i czego Radek nie usiłowałby wmówić moim piersiom.

– Gosiu, mam do ciebie prośbę. Kupisz mi trochę żarówek, jak będziesz w Kielcach? – poprosiła Baba Jaga.

Zmarszczyłam brwi zaskoczona tą prośbą.

– Przecież niedawno kupowałam.

– Szybko się zużywają.

Naprawdę miała wadliwą instalację. Zamiast kupować nałogowo żarówki, powinna zadzwonić po elektryka. Postanowiłam, że tym razem kupię jej żarówki energooszczędne. Zobaczymy, czy też będą tak szybko się psuć.

Korzystając z pozwolenia szeptuchy, przepchnęłam się przez tłum, żeby znaleźć się jak najbliżej ogniska. Usiłowałam wypatrzyć Mieszka, ale w gęstej ciżbie nie mogłam go dostrzec.

– Masz farbę we włosach. – Ciepły głos zza mojego ramienia sprawił, że zrobiło mi się gorąco.

Mieszko stanął obok mnie. Zadarł głowę do góry i wpatrzył się w niebo, jakby usiłował namówić chmury do deszczu. Wyglądał imponująco. Miał na sobie jasnobrązowe skórzane spodnie i białą lnianą tunikę sięgającą do połowy uda. Na głowę narzucił kaptur.

– Wróż pełną gębą – skwitowałam.

– Szeptucha pełną piersią – mrugnął do mnie i odszedł.

Czułam się jak ryba wyrzucona na brzeg jeziora. Moje usta zamykały się i otwierały, nie wydając żadnego dźwięku. Nawet nie dał mi możliwości wymyślenia jakiejś zgrabnej riposty! Rzecz jasna, żadna nie przyszła mi do głowy, ale zawsze mogła.

Mieszko stanął w lekkim rozkroku za Mszczujem. Stary żerca ubrany był podobnie. Z tą różnicą, że jego tunika miała na przodzie żółtą plamę. Staruszek rozmawiał z sołtysem, żywo gestykulując. Obaj patrzyli w niebo. Zaśmiałam się pod nosem z pomysłu szeptuchy. Zatrudnić płanetnika. Idiotyzm.

Poczułam, że telefon w mojej torebce zaczął wibrować. Spojrzałam na wyświetlacz. To mama! Dookoła mnie było bardzo głośno, więc przedarłam się przez tłum i oddaliłam nieco. Podeszłam do kramu szeptuchy, żeby sprawdzić, czy przypadkiem nikt nie ukradł żadnej pisanki.

Mama powiedziała mi, że w Egipcie jest zadziwiająco chłodno. Ja opowiedziałam jej o ciepłym słońcu, które mocno grzało w głowę. Pożegnałyśmy się szybko, bo koszt roamingu był zabójczy.

Nagle zdałam sobie sprawę, że nie jestem sama. Odwróciłam się szybko. Za mną stał wysoki, szczupły mężczyzna. Ubrany był na czarno. Czarne włosy opadały mu na ramiona. Jeżeli miały nadać jego twarzy odrobinę łagodności, to był to poroniony pomysł. Natręt miał w sobie coś dziwnego. Jego rysy były ostre, a nos zakrzywiony. Mężczyzna przypominał ptaka. Nie potrafiłam określić, w jakim był wieku. Równie dobrze mógł mieć tyle lat co ja albo być starszy o dwie dekady.

Cofnęłam się przestraszona. Nie lubiłam, gdy ktoś obcy podchodził do mnie tak blisko.

– Nie usłyszałam pana – powiedziałam zakłopotana.

Zerknęłam na kłębiących się niedaleko roześmianych ludzi. Usłyszą, jak krzyknę. Mężczyzna musiał o tym wiedzieć.

– Wiem – odparł chrapliwie.

Miał dziwny głos, zupełnie bezdźwięczny. W zasadzie szeptał. Tak mówili ludzie o uszkodzonych strunach głosowych.

– Chce pan coś kupić? – Wsunęłam się za stół.

Chciałam, żeby coś oddzielało mnie od tego mężczyzny. Nawet jeżeli miałby to być tylko mały kram pełen nieudolnie pomalowanych jajek.

– Nie.

Nic więcej nie dodał. Przewiercał mnie czarnymi, głodnymi oczami. Poczułam się nieswojo.

Ponad jego ramieniem zerknęłam na rozbawionych mieszkańców. Nikt nie patrzył w naszą stronę. Wszyscy skupili się na Mszczuju, który zaraz miał rozpocząć rytuał.

– O co panu chodzi? – zapytałam. – Czego pan ode mnie chce?

– Chciałem tylko cię poznać i ostrzec.

– Ostrzec?

– W tym miejscu wszyscy robią to, co ja im każę.

Bogowie, czy to przedstawiciel jakiejś lokalnej mafii? Serio? Może jeszcze będzie żądał prowizji od sprzedaży moich pisanek? Przysięgłam mu zemstę. Namówię szeptuchę, żeby zesłała na niego rzeżączkę.

Jeżeli da się ją jakoś zesłać, rzecz jasna. Nie żebym w to wierzyła, ale miło by było mieć możliwość zsyłania chorób wenerycznych na ludzi, których się nie lubi.

– A z kim mam przyjemność? – wycedziłam rozwścieczona. – Zapomniał się pan przedstawić.

– Weles.

Jego wąskie wargi rozciągnęły się w złowieszczym uśmiechu. Obnażyły żółtawe, krzywe zęby.

Niepokój znowu mnie zmroził. To nie był żaden złodziejaszek. To najprawdziwszy psychol, który myśli, że jest trójgłowym bogiem podziemi!

– Moje ostrzeżenie jest następujące. – Chrapliwy głos był tak nieprzyjemny dla ucha, że aż się skrzywiłam. – Jeżeli nie będziesz robiła tego, co ci każę, gorzko pożałujesz, ty i twoi bliscy.

– W takim razie powodzenia przy brudnej robocie w Afryce, bo tam obecnie jest moja mama – warknęłam.

Sięgnęłam po parasolkę, która stała obok stołu. Coś tam pamiętałam z zajęć samoobrony, a on na zbyt dobrze zbudowanego nie wyglądał. Powinnam zdołać chociaż trochę go uszkodzić, zanim zaalarmowani moim wrzaskiem mieszkańcy Bielin przybiegną mi na ratunek.

Gdy podniosłam wzrok, mężczyzna zniknął.

– Co do...? – sapnęłam, rozglądając się dookoła.

Po natręcie nie było nawet śladu. Jakby rozpłynął się w powietrzu. Nagle rozległ się głośny grzmot. Zaskoczona spojrzałam w niebo. Powoli zasnuwały je ciemne chmury. Wzięły się znikąd.

Zmrużyłam oczy. Wysoko, tuż pod chmurami, zobaczyłam czarny punkt.

Jastrząb.

14.

Wciąż ściskając kurczowo parasolkę, przepchnęłam się przez tłum i stanęłam w pierwszym rzędzie. Potężne ognisko sięgało już płomieniami nieba. Musiało zostać rozpalone przed deszczem.

Rytuał żywego ognia właśnie się rozpoczął. Zdążyłam w samą porę. Potoczyłam spojrzeniem po twarzach otaczających mnie ludzi. Nigdzie nie dostrzegłam przerażającego mężczyzny w czerni. Napotkałam za to wzrok Mieszka. Zmarszczył brwi na widok mojego zdenerwowania. Pokręciłam przecząco głową i uśmiechnęłam się do niego.

Dużo osób przyniosło ze sobą świeczki albo latarenki. Zwyczaj nakazywał, by po uroczystości zabrać ogień do domu, do domowego paleniska. Miał odpędzić choroby i przynieść szczęście domostwu. Oczywiście zdecydowana większość domów miała doprowadzony prąd i praktycznie nikt już nie oświetlał go za pomocą kominka i świec, jednak zwyczaj przynoszenia żywego ognia pozostał.

Lokalny wróż stanął tuż przy ognisku.

– Jestem Mszczuj – powiedział. – Stańcie w kole. Dzisiaj złożymy żertwę.

Żertwa była ofiarą składaną bogom. Miałam szczerą nadzieję, że nie zamierzają spalić jakiegoś żywego zwierzaka.

Niby nie robiło się tego już od jakichś stu lat ze względu na obrońców praw zwierząt, ale kto wie, co wyczyniają na wsiach, kiedy nikt nie patrzy. Ku mojej uldze Mieszko podał kapłanowi kilka pęków ziół.

– Ugośćmy i powitajmy naszych przodków przybyłych z Nawi, ofiarowując im ogień dla ogrzania oraz strawę i napitek dla pokrzepienia. Palmy ogień, by o nich pamiętać. Za zmarłych!

– Za zmarłych – powtórzyłam razem z mieszkańcami.

Mszczuj wrzucił zioła do ognia. Płomienie uniosły się wyżej i zapłonęły na chwilę na fioletowo. Muszę zapytać później Mieszka, co do nich wrzucili. Efekt był niesamowity. Kapłan uniósł drewnianą kołatkę i hałasując nią, obszedł ognisko. Odpędzał teraz złe demony.

– Świętowicie! Przybądź do nas. Niech wszyscy usłyszą twój grzmot! Oto miód, który wspomoże naszą siłę i zapał bitewny. – Mówiąc to, przechylił małe naczynie i pokropił płomienie miodem.

Ludzie jak zaczarowani wpatrywali się w ogień. Na niebie zbierało się coraz więcej chmur.

– Swarożycu, ojcze ognia! Przybądź do nas. Ogrzej nas swymi płomieniami!

Mszczuj pochylił się i wrzucił w ognisko garść zboża.

– Welesie, Trzygłowie, który sprawujesz władzę nad Nawią. Pasterzu dusz. Przybądź do nas!

Wrzucił podaną mu przez Mieszka kość między płonące polana. Nie mogłam oderwać wzroku od płomieni. Przez upiorną chwilę wydawało mi się, że widzę coś pomiędzy przeskakującymi językami ognia. Przysięgłabym, że gdy Mszczuj wzywał Welesa, zobaczyłam tam przemykającą sylwetkę jastrzębia.

– Bogini Mokosz, nasza matko! Dziękujemy ci za plony i dary, którymi nas obdarzasz! Przybądź do nas. Przebudź się!

Mówiąc to, wylał odrobinę mleka na ziemię, która symbolizowała boginię Mokosz, a potem pokropił mlekiem ogień.

– Teraz, gdy jesteś nakarmiona, przygotuj się, dobrodajna bogini Mokosz, na spotkanie deszczu. Niech zapłodni ziemię i obdarzy nas plonami!

Po niebie przetoczył się potężny grzmot. Mszczuj wziął od Mieszka kij wyrzeźbiony na kształt pewnej wyłącznie męskiej części ciała i wbił go w ziemię.

Powoli zaczęły spadać krople deszczu. Niesamowite! Zupełnie jak na zamówienie! Przecież kiedy wyjeżdżaliśmy z Kielc, niebo było bezchmurne.

Tak jak inni uczestnicy uroczystości szybko otworzyłam parasolkę, żeby pierwsza wiosenna burza mnie nie zmoczyła. To bogini Mokosz powinna dzisiaj zmoknąć. Nie my.

Ognisko zaskwierczało, kiedy płomienie spotkały się z wodą, ale nawet na chwilę nie przygasło.

Po chwili deszcz osłabł i tylko pojedyncze krople uderzały w materiał parasola. Ciągle nie mogłam w to uwierzyć. Podczas obchodów Jarych Świąt w Warszawie nigdy nie padało na zawołanie. Poza tym tam nikt specjalnie się tym nie przejmował. Przy każdej świątyni odprawiano rytuał ognia kilka razy dziennie, żeby wszyscy wierni mogli na niego przybyć, kiedy tylko mają ochotę. To dlatego nikt nie przywiązywał wagi do deszczu. Żeby wszystkich zadowolić, musiałby padać przez cały dzień.

Zauważyłam, że Mieszko przygląda mi się z lekkim uśmiechem. Wyraźnie bawił go mój dziecinny zachwyt.

– Wzmocnijcie się i skosztujcie życiodajnej strawy – ogłosił Mszczuj.

Szeptucha dała znak dłonią. Ludzie zaczęli sobie podawać rytualne kołacze, które piekła przez ostatnie dni. Każdy odrywał kawałek i zjadał.

– Napijcie się miodu, by życie nabrało słodyczy.

Uznałam, że w moim życiu jest wystarczająco dużo słodyczy. Nie miałam ochoty pić z jednego kubka z innymi ludźmi. Opryszczka nie śpi. Podałam puchar dalej. To także nie uszło uwadze Mieszka, który posłał mi zdziwione spojrzenie. W odpowiedzi wzruszyłam ramionami.

– Możemy otworzyć magiczny krąg. Dziękujmy bogom za dobra i za pomyślność. Czas rozpocząć obchody – powiedział Mszczuj. – Każdy, kto chce zaczerpnąć żywego ognia, będzie miał do tego okazję przez następne kilka dni. Płomieni będą pilnować wybrane wcześniej osoby.

Ludzie powoli zaczęli się rozchodzić. Ruszyłam z szeptuchą do naszego małego kramu. Już zaczęła się przy nim ustawiać kolejka. Zadowolona z siebie stanęłam przy koszach z jajkami.

– Zaraz wrócę – szepnęła do mnie Baba Jaga i skierowała się do sołtysa.

Uśmiechnęłam się do jakiejś bezzębnej staruszki, która stała pierwsza w kolejce.

– Słucham? – zapytałam.

– Chciałabym kupić trzy pisanki wykonane przez szeptuchę – powiedziała.

Wskazałam na kosze pełne pstrokacizny, której nie powstydziłby się żaden kreatywny trzylatek.

– Proszę wybrać te, które się pani podobają.

Starsza kobieta spojrzała na mnie powątpiewająco.

– A nie ma jajek pomalowanych przez szeptuchę?

– To one – upierałam się. – Jestem praktykantką szeptuchy. Pomagałam przy ich wykonaniu. To pewnie dlatego wydają się pani trochę inne.

– Trochę inne... – powtórzyła niepewnie.

– To które pani zapakować? – Uśmiech nie znikał z mojej twarzy.

– A nie ostały się może jakieś pisanki z zeszłego roku...?

***

Siedziałam zdruzgotana przy jednym ze stołów piknikowych rozstawionych na łące i przyglądałam się bawiącym się ludziom. Nikomu nie podobały się moje pisanki. Naprawdę nikomu. Praktycznie nie było osoby, która nie zapytałaby, czy nie ma pisanek z zeszłego roku. Czy oni zgłupieli? Myśleli, że jajka mogą bezkarnie przeleżeć rok?!

Na szczęście Baba Jaga szybko wróciła i zdołała przekonać klientów, że te jajka są nawet potężniejsze od zeszłorocznych, bo pracowały nad nimi dwie szeptuchy.

Tylko dlatego się sprzedały...

Było mi przykro. Wiem, że nie były najpiękniejsze, ale naprawdę się starałam.

Zaczęły się tańce. Kapela grała jakiś żwawy kawałek, a zachęcony tym tłum tańczył na prowizorycznym parkiecie z ułożonych na trawie desek.

– Miodu? – usłyszałam pytanie.

Odwróciłam się w stronę Mieszka, który podał mi gliniany kubek wypełniony po brzegi napojem.

– Chętnie – powiedziałam i pociągnęłam nosem.

– Wyglądasz, jakby był ci potrzebny – stwierdził i pociągnął łyk ze swojego kubka. Usiadł obok mnie na ławie.

Skosztowałam miodu. Słodki smak od razu poprawił mi humor. Wyśmienity. I bardzo mocny.

– Mmm, półtorak – zamruczałam z uznaniem.

– Jeden z lepszych – powiedział. – Produkuje je tamten facet.

Wskazał palcem na grubego jegomościa przy kramie zastawionym butelkami i beczkami, z których nalewał miód klientom. Na pewno miód przyniesiony przez Mieszka był bardzo drogi.

– Dziękuję.

Żywa muzyka grana przez zespół i procenty uderzające mi do głowy zachęcały do tańca.

– Fajny kawałek – powiedziałam, licząc, że zrozumie aluzję.

Zrozumiał ją aż za dobrze.

– Ja nie tańczę – stwierdził krótko.

Nie mogłam go rozgryźć. Wydawało się, że mnie podrywa, a chwilę później spławia mnie takim tekstem. Chociaż może wcale mnie nie podrywał? Może to tylko moja wyobraźnia?

– Nikomu nie podobały się moje pisanki – wyznałam, żeby zmienić temat.

Mieszko sięgnął do kieszeni spodni i wyciągnął z niej fioletowe jajko pomalowane w zielone kleksy.

– Ja uważam, że są oryginalne.

Ucieszyłam się. Ucieszyłam się tak bardzo, że odstawiłam kubek z niedopitym miodem i uścisnęłam go serdecznie. Zaskoczony nie wiedział, jak zareagować. Nieśmiało poklepał mnie po plecach.

– Dziękuję – powiedziałam, odsuwając się.

Zauważyłam, że nie poczuł się komfortowo podczas mojego nagłego wybuchu radości.

– Nie ma sprawy. Kupno tych jajek u szeptuchy to tradycja. I tak kupiłbym jedno.

W tym momencie poczułam, że miarka się przebrała. Nic na to nie poradzę. Potrzebuję romansu, uniesienia. Jak na razie napotykam tylko mur w postaci mrukliwego Mieszka albo przeciwnie – aż za bardzo rozochoconego Radka, który zapewne jest nosicielem wszystkich możliwych chorób przenoszonych drogą płciową. Ani jeden, ani drugi nie nadaje się na chłopaka.

Może Sława ma rację, może jestem odrobinę zbyt zdeterminowana, żeby jak najszybciej znaleźć sobie chłopa, ale nic na to nie poradzę!

– Nie potrzebuję litości – powiedziałam bardziej do siebie niż do niego. – Moje pisanki wcale nie są takie tragiczne. I nie boję się tańczyć sama. To nie jest nic strasznego. To nie jest wstyd. Idę. Tak. Idę.

Wychyliłam jednym haustem zawartość kubka i odstawiłam go z hukiem na drewniany blat. Następnie wstałam i ruszyłam w stronę parkietu. Szczerze teraz żałowałam, że nie wyjechałam jednak do Warszawy. Mogłabym spędzić cały dzień, leżąc na kanapie i oglądając świąteczne programy w telewizji. Nie musiałabym malować jajek i nikt nie musiałby ich krytykować.

Miałam nadzieję, że może Mieszko mnie zatrzyma, zawoła. Nic z tego.

Weszłam między tańczących. Mimo całego wojowniczego nastawienia poczułam się głupio. Nie miałam pary, czyli nie miałam z kim tańczyć. Stanęłam jednak na środku parkietu i zaczęłam kiwać się w rytm muzyki.

Co tam! I tak mnie tu praktycznie nikt nie zna.

Nagle ktoś złapał mnie za łokieć. Odwróciłam się z nadzieją, że to Mieszko. Niestety był to tylko Radek…

– Cześć! – ryknął mi prosto do ucha, przekrzykując muzykę. – Zatańczysz?!

I tak nie miałam większego wyboru, biorąc pod uwagę to, że złapał mnie w pasie i zaczął pląsać, jakby cierpiał na padaczkę, zanim jeszcze zdążyłam mu cokolwiek odpowiedzieć.

– Tak!

Niespodziewanie jedna z jego rąk zjechała z mojej talii prosto na pośladek i ścisnęła go lekko.

Dlaczego? Czemu los mnie tak karze?

– Odbijany? – usłyszałam za sobą.

Radek nie miał ochoty tak łatwo puścić zdobyczy. Bądź mojego pośladka…

– Raczej nie, stary.

– Gosia chyba ma prawo sama o tym zdecydować – skwitował Mieszko i spojrzał mi prosto w oczy. – Zatańczysz ze mną?

– Tak – odpowiedziałam, a raczej wydusiłam zgnieciona władczym uściskiem Radka.

Chłopak pogderał jeszcze coś pod nosem niezadowolony. Jednak minęło nas właśnie małe stadko młodych kobiet z dekoltami równie głębokimi jak mój, więc czym prędzej podążył ich śladem.

– Myślałam, że nie tańczysz – powiedziałam.

– Czasem robię wyjątki.

Wziął mnie za rękę, a drugą dłoń położył na mojej talii. Wbijał we mnie spojrzenie zimnych, błękitnych oczu. Zakłopotana odwróciłam wzrok.

Nagle muzyka z szybkiej zmieniła się w jakąś romantyczną balladę. Spojrzałam zaskoczona na zespół. Naprawdę? W takiej chwili? Przecież takie rzeczy zdarzają się tylko w romansidłach! I to tych tanich, z całującymi się parami na okładce.

Zauważyłam zgarbioną postać Baby Jagi, która nadzwyczaj żwawym jak na siebie krokiem oddalała się od nas. Hm...

– Poza tym wyglądałaś, jakbyś potrzebowała pomocy – dokończył pragmatycznie. – Ten facet cię obmacywał.

Nie spodziewałam się po Mieszku niczego innego.

– Już się przyzwyczaiłam. – Parsknęłam śmiechem. – To jeden ze starych znajomych mojej współlokatorki Sławy. Ten typ tak już ma.

– Wyglądasz dzisiaj pięknie – powiedział niespodziewanie. Wbijał we mnie swoje odrobinę przerażające, lodowate spojrzenie z taką intensywnością, jakby widział mnie pierwszy raz w życiu.

– Och, dziękuję – odparłam zaskoczona.

Poczułam, że się rumienię. Na szczęście Mieszko więcej się nie odzywał. Odwrócił wzrok i skierował go gdzieś daleko nad moją głową, ale zdążyłam zobaczyć w jego oczach zdziwienie. Chyba samego siebie także zaskoczył tym nieoczekiwanym wyznaniem.

Wbrew temu, co mówił, i swojej niechęci tańczył bardzo dobrze. Nie spodziewałam się tego po kimś tak wysokim i umięśnionym. Myślałam, że będzie raczej niezgrabny.

Zauważyłam, że tańczące dookoła nas dziewczyny pożerały wzrokiem mojego partnera. Rzucały mi przy tym pełne niechęci spojrzenia. Najwyraźniej Mieszko mówił prawdę i rzeczywiście nigdy nie tańczy.

Poczułam się wyróżniona.

Gdy już schodziliśmy z parkietu, zapytał:

– Pamiętasz, jak poszliśmy na bagna?

– Tak, a co?

– Byłaś tam potem?

– Eee... – Nie byłam pewna, czy powinnam kłamać. Obiecałam mu, że nigdy tam nie pójdę, i obietnicy, rzecz jasna, nie dotrzymałam.

– Byłaś?

– Tylko raz. Poszłam do lasu zbierać jakieś zielsko dla szeptuchy i pomyślałam, że pójdę w tamtym kierunku, ale nie znalazłam bagienka, spokojnie. Dość długo szłam wzdłuż potoku, ale nie było po nim nawet śladu. Szczerze mówiąc, specjalnie szukałam, bo pomyślałam, że Baba Jaga się ucieszy, jak przyniosę jej zioła nazbierane z takiego „magicznego miejsca". – Zrobiłam w powietrzu znak cudzysłowu i przewróciłam oczami.

Zmarszczył brwi. Sięgnął na plecy i narzucił na głowę kaptur. Znowu miałam przed sobą sztywnego od swoich moralnych zasad kapłana. Gdzieś zniknął młody mężczyzna, z którym przed chwilą wirowałam w takt muzyki.

– Może wyschło na wiosnę? – zasugerowałam.

– Muszę iść – powiedział tylko. – Niedługo zaczną się obchody na Łysej Górze. Powinienem zjawić się tam wcześniej, żeby wszystko przygotować. Mszczuj nie zrobi niczego sam.

– Okej, to do zobaczenia! – zawołałam do jego oddalających się pleców.

Nie potrafię rozgryźć tego faceta.

15.

Ognisko już płonęło, gdy przyjechałyśmy na miejsce kultu. Tak jak obiecała szeptucha, jakiś mieszkaniec wioski zawiózł nas prawie na sam szczyt Łysej Góry. Tylko ostatnie trzydzieści metrów musiałyśmy pokonać na piechotę.

Mimo wszystko postanowiłam po powrocie do domu dokładnie przeszukać całe ciało w poszukiwaniu kleszczy. Kto wie, czy nie było ich na łące?

– Czy to spotkanie to coś w rodzaju sabatu czarownic? – zapytałam, nie dbając o konwenanse.

Tuż przed naszym odjazdem degustowałam miody pitne ze Sławą, Żywią, Borką, Tamirą i Radkiem. Część moich zahamowań po prostu zniknęła wraz ze wzrastającym poziomem promili we krwi. Nie chciało mi się bawić w uprzejmości. Zwłaszcza że wolałam zostać na festynie niż jechać na ognisko z okolicznymi szeptuchami i miałam żal do Baby Jagi, że mnie do tego zmusza.

– Nie jesteśmy czarownicami – oburzyła się. – Po prostu miło spędzimy czas, opowiadając sobie najnowsze plotki.

– Czemu ja muszę brać w tym udział? – jęknęłam po raz kolejny tego dnia. – Nie znam żadnych plotek. No, chyba że chcecie wiedzieć, jaki jest nowy przebój Shakiry...

– Uczysz się na szeptuchę, więc musisz tu być. Poza tym może jak zabawa się rozkręci, to będziesz mogła potańczyć albo poskakać przez ogień.

Skakać przez ogień? Lecę, pędzę... Wiem, jak trudno goją się poparzenia. Nie mam najmniejszego zamiaru zbliżać się do płomieni. Zwłaszcza w tej sukience. Była ze sztucznego tworzywa, pewnie spłonęłaby w dwie sekundy.

– Przecież tam nie będzie z kim tańczyć – sarkałam pod nosem, ale szeptucha najwyraźniej postanowiła puścić mimo uszu moje narzekania.

Szczyt był otoczony długim na półtora kilometra starożytnym wałem usypanym z kamieni. Został ułożony w kształt podkowy. Wielkie bloki kwarcytu nie były połączone zaprawą. Dotknęłam jednego z nich. Był dwukrotnie większy od mojej głowy. Pewnie nie dałabym rady nawet go podnieść. Twórcy wału już dawno ulegli zapomnieniu, ale dzieło ich życia, stworzone na cześć bogów, wciąż stało na swoim miejscu.

Poniżej wału znajdowały się gołoborza i gęsty las ciągnący się aż do Bielin, który zdążyłam już dobrze poznać.

Łysa Góra była na szczycie zupełnie płaska. Idealna na spotkania przy ognisku, a tym bardziej na miejsce kultu. Było tu mnóstwo przestrzeni pomimo wielu drzew, głównie dębów. Zauważyłam, że pomiędzy grubymi pniami znajdowały się wysokie rzeźby kultowe wykute z pojedynczych kawałków kamienia. Przedstawiały bogów.

Zobaczyłam czworokątny pomnik Świętowita. Miał cztery twarze: na jednej dominowała gęsta broda, druga miała tylko wąsy, trzecia krótki zarost, a na czwartej nie było ani jednego włosa. Szczerze mówiąc, to nasz główny, rzekomo dobrotliwy bóg na tej konkretnej rzeźbie w ogóle nie wyglądał przyjaźnie.

W samym centrum podkowiastego wału znajdowała się wykarczowana polana, pośrodku której płonęło ognisko. Było mniejsze od tego na łące w Bielinach. Tuż przy nim siedzieli Mszczuj i Mieszko. To oni musieli przynieść ze sobą żywy ogień.

Usiadłyśmy na powalonych pniach dokładnie po przeciwnej stronie ogniska. Mieszko przyglądał mi się poprzez płomienie z nieprzeniknioną miną.

– Czemu siadamy tak daleko od nich? – zapytałam.

– Bo nie mam ochoty zbliżać się do Mszczuja na odległość mniejszą niż długość kija. Parszywy pijak – prychnęła Baba Jaga.

Nie czekaliśmy długo, aż pojawią się inni uczestnicy „sabatu". Szeptuchy i żercy rozsiedli się wygodnie na pniakach. Ze zgrozą zauważyłam, że średnia wieku przy ognisku wynosiła 70 lat. Było kilka kobiet nieco młodszych, ale usiadły obok całkiem młodej, która miała wyraźny, ciążowy brzuszek, i nie zwracały na nas uwagi. Sądząc po gestach, były zajęte omawianiem przebiegu ciąży. Poczułam się jak u cioci na imieninach. Westchnęłam ciężko i po raz kolejny tego dnia zadałam sobie pytanie o powód, dla którego los najwyraźniej tak mnie nienawidzi.

W ruch poszły butelki z miodem. Każdy przyniósł coś pysznego. Widocznie szykowała się długa biesiada.

Cholera, ja nic nie wzięłam.

– Nie wiedziałam, że trzeba przynieść jedzenie – szepnęłam do Baby Jagi.

– Spokojnie, ja wszystko mam. – Wyciągnęła pakunek z torby.

Szkło butelek zadzwoniło, gdy nieporadnie schwyciłam paczkę. Moja pracodawczyni przygotowała dla nas kanapki i kawałki kołacza. Oraz trzy butelki miodu.

– Wolę dwójniak – powiedziała, kiedy zauważyła, że przyglądam się etykiecie.

– Wypijemy to wszystko? – nie mogłam powstrzymać zdziwienia.

– Ja na pewno.

Jakiś starszy mężczyzna, którego nie znałam, podniósł się ze swojego miejsca i stanął tuż przy płomieniach. Wyglądał bardzo dostojnie. Stanowił zupełne przeciwieństwo Mszczuja. Jego siwa broda była równo przystrzyżona, a lniana koszula lśniła czystością. Tak w przyszłości mógłby wyglądać Mieszko, jeśli faktycznie postanowi zostać kapłanem.

– Chciałbym złożyć wszystkim życzenia pomyślności – zagrzmiał potężnym głosem żerca. – Niech bogowie nam sprzyjają.

Podszedł jeszcze bliżej płomieni. Wyciągnął ku nim zaciśniętą pięść. Powoli odgiął palce. Z jego garści wysypały się pokruszone zioła i wpadły w ogień. Zostały pożarte przez płomienie, które na chwilę zrobiły się zielonkawe i z sykiem podskoczyły kilka metrów w górę.

– Co to było? – zapytałam Babę Jagę, która łakomie pochłaniała przyniesione przez siebie jedzenie. Przedstawienie nie zrobiło na niej najmniejszego wrażenia.

– A takie tam ziółka. Może zjesz kanapkę? Z jajkiem. Bardzo dobra.

Spojrzałam ze wstrętem na podawaną mi kanapkę. Ostatnią rzeczą, na którą miałam w tym momencie ochotę, były jajka.

– Nie jestem na razie głodna.

– Powinnaś coś zjeść – skwitowała.

Inny żerca wstał ze swojego miejsca. Był bardzo stary. Zgięte reumatyzmem plecy nie pozwalały mu się w pełni wyprostować.

– By życie każdego z nas było urodzajne jak ta ziemia – zaskrzeczał i wrzucił do ognia jakieś małe, brązowe grzybki.

– A to? – Szarpnęłam szeptuchę za łokieć. – Co to było?

– Takie tam grzybki. Chcesz już tę kanapkę?

– Nie.

Sytuacja powtórzyła się kilkakrotnie. Za każdym razem szeptucha czymś mnie częstowała. Ku jej zgrozie zamiast po kanapkę z jajkiem sięgnęłam po butelkę miodu. Strasznie chciało mi się pić. Przy tym ogniu było zdecydowanie za ciepło.

Gdy nadeszła kolej Mszczuja, zorientowałam się, że coś jest nie tak. Płomienie falowały mi przed oczami. Twarze rozmazywały się i wyginały karykaturalnie. Zerknęłam na butelkę, z której przed chwilą napiłam się z gwinta, bo Baba Jaga nie wzięła kubków. Nie wypiłam jeszcze tyle, żeby zacząć mieć zaburzenia widzenia. Alkohol był z wiadomego źródła. To nie był pędzony w piwnicy bimber, którym mogłabym się zatruć.

– Co się dzieje? – zapytałam szeptuchy.

– Może kanapkę?

– Co ty z tymi kanapkami?!

– Na pusty żołądek mocniej zadziała – stwierdziła.

Spojrzałam na fioletowe płomienie. Cholera! Przed chwilą nie były fioletowe!

– Zaburzenia widzenia – szepnęłam. – Omamy. Szumy w uszach. Suchość w ustach. Odurzyliście mnie!

– Zjedz kanapkę. – Mówiąc to, wepchnęła mi zawiniątko w ręce. – Bo widzę, że ci gorzej.

– Nie mogę uwierzyć, że mnie odurzyliście! – syknęłam.

– Jedz.

Posłusznie ugryzłam miękki chleb z (a jakżeby inaczej!) jajkiem.

Mszczuj przechylił nad płomieniami płócienną torbę i wysypał do nich kilka garści ziół i grzybów. Najwyraźniej zamierzał poszaleć.

– Żebyśmy... żebyśmy – zaczął bełkotliwie.

Zachwiał się niebezpiecznie. W ostatniej chwili Mieszko złapał go za koszulę i odciągnął od ognia.

– Żeby było dobrze – dokończył, a następnie usiadł na ziemi i oparł się plecami o pniak. Głowa opadła mu do tyłu. Zachrapał tak głośno, że nawet ja usłyszałam, a siedziałam dokładnie po drugiej stronie ogniska.

Zakłopotany Mieszko przyglądał się Mszczujowi. Chyba było mu wstyd, że jego opiekun tak się zachował. Zauważyłam, że jadł kanapkę. Rozejrzałam się dookoła. Cholera! Wszyscy jedli! Tylko ja jak ostatnia pierdoła nawdychałam się ziółek i grzybków halucynogennych na pusty żołądek.

– Dlaczego mi nie powiedziałaś?! – syknęłam do szeptuchy. A w każdym razie miałam nadzieję, że odwróciłam się do dobrej szeptuchy. Troiło mi się w oczach.

– Zjedz coś, to poczujesz się lepiej – odparły zgodnie wszystkie trzy kopie Baby Jagi.

Miały, a raczej miała rację. Po dwóch kanapkach istotnie było mi lepiej. Płomienie wciąż były fioletowe, a wszystkie barwy wydawały mi się znacznie żywsze niż w rzeczywistości, ale przynajmniej nie miałam zawrotów głowy. Odgarnęłam nogą zeschłe liście, które były wściekle żółte albo czerwone. Gdzieniegdzie prześwitywała pomiędzy nimi fluorescencyjnie zielona trawa.

– Widzisz coś? – zagadnęła Baba Jaga.

– Słucham?

– Pytam, czy coś widzisz.

– Wszystko ma dziwne kolory i trochę wiruje – jęknęłam płaczliwie.

Nigdy nie brałam narkotyków. Znajomi na studiach popalali trawkę, ale ja jej nigdy nie spróbowałam. Za to wystarczyło pojechać na wieś na ognisko, żeby odurzyli mnie bez pytania o zgodę. A co, jak dostanę od tego schizofrenii?!

– Eee, to nic nie widzisz. – Skrzywiła się zawiedziona. – Jak tylko coś zobaczysz, to mi powiedz.

– A ty coś widzisz? – zapytałam.

Może te halucynogeny powinny mieć jakieś inne działania uboczne, o których Baba Jaga usiłuje mi powiedzieć w ten zawoalowany sposób. Chciałam wiedzieć, czego powinnam się spodziewać.

– Nie. – Pokręciła głową. – Mało kto umie. Ja nie umiem.

Biorąc pod uwagę zawroty głowy i lekkie mdłości, nie za bardzo zrozumiałam, o co jej chodziło. Wpatrzyłam się w ogień, usiłując zapanować nad żołądkiem.

Po jakimś czasie, gdy mój brzuch przestał tańczyć salsę, rozejrzałam się dookoła. Wszyscy w przeciwieństwie do mnie mieli wyśmienity humor. Postanowiłam przysłuchać się toczonym obok rozmowom. Może usłyszę jakąś ciekawą plotę? Przechyliłam się do Baby Jagi, która dyskutowała żywo ze swoją sąsiadką.

– To ile kosztują te jajka?

– Złotówkę za sztukę.

– Rozbój w biały dzień!

– No, ale to jajka od kur zielononóżek...

Odsunęłam się. Zdecydowanie nie chciałam słuchać już dzisiaj o jajkach. Odwróciłam się w drugą stronę.

– Wiesz, to bardzo dobry sposób na kurzajki. Zaręczam ci.

– Czyli co muszę zrobić?

– Musisz nacierać je co wieczór krowim łajnem, ruchem okrężnym, zgodnie z ruchem wskazówek zegara.

– Nawet jak kurzajki są w miejscu intymnym?

Chyba już nie mam ochoty podsłuchiwać żadnych rozmów...

Pociągnęłam łyk miodu, żeby popić kanapki. Pewnie nie było to zbyt mądre, biorąc pod uwagę unoszące się w powietrzu halucynogeny, ale nie miałam wyboru. Z tego, co zauważyłam, nikt nie zabrał na biesiadę niczego, co nie zawierałoby procentów.

Po drugiej stronie ogniska jakaś szeptucha przygrywała na gitarze ludową przyśpiewkę. Kilka kobiet zaczęło śpiewać piosenkę o miłości Jasia do Kasi.

Ze zgrozą ujrzałam, jak jedna z szeptuch czule wymienia się bakteriami ze swojego gardła z jakimś kapłanem. Dziwiło mnie, że potrafi odgiąć głowę do tyłu. Wyglądała na jakieś osiemdziesiąt pięć lat, więc na pewno miała zwyrodnienia w kręgosłupie szyjnym. Nagle żerca w wieku co najmniej podeszłym odsunął się od niej. Sięgnął do swoich ust i wyjął z nich sztuczną szczękę. Następnie jakby nigdy nic schował ją do kieszeni i wrócił do całowania.

Znowu zrobiło mi się niedobrze.

– Pójdę się przewietrzyć – powiedziałam do Baby Jagi.

– Tylko się nie zgub, dziecko – ostrzegła mnie. – Tej nocy bogowie nie śpią. Uważaj na siebie. Nie odchodź za daleko.

– Nic mi nie będzie. Po prostu muszę na chwilę oddalić się od tego ogniska. Odetchnąć świeżym powietrzem.

Z dala od ognia zrobiło się chłodniej. Moje gołe ręce szybko pokryły się gęsią skórką. Ruszyłam powoli w kierunku majaczących pomiędzy drzewami pomników bogów.

Podniosłam głowę i spojrzałam w rozgwieżdżone niebo. Słońce już dawno zaszło za horyzont. Niebo ciemniało powoli i zamiast klasycznej czerni lub głębokiego granatu miało jagodowy odcień. Gwiazdy migotały różnymi kolorami. Najwyraźniej wciąż działały na mnie opary znad ogniska.

Zapatrzona w tę feerię barw, szłam przed siebie, zupełnie nie patrząc pod nogi. Usłyszałam szelest. Oderwałam wzrok i odwróciłam się w stronę dźwięku.

Przede mną w ciemnościach stał wysoki mężczyzna o bardzo szerokich barkach, z których wyrastały trzy głowy...

16.

Trójgłowy bóg podziemi wpatrywał się we mnie pustymi, kamiennymi oczami. Podeszłam bliżej do rzeźby, która napędziła mi tyle strachu. Miała rozmiary dorosłego człowieka. Rzemieślnik, który ją wykonał, nie był mistrzem w swoim fachu. Była bardzo toporna i niekształtna.

– Weles – wypowiedziałam imię boga i lekko się zachwiałam.

Mężczyzna, który zaczepił mnie dzisiaj na festynie, w niczym nie przypominał trójgłowego boga, za którego się podawał. Parsknęłam na myśl o tym, ile pieniędzy wydawałby na fryzjera, gdyby faktycznie miał aż trzy głowy.

Stanęłam naprzeciwko posągu i podparłam się pod boki tak jak przedstawienie mitycznego boga. Środkowa twarz kamiennego Welesa zdawała się mieć lekkiego zeza rozbieżnego. Nie dodawało jej to powagi.

Ciekawe, od jak dawna stoją tutaj te posągi? Zmurszały, nadkruszony zębem czasu kamień sugerował, że powstały wieki temu. Obeszłam rzeźbę dookoła. Z tyłu porastała ją gruba warstwa zielonego mchu.

Wyciągnęłam dłoń i dotknęłam piersi posągu.

Była ciepła.

Pokręciłam głową z niedowierzaniem. Przez to głupie ognisko ciągle mam jakieś idiotyczne zwidy! Po prostu nagrzała się od słońca. Nie ma innego wytłumaczenia.

Odwróciłam się na pięcie i weszłam między drzewa w poszukiwaniu kolejnych rzeźb.

W zamyśleniu mijałam kolejne posągi. Chociaż odeszłam już od ogniska, wciąż dobiegały mnie dźwięki gitary. Zatrzymałam się przy Swarożycu. Wyglądał jak normalny mężczyzna. Na jego piersi widniał symbol przedstawiający słońce. Taki sam znak miał wytatuowany na ramieniu Mieszko. Nogi bóstwa otaczały kamienne płomienie. Był bogiem ognia i słońca.

Podeszłam do rzeźby przedstawiającej boginię Mokosz. Ją lubiłam najbardziej ze wszystkich bogów w słowiańskim panteonie. Bogini ziemi, kobiet i płodności, bogini matka, a także – co zawsze najbardziej mnie bawiło – opiekunka owiec. Artysta przedstawił ją jako ciężarną kobietę z masywnym brzuchem. Uśmiechnęłam się do jej łagodnego oblicza.

Bogini Mokosz to opiekunka ziemi, która srodze karze krzywdzących ją ludzi. Zgodnie z tradycjami nie należy kopać, grabić ani w żaden inny sposób kaleczyć ziemi przed 25 marca, w czasie jej zimowego spoczynku. W przeciwnym razie bogini może się pojawić i ukarać śmiałka. Z tego samego powodu zawsze, gdy ktoś się przewróci, powinien splunąć na ziemię albo ją przeprosić.

Gdy byłam mała, zostawiałam jej w darze kłębki wełny z jej ukochanych owiec, prosząc o opiekę nad mamą, kiedy była chora.

Nagle usłyszałam jakiś szelest.

Powoli odwróciłam się, usiłując dostrzec coś między drzewami. Opary znad rytualnego ogniska ciągle miały mnie w swojej mocy. Wydawało mi się, że drzewa poruszają się do rytmu gitary i skocznej melodii granej przez szeptuchę. Kolorowy dym zdawał się pełznąć pomiędzy posągami.

Powoli ruszyłam przed siebie zwabiona hałasem. Mimo że oddalałam się od halucynogennego działania palonych ziół, w głowie kręciło mi się coraz mocniej.

Po kilkudziesięciu metrach zobaczyłam Mieszka. To on hałasował. Nie patrząc pod nogi, szedł w stronę wyrwy w drzewach.

Zielone iglaki wyginały się w szaleńczym, narkotycznym tańcu pod jagodowym niebem. Zrobiło mi się niedobrze. Czułam, że moje kroki stają się coraz cięższe. Myślenie przychodziło mi z coraz większym trudem.

Podążyłam za Mieszkiem.

Za ścianą drzew zaczynało się gołoborze. Skalne rumowisko było naprawdę imponujące. Pokruszone kamienie zaścielały cały stok. W świetle księżyca połyskiwały srebrzyście.

Mieszko stanął na skraju gołoborza, spoglądając w dal. Był tak zamyślony, że nie usłyszał moich kroków, choć wcale nie starałam się zachowywać cicho.

Wyciągnęłam dłoń i dotknęłam jego ramienia. Powietrze wokół mnie zaczęło drgać, jakby nagle zrobiło się bardzo gorąco...

17.

Potężny koń zarżał nerwowo. Z jego pyska pociekła biała piana. Niecierpliwie przestępował z nogi na nogę, tańcząc pod jeźdźcem. Olbrzymie kopyta młóciły ziemię.

Niebawem dwa wrogie wojska miały się spotkać na polu bitwy. Szeroka błotnista łąka była idealnym miejscem na walkę. Ciągnęła się aż po horyzont, szumiąc cicho kwitnącymi wraz z nadejściem lata trawami. Co jakiś czas łąka falowała, zupełnie jakby mityczne wiły z uciechy przed nadchodzącą bitwą tańcowały pomiędzy wojami.

– Spokojnie, Nix. – Dagome poklepał wierzchowca po szyi. – Zaraz ruszymy.

Wyprostował się w siodle. W odległości niecałych dwóch kilometrów wojsko Wieletów zajmowało już pozycje bojowe. Piesi wysunęli się na prowadzenie, zasłaniając rząd łuczników.

To nie był pierwszy najazd Wieletów na ziemie Polan. Podczas poprzedniej potyczki jej mieszkańcy ponieśli sromotną klęskę. Wielu dobrych wojowników zginęło, karmiąc głodną boginię Mokosz swoją krwią.

To miała być druga walka plemienia Polan. Miała być też pierwszą, którą będzie dowodził butny i żądny sławy Dagome.

Pragnął on jednak o wiele więcej niż obiecanych mu w razie wygranej terenów Polan.

Spojrzał na swoich wiernych przybocznych. Wysocy postawni mężczyźni, którzy byli gotowi dla niego zginąć. Byli wikingami.

Tak jak on.

Żałował, że ma przy sobie tylko kilku z nich. Większość drużyny ruszyła na wschód, by odeprzeć atak zbuntowanych szczepów. Podzielone państwo Polan rozpadłoby się niechybnie, gdyby jego władca nie wynajął go do pomocy.

W następnym szeregu stali mężczyźni i chłopcy zwerbowani wśród podbitych ludów. Na ich twarzach malowało się przerażenie przemieszane z determinacją. Dagome zjednoczył ich plemiona w powstające królestwo, którego w przyszłości zamierzał być panem. W większości nie przeszli nawet podstawowego szkolenia wojskowego. Stanowili strefę buforową chroniącą zaprawionych w boju ludzi Siemomysła. Wielu z nich miało nie wrócić dzisiaj do domów.

Dagome poklepał się po piersi, która zakryta była lamelką, lekką zbroją uszytą z utwardzonych woskiem skórzanych płytek. Łatwo było przebić ją włócznią, jednak doskonale sprawdzała się podczas walki na miecze, których ostrza ześlizgiwały się po nawoskowanej powierzchni. Lekki hełm przykrywał jego skołtunione blond włosy.

Już czas. Czas umierać lub żyć w chwale.

– Dagobercie. – Starszy mężczyzna o imieniu Siemomysł podjechał na koniu i ustawił się tuż obok dzielnego młodziana. – Jeśli wygrasz, usynowię cię. Masz na to moje słowo.

Młody dowódca skinął głową. Stawka była wysoka. Protekcja dawnego władcy ułatwiłaby mu pozyskiwanie kolejnych terenów. Siemomysł nie miał męskich potomków. Chciał oddać swoje dziedzictwo silnemu mężczyźnie gotowemu podźwignąć to brzemię. Spojrzał na starucha z szacunkiem.

Mimo zaawansowanego wieku twardą ręką utrzymywał pokój w swoim królestwie.

– Dagobercie? – Siemomysł w przeciwieństwie do wikingów z jego drużyny zawsze zwracał się do niego pełnym imieniem.

– Możesz szykować polewkę – odparł Dagome. – Wieczorem będziemy świętować.

Uniósł ciężki, dwuręczny miecz, którego ostrze było zdolne do odrąbania ludzkiej głowy. Nie był zbyt wygodny, ale mężczyzna dzierżył go bez trudu w jednej dłoni. Był silny tak jak wikingowie, z których się wywodził. Przy biodrze miał przytroczony topór. Idealny do rzucenia uciekającemu nieszczęśnikowi w plecy.

Zbrojni ruszyli naprzód. Ich stopy wygrywały równy rytm. Niebawem rozpocznie się rzeź. Dagome poczuł, jak jego wargi rozciągają się w mimowolnym uśmiechu na myśl o rozlewie krwi.

– Weź to. – Głos Siemomysła wyrwał go z zamyślenia.

Starzec stuknął piętami w boki siwka i zbliżył się do Dagome. Podał mu skórzany bukłak zatkany korkiem.

– Co to?

– Napar z kwiatu paproci – wyjaśnił starzec.

Młodzieniec zaśmiał się donośnie. Nie wyciągnął ręki po bukłak. Podczas swojego krótkiego, ale burzliwego pobytu na ziemiach Polan nasłuchał się już dość na temat ich licznych wierzeń i legend.

Historia o kwiecie paproci była jedną z ulubionych. Nie znał nawet jednego mieszkańca tych rejonów, który w Noc Kupały nie starałby się go odnaleźć.

– Nie wierzę w zabobony – powiedział hardo.

– Jeśli chcesz być wiecznym władcą, to uwierzysz.

Starzec westchnął ciężko. Wbił zmęczony wzrok w horyzont i wojska przeciwnika.

– Bardzo trudno było go zdobyć. Wielu straciło życie, usiłując tego dokonać.

– Czemu więc sam go nie wypijesz?

– Jestem już stary. Nie mam takiego posłuchu. Tylko ktoś taki jak ty może stać się wiecznym władcą i stanąć na czele moich ludzi. Poprowadzić ich do zwycięstwa.

– Nie wierzę w takie rzeczy.

– Moja córka Ote zdobyła kwiat specjalnie dla ciebie. Naraziła się tym na gniew bogów. Obrazisz mnie i całą moją rodzinę, jeśli nie przyjmiesz daru.

Niechętnie wziął bukłak.

– Nasi bogowie będą ci sprzyjać – powiedział władca, wpatrując się w słońce.

– Twoi bogowie – sprostował Dagome.

– Teraz, gdy jesteś na tej ziemi, to także twoi bogowie.

Młody wojownik pokręcił głową.

– Lepiej schroń się za moją drużyną – powiedział. – Zaraz się zacznie.

Siemomysł odjechał na tyły, skąd chciał przyglądać się walce. Dagome dźgnął piętami boki wierzchowca. Koń posłusznie ruszył na pole walki śladem pieszych wojowników.

Dagome przechylił bukłak i opróżnił go jednym haustem. Odrzucił puste naczynie na ziemię i otarł usta wierzchem dłoni. Napar smakował gorzko i zostawił cierpki smak na języku. Przez głowę wojownika przebiegła myśl, że starzec mógł chcieć go otruć. To wszystko mogła być tylko gra pozorów, by pozbyć się młodego uzurpatora.

Nie. Siemomysł naprawdę kochał go jak syna.

Wrogie wojsko zbliżało się szybko. Popędził konia i stanął w strzemionach. Jego szaleńczy okrzyk wojenny przetoczył się nad łąką niczym grom.

Pierwsze szeregi ruszyły do natarcia. Rozległ się szczęk broni. Krew trysnęła w stronę palącego, południowego słońca.

Przeciwnicy ubrani jedynie w przeszywanice* padali jak muchy pod ciosami Polan. Dagome spojrzał w niebo.

Śmiał się z bogów.

W pędzie zeskoczył z konia i odparował cios potężnego miecza, który miał skrócić o głowę jednego z jego wojów. Odepchnął niedoszłą ofiarę potężnym kopniakiem, żeby nie przeszkadzała mu w walce. Mężczyzna stojący naprzeciwko niego trzymał oręż obiema dłońmi. Dagome zaśmiał się gardłowo i okręcił swój miecz jedną ręką. Jego przeciwnikowi zrzedła mina.

Błysnęła stal i ostrze wbiło się w brzuch wroga. W powietrzu rozeszła się metaliczna woń posoki i rozprutych wnętrzności.

Dagome zerwał z głowy hełm i odetchnął głęboko zapachem śmierci. Czuł, jak krew coraz szybciej buzuje mu w żyłach.

Rzucił się w wir walki. Na końcu pola zobaczył swojego najważniejszego przeciwnika. Mężczyzna dowodzący Wieletami bacznie obserwował płowowłosego Dagoberta. W przeciwieństwie do młodzieńca nie walczył. Nie chciał zmęczyć się przed ostateczną potyczką. Krążył niecierpliwie w otoczeniu straży przybocznej.

– Naprzód! – ryknął Dagome i zaczął przedzierać się przez tłum zbrojnych w kierunku wodza. Nic i nikt nie mógł go powstrzymać.

Wiking, z szaleństwem w oczach, zbryzgany krwią wrogów, stanął naprzeciwko Drogowita.

Chudy mężczyzna nie przypominał wojownika. Nosił imię po ojcu, wspaniałym woju, jednak nic nie wskazywało na to, by łączyło ich dziedzictwo krwi. Przeciwnik Dagome był od niego niższy o dwie głowy i o wiele szczuplejszy. Na pierwszy rzut oka nie miał w tym starciu najmniejszych szans.

---

* Przeszywanica – gruby, pikowany kaftan, wykonany z kilku warstw płótna lub skóry, stosowany w średniowieczu, mający chronić tułów wojownika.

Walka na polu bitwy była wyrównana. Szala zwycięstwa przechylała się to na jedną, to na drugą stronę. Wszystko zależało teraz od potyczki dowódców.

Dagome zaśmiał się szaleńczo i oblizał usta. Czuł, jak w jego żyłach płynie ogień. Pragnął zabić wroga, zanurzyć się w jego krwi.

Drogowit nie miał najmniejszych szans.

Przeciwnicy powoli zaczęli się okrążać, niczym wściekłe psy gotowe w każdej chwili rzucić się sobie do gardeł. Inni walczący, nie przerywając potyczki, zrobili im miejsce. W ich oczach widać było respekt. Dagome sprawdził kątem oka, czy w pobliżu znajdują się jego wojownicy, na wypadek gdyby coś poszło nie tak. Nie miał pewności, czy Drogowit zachowa się honorowo.

– Poddaj się! – krzyknął. – Nie masz szans.

Drogowit zaśmiał się szyderczo. Miał nieprzyjemny, skrzekliwy głos. Dagome nie trzeba było wiele, by zachęcić go do odrąbania głowy przeciwnikowi.

Ten śmiech wystarczył.

Dagome zamachnął się i ciął ostrzem tuż przed gardłem władcy Wieletów. Ten w ostatnim momencie zdołał odskoczyć. Jego twarz była pełna pretensji. Nie spodziewał się ataku. Jakby na próbę zrobił wymach zbyt ciężkim jak dla niego mieczem. Dagome z łatwością odparował cios i wytrącił wrogowi broń z ręki. Miecz zatoczył w powietrzu łuk i spadł z chrzęstem na ziemię.

Drogowit stracił równowagę i upadł na kolana, prosto w błoto. Był przerażony i wściekły. Dagome podszedł bliżej i kopnął go w twarz, miażdżąc mu nos. Głowa Drogowita odskoczyła do góry. Krew trysnęła strumieniem.

– Poddaj się albo cię zabiję – powtórzył młody wojownik.

Jednak przeciwnik nie zamierzał się poddawać. Złapał garść ziemi i cisnął nią w oczy Dagoberta, po czym zerwał się na nogi i rzucił do ucieczki.

Wiking ryknął wściekle i ruszył jego śladem, roztrącając walczących. Nie zauważył, że oddalił się od swoich druhów.

Nagle ktoś złapał go za ramiona. Poczuł, jak silne dłonie unieruchamiają mu kończyny. Głowica rękojeści miecza uderzyła go w skroń, rozbijając łuk brwiowy. Ciemna krew zalała mu lewe oko. Szarpnął głową i zdzielił potylicą jednego z napastników. Posoka buchnęła z rozbitego nosa wojownika.

Ktoś wytrącił mu z dłoni miecz. Poczuł, jak ostrze sztyletu przesuwa się pod jego prawym kolanem. Piekący ból nie zagłuszył wściekłości, którą odczuł, gdy poprzecinane ścięgna skurczyły się, a okaleczona noga ugięła się pod nim. Zawisł na rękach swoich oprawców.

Poprzez broczącą krew zobaczył Drogowita. Mężczyzna podniósł upuszczony przez Dagome miecz. Schwycił go mocno w obie dłonie.

– Piękny okaz – powiedział, przyglądając się ostrzu. – Nietypowy. Czy miecze wikingów nie są przypadkiem jednoręczne?

Dowódca Polan, nie bacząc na nogę, szarpnął się do przodu, ale kilku zbrojnych trzymających go za ramiona nie miało zamiaru puścić. Drogowit odskoczył przestraszony.

– Nie warcz, psie. Jesteś nikim, jakimś przybłędą. W twoich żyłach płynie krew wieśniaków. Myślałeś, że mnie pokonasz? Mnie?! Prawowitego władcę tych ziem?! – Rozwścieczony Drogowit podszedł bliżej i dotknął czubkiem miecza zbroi Dagome w okolicy serca. – Ja zawsze wygrywam.

Sztych miecza wbił się w wyprawioną skórę, z której zszyta była lekka zbroja wikinga. Metal przedzierał się przez kolejne warstwy, aż dotknął ciała. Mężczyzna poczuł, jak ostrze ziębi skórę.

– Pozdrów ode mnie bogów.

Dagome nie odrywał pałającego wściekłością wzroku od oczu Drogowita. Zacisnął dłonie w pięści, wyobrażając sobie, że miażdży mu krtań i wraz z ostatnim oddechem wyciska z niego życie.

– Jesteś tchórzem. Wrócę z zaświatów. Wrócę, by się zemścić – obiecał mu z uśmiechem.

Sztych przebił się przez skórę i wślizgnął między żebra, trafiając prosto w dumne serce dowódcy Polan, które skurczyło się po raz ostatni, czule obejmując metal. Przestało pompować krew. Ból był nie do zniesienia. Dagome ujrzał przed oczami czarne plamy. Zaczęło go ogarniać zimno, powoli tracił czucie w kończynach. Mimo to uśmiech nie znikał z jego twarzy.

– Wrócę... – zdołał jeszcze powiedzieć, zanim upadł na ziemię.

Ostatnim widokiem, który zobaczył, był bezchmurny błękit nieba, a ostatnim dźwiękiem, jaki usłyszał, jęk niedowierzania jego żołnierzy.

***

Słońce stało wysoko na niebie, podziwiając gęsto zasłane ciałami pole walki. Krew wsiąkła w żyzną, czarną ziemię ku radości bogini Mokosz.

Nagle Dagome otworzył oczy i zakrztusił się. Z kącika jego ust pociekła zaróżowiona piana. Zacharczał, nie mogąc złapać oddechu. Ból w piersiach był nie do zniesienia. Uniemożliwiał mu nabranie powietrza.

Zamrugał oślepiony słońcem. Złoty dysk wydawał się z niego kpić. Jak mógł świecić, jakby nic się nie stało, jakby Dagome dzisiaj nie zginął.

Mężczyzna spróbował się poruszyć. Jego lewa ręka była bezwładna. Wyciągnął prawą dłoń i spróbował dosięgnąć rękojeści miecza, ale była za daleko. Złapał mocno za trzon miecza, dotykając ostrza. Jęknął z bólu, gdy tkwiąca w ciele głownia drgnęła w ranie.

Przez jego głowę przebiegały dziesiątki szalonych myśli. Nie powinien żyć. Cios prosto w serce jest śmiertelny.

Przecież przed chwilą umarł. Czuł, jak jego dusza wypływa z ciała wraz z krwią.

Szarpnął za ostrze i wyjąc z bólu, wysunął miecz kawałek po kawałku. Z rany na jego piersi buchnęła tętniąca fontanna krwi. Jego dłoń upadła bezwładnie razem z ciężkim mieczem. Oddychał płytko, starając się jak najmniej poruszać klatką piersiową.

Powoli krew przestała płynąć, a jego oddech się wyrównał. Bacząc na ranę, podniósł się do pozycji siedzącej i rozejrzał dookoła. Odzyskał czucie w lewej ręce. Poruszył nią na próbę.

Całe pole zasłane było ciałami. Porozrzucane figurki niegdyś żywych ludzi miały dziwacznie powykrzywiane kończyny. Większość poległych nosiła jego barwy. Zobaczył swoich wiernych druhów, którzy zostali zamordowani niedaleko miejsca, gdzie leżał.

Zawiódł ich wszystkich swoim nierozsądkiem i żądzą krwi.

Zrzucił z siebie zbroję i rozerwał zesztywniałą od zakrzepłej krwi koszulę. Dotknął piersi. Tuż pod sercem miał kilkucentymetrową ranę, która przestała krwawić. Miecz prawie przebił go na wylot, a mimo to czuł, jak jego serce bije równo i mocno. Ból zniknął. Mógł swobodnie oddychać.

Przypomniał sobie wypity przed walką napar z kwiatu paproci. Miał nadzieję, że starzec jeszcze żyje, by opowiedzieć mu o właściwościach napoju.

Spojrzał na horyzont, za którym rozpościerały się ziemie Wieletów. Pomyślał o Drogowicie, który zapewne powracał właśnie w chwale do domu.

Dagome uśmiechnął się posępnie.

– Wróciłem... – szepnął.

18.

Poczułam, jak świat odsuwa się ode mnie gwałtownie i wywraca na drugą stronę. Wszystko zawirowało.

Ręka, którą dotknęłam ramienia Mieszka, zapiekła dotkliwie, zupełnie jakby poraził mnie prąd. Odrzuciło mnie dwa metry do tyłu. Upadłam na plecy w miękkie poszycie, dziękując w duszy bogom, że nie stałam bliżej gołoborza.

Piskliwe barwy, które jeszcze przed chwilą widziałam, i błyszczące różnokolorowo gwiazdy zgasły. Świat był znowu normalny, spowity cieniami i mrokiem nocy.

– Gosia! – Mieszko w jednej chwili znalazł się przy mnie. Wsunął mi rękę we włosy i delikatnie uniósł moją głowę. – Gosiu, co się stało? Słyszysz mnie?

Nie mogłam złapać tchu, czułam ucisk w piersi tam, gdzie Dagome z mojej... wizji?... halucynacji?... został ugodzony mieczem. Dotknęłam miejsca pod lewą piersią. Zabolało. Po policzkach pociekły mi łzy.

Spojrzałam w błękitne oczy Mieszka. Na te same lodowate oczy patrzyłam, gdy widziałam mitycznego dowódcę, a później władcę Polan.

Wciąż nie mogłam oddychać.

Sięgnęłam do jego płóciennej tuniki rozchełstanej pod szyją. Szarpnęłam mocno za brzeg. Materiał rozdarł się. Zobaczyłam długą na mniej więcej pięć centymetrów bliznę tuż pod jego sercem. Przejechałam po niej palcem.

– Kim ty jesteś? – zapytałam głucho.

19.

Dramatyzm całej sytuacji szybko znikł, gdy zauważyłam, że podwinęła mi się sukienka, odsłaniając majtki z Hello Kitty.

Mieszko nie odpowiedział na moje pytanie. Pomógł mi usiąść, a następnie po upewnieniu się, że nic sobie nie zrobiłam, wziął mnie na ręce i ruszył przez ciemny las bez słowa. Jego twarde ramię znowu wbijało mi się w plecy.

Ja także się nie odzywałam, chociaż w głowie kłębiło mi się mnóstwo pytań. Wciąż byłam w lekkim szoku po tym, co zobaczyłam, i na dodatek umierałam za wstydu. Jaka normalna kobieta w moim wieku nosi gacie, na których jest narysowana postać z japońskiego komiksu?

Wydawało mi się, że wizja bitwy pomiędzy Polanami a Wieletami trwała tylko chwilę, mgnienie oka. Myliłam się.

Gdy dotarliśmy na polanę na szczycie Łysej Góry, zobaczyłam, że ognisko już dogasa. Niskie płomienie pożerały ostatnie kawałki drewna. Większość szeptuch i wróży dawno poszła w swoją stronę i wróciła do domów.

Baba Jaga czekała na mnie. Wyglądała na zdenerwowaną. Krążyła wokół paleniska, rozglądając się niespokojnie, jakby się spodziewała, że poustawiane dookoła rzeźby ożyją i powiedzą jej, gdzie się podziałam.

– Gdzie byłaś tak długo? – Podbiegła do nas, gdy tylko wyszliśmy z lasu. – Czemu tak zniknęłaś? Coś się stało?

– Nie tutaj – uciął Mieszko. – Musimy ją zabrać w bezpieczne miejsce.

Jej przenikliwe spojrzenie potrafiło zmrozić na kość, jednak on wydawał się niewzruszony.

– Dobrze zatem. Idź za mną. Przewoźnik już na nas czeka.

Złapała szybko swój tobołek i ruszyła ścieżką prowadzącą w dół zbocza. Mieszko podążył jej śladem. Zauważyłam, że zerkał na nią podejrzliwie.

– Babo Jago, czy ty przypadkiem nie powinnaś mówić... gwarą? – zapytał ostrożnie.

– Gwara nie jest teraz ważna – odparła hardo.

Najwyraźniej dotychczas grała swoją rolę wsiowej baby nawet przed uczniem żercy.

– Mogę iść sama – powiedziałam do Mieszka.

Zignorował mnie.

Nie wypuszczał mnie z objęć, jakby się bał, że gdy tylko to zrobi, rozpadnę się na kawałki. Powoli zaczynałam się przyzwyczajać do tego noszenia na rękach. Chociaż jeśli mam być szczera, nie było to aż tak wygodne, jak przedstawiają to w filmach.

Baba Jaga także milczała. Łypała tylko na boki, jakby oczekiwała, że ktoś nas zaatakuje.

Wóz, który przywiózł nas z Bielin, czekał u stóp wzgórza. Podróż do domu szeptuchy minęła bardzo szybko.

Gdy weszliśmy do holu, w którym wisiał tajemniczy obraz, poczułam pełznący po plecach dreszcz.

Zostałam posadzona na białej kanapie w jakimś niedużym pomieszczeniu, które widziałam po raz pierwszy. Szeptucha zapaliła wszystkie światła. Nie dostrzegłam nawet skrawka cienia. Wszystko było tu białe. Meble i ściany, nawet parkiet. Tuż obok drzwi stał biały spodeczek z odrobiną mleka na dnie. Prawdopodobnie dla kota. Ze zdumieniem zauważyłam, że w pokoju nie było ani jednego okna.

Przestałam się już dziwić, czemu Baba Jaga ma aż tak wielkie zapotrzebowanie na żarówki. Pod sufitem wisiało pięć szklanych żyrandoli, do każdej ściany przytwierdzono kryształowe kinkiety, a tuż obok mnie stały trzy lampy na długich nóżkach.

Baba Jaga zapaliła wszystkie światła. Zupełnie jakby odprawiała jakiś tajemniczy rytuał. Dopiero gdy to uczyniła, usiadła na drugiej kanapie, naprzeciwko mnie i Mieszka. Pomiędzy nami stał szklany stolik.

Zaskoczona rozejrzałam się z ciekawością po pokoju. Czyżby szeptucha cierpiała na kurzą ślepotę? Poza tym nie posądzałam jej o tak... ekstrawagancki gust.

– Co się stało? – zapytała.

– Jest bezpiecznie? – odpowiedział pytaniem Mieszko.

– Teraz tak – odparła. – Nikt nas nie podsłucha.

Mężczyzna nie spuszczał z niej wzroku, jakby szukał na jej twarzy oznak kłamstwa.

– Och, daj spokój! – żachnęła się szeptucha. – Przecież bym jej im nie wydała! Nie trzymam z żadną ze stron.

Patrzyłam to na jedno, to na drugie. Przez chwilę poczułam się tak samo jak na zajęciach z biochemii. Nic z tego nie rozumiałam.

– Jest widząca – powiedział sucho.

Baba Jaga nie wydawała się zaskoczona tą informacją. W przeciwieństwie do mnie. No, chyba że chodziło im o zdolność widzenia w tym oświetleniu. Z tym nie mogłabym się nie zgodzić. W tym oślepiającym blasku nawet ślepy by widział.

– Co takiego!? – wykrzyknęłam.

Szeptucha posłała mi pełne rozbawienia spojrzenie.

– To nic, kochanieńka, taki mały bonus od losu.

– Co teraz? – zapytał Mieszko. – Trzeba jej powiedzieć o jej dziedzictwie.

– Chyba nie mamy wyboru – stwierdziła Baba Jaga.

Zobaczyłam w jej oku szalony błysk. Zdecydowanie mi się nie podobał.

– O co tu chodzi? – nie wytrzymałam.

Kobieta przysiadła na skraju kanapy i wzięła mnie za rękę ponad taflą szkła.

– Najpierw powiedz nam, co zobaczyłaś w lesie.

– A właściwie skąd wiecie, że coś zobaczyłam? – Zmarszczyłam brwi.

Wydawało mi się, że nie zwierzyłam się żadnemu z nich z doznanych halucynacji. Chociaż biorąc pod uwagę mój stan, nie mogłam być tego całkiem pewna.

– Po prostu powiedz nam, co zobaczyłaś. Dziecko, zaufaj mi.

Opowiedziałam im o scenie bitwy i o Mieszku, który w mojej wizji posługiwał się imieniem Dagome. Najlepiej jak umiałam, starałam się opisać przebieg potyczki. Opowieść zakończyłam tym, jak wiking umarł ugodzony mieczem prosto w serce, a następnie jakby nigdy nic powstał z martwych.

Te grzybki naprawdę dawały niezłego kopa...

– Głupie, prawda? – Roześmiałam się.

Czułam się zażenowana. Upaliłam się na ich oczach i zrobiłam Mieszkowi niezłą scenę. Mój mózg całkiem zgrabnie sklecił wspomnienie jego blizny na piersi i zmontował ją z wydarzeniami historycznymi, o których uczyłam się w szkole na zajęciach ze słowianizmu.

Chociaż nie przypominam sobie, żeby na zajęciach z historii słowiańskiej nasz władca Mieszko I, posługujący się także imieniem Dagobert, w skrócie Dagome, wyjął sobie miecz wbity prosto w serce.

Złożyłam to na karb mojej zbyt bujnej wyobraźni.

– To była prawda. Widziałaś prawdę – ponurym głosem powiedział siedzący obok mnie imiennik najsłynniejszego władcy w historii naszego Królestwa.

Złapałam go za podbródek, a drugą dłonią sięgnęłam do jego oka. Delikatnie, jednym palcem uniosłam mu powiekę. Przy oświetleniu w salonie szeptuchy nie musiałam nawet wykręcać mu twarzy do światła.

– Masz zwężone źrenice – mruknęłam. – Możesz być jeszcze pod wpływem.

– Ma zwężone źrenice, bo tu jest za jasno – prychnęła Baba Jaga i dała mi po łapach, żebym go puściła. – Masz przed sobą władcę, okaż mu trochę szacunku.

Zaczęłam rozglądać się po pokoju.

– Okej, tu jest jakaś ukryta kamera, co? Robicie sobie ze mnie żarty, rozumiem. Taki test na nową szeptuchę. Chrzest bojowy. Najpierw mnie naszprycowaliście, a teraz usiłujecie mi coś wmówić.

– Nie. – Mieszko pokręcił głową. – To, co zobaczyłaś, było prawdą.

Zaśmiałam się gorzko.

– Czyli chcesz mi powiedzieć, że jesteś Dagome? Człowiekiem, który zjednoczył plemiona, wypowiedział wojnę Czechom, porwał Dobrawę, olał chrzest, a następnie podbijał i mordował kogo popadnie? – odparłam buńczucznie i wzięłam się pod boki.

– Z tego ostatniego, po wielu latach refleksji, nie jestem szczególnie dumny.

Nie wiedziałam, czy się śmiać, czy płakać.

– Widziałaś drugą bitwę z Wieletami – wyjaśnił. – Tuż przed nią Siemomysł dał mi do wypicia najrzadszy napar, jaki istnieje. Napar z kwiatu paproci. On zapewnił mi nieśmiertelność. Gdy powróciłem po bitwie, usynowił mnie, a ja jako prawowity władca Polan ruszyłem po raz trzeci na Drogowita.

– I go zabiłeś.

– I go zabiłem – zgodził się ze mną.

Jego usta rozciągnęły się w mściwym uśmiechu. Przez mgnienie oka przypominał żądnego krwi Dagome z mojej wizji. Do pełni obrazka brakowało tylko rozbryzgów krwi na ścianach.

– Magiczne ognisko uaktywniło twoje zdolności – wyjaśniła szeptucha. – Teraz mamy już pewność, że jesteś widząca.

– Na bogów, nie wmówicie mi, że Mieszko jest nieśmiertelnym władcą Polan...

Nie mieściło mi się to w głowie. Już prędzej byłam skłonna uwierzyć, że tak się upaliłam i upiłam na tym ognisku, że leżałam teraz w śpiączce, a to wszystko to rojenia mojego nieodwracalnie uszkodzonego mózgu.

– Widziałaś mnie stojącego na czele hirdu. Przysięgam.

– Hirdu?

– Piesi zbrojni.

– A, znaczy taka falanga?

– Falangą nazywamy zbrojnych pieszych w starożytności, ale jeśli się upierasz.

– Czyli co? Teraz mam mówić do ciebie per „Wasza Wysokość"? Bo wiesz, wysoki to ty jesteś, ale...

Szeptucha syknęła zniesmaczona naszą rozmową.

– Gosiu, proszę cię o zachowanie powagi. Sytuacja jest bardzo poważna.

– No nie, ja was przepraszam, ale chyba ciągle jesteście pod wpływem. – Wstałam z kanapy. – Pozwólcie, że wrócę teraz do domu.

Mieszko chciał podnieść się razem ze mną, ale Baba Jaga powstrzymała go gestem i smutno pokręciła głową. Zupełnie jakbym była jakimś beznadziejnym przypadkiem, któremu nie można już w żaden sposób pomóc.

Wkurzyło mnie to. Jeszcze bardziej utwierdziłam się w przekonaniu, że czym prędzej powinnam udać się do domu. Tylko jak to zrobić? Nie miałam samochodu, był środek nocy, a ja byłam jeszcze trochę pijana. Niedobrze. Wygładziłam zmiętą i ubrudzoną trawą sukienkę, a następnie ruszyłam do drzwi.

– W ogóle to mi się nie podoba, że wbrew woli zostałam poddana działaniu narkotyków. Mogłaś mnie ostrzec – powiedziałam jeszcze na odchodne.

Gdy już miałam wyjść, światło żarówek tuż nad moją głową zamigotało. Cofnęłam rękę od klamki i spojrzałam do góry. Żyrandol zaczął się kołysać.

Światło stało się znacznie ostrzejsze, metalowe druciki wewnątrz szklanych żarówek zaczęły czerwienieć.

– Nie odzywajcie się bez pozwolenia! – syknęła szeptucha i zerwała się na równe nogi. – Uważaj!

Jej ostatnie słowa były skierowane do mnie. Światło stało się oślepiające. Usłyszałam buczenie przeciążonej sieci. Niespodziewanie żarówki zaczęły pękać. Żyrandol nad moją głową eksplodował popękanym szkłem. Odskoczyłam w stronę kanapy, osłaniając głowę rękami. Kolejny zaczął się huśtać i błyskać.

Wskoczyłam na kanapę, by nie nadepnąć na szkło. Ukucnęłam na poduszkach. Mieszko złapał mnie za ramię i pociągnął do siebie. Objął mnie i przycisnął moją twarz do swojej piersi, gdy kolejne żarówki pękały, sypiąc w nas szkłem. Poczułam, jak okruchy uderzają mnie w plecy. Wtuliłam się w jego koszulę i zamknęłam oczy. Lampy stojące na podłodze koło drzwi przewróciły się i zgasły.

Gdy zapadła cisza, powoli uniosłam głowę i wyjrzałam zza ramienia Mieszka.

– Nic ci nie jest? – jego szept załaskotał mnie w szyję.

– Wszystko okej, dzięki – wydusiłam.

Chciałam, żeby już mnie puścił. Czułam się w jego objęciach nieswojo. Było mi podejrzanie... przyjemnie.

Połowa pokoju była pogrążona w ciemnościach.

– Chyba nastąpiło jakieś spięcie – powiedziałam, odsuwając się od Mieszka.

– Cicho! – syknęła Baba Jaga, wypatrując czegoś z uwagą. Po chwili jakby nigdy nic strzepnęła ze spódnicy okruchy szkła i poprawiła kwiecistą chustkę na włosach.

Mieszko patrzył spokojnie na pogrążoną w ciemnościach część pokoju.

– Okej, mogę być cicho, ale serio nie kupię ci więcej żarówek, dopóki jakiś fachowiec nie zobaczy tej instalacji – mruknęłam niezadowolona.

Nagle usłyszałam ciche siorbanie. Dochodziło gdzieś od drzwi. Zmarszczyłam brwi zaskoczona. Coś mi tu nie pasowało. Jakim cudem kot dostał się do zamkniętego pomieszczenia bez okien?

Siorbanie ustało. Za to dało się słyszeć szuranie przesuwanego po podłodze spodeczka.

Wstałam z kanapy. Szkło zachrzęściło pod podeszwami moich trampek.

– Mleko się skończyło. Mało go dzisiaj wlałaś – dobiegł nas cichutki dziecięcy głosik.

Usiadłam z powrotem i praktycznie wpakowałam się Mieszkowi na kolana. Złapałam się jego koszuli tak kurczowo, że aż trzasnął materiał.

Dziecięcy głos dobiegający z ciemności kojarzył mi się tylko z jednym. Chyba obejrzałam zbyt wiele horrorów. Poczułam, jak strach ściska mnie za gardło. Nie byłam w stanie nawet zacząć wrzeszczeć, jak to zwykle robią bohaterki filmów klasy B.

Zerknęłam na swoją wściekle amarantową, krótką sukienkę. Cholera... nie jestem co prawda platynową blondynką, ale moje ubranie wyraźnie sugerowało, na podstawie obejrzanych filmów i statystyk, które szybko zrobiłam w głowie, że w razie krwawej masakry zginę jako pierwsza.

– Nie spodziewałam się was – odparła sucho szeptucha.

Tupot małych stópek skierował się w inny zacieniony kąt pokoju. Podążyłam za nim wzrokiem, chociaż i tak niczego nie mogłam zobaczyć w ciemnościach.

Mieszko wziął mnie za rękę. Dopiero dzięki temu zauważyłam, jak bardzo trzęsę się ze strachu.

– Mamy wiadomość od Swarożyca – powiedział głosik.

– Mówcie i odejdźcie – warknęła.

– Nie jest dla ciebie. Jest dla widzącej.

– Skąd wiecie, że w tym pomieszczeniu jest widząca? – zapytała szeptucha.

– Czujemy ją.

– Czy tylko Swarożyc o niej wie?

– Już wiedzą o niej wszyscy.

Baba Jaga odwróciła się do mnie.

– Odpowiedz im coś – nakazała.

– CO?! – pisnęłam.

– Na litość bogów, to tylko ubożęta! – westchnęła znużona. – Nie zrobią ci krzywdy.

– Ubożęta? – jęknęłam.

– Naprawdę nie wiesz, czym są ubożęta? – zdziwiła się. – No, niczego już was w tych miastach nie uczą. Doprawdy... żeby nie wiedzieć, czym są ubożęta...

Mieszko ścisnął moją rękę.

– Nie bój się – powiedział. – Porozmawiaj z nimi. Będę cały czas przy tobie.

– Eee... – Tylko tyle wydobyło się z moich zdrętwiałych ust.

Przypomniałam sobie, jak mówili na zajęciach z psychiatrii, że niektórym wystarcza jedno zażycie narkotyków, by rozwinąć u siebie objawową psychozę. Ja nie chcę mieć omamów! Cholerne ognisko! Raz w życiu nawąchałam się tych wstrętnych ziółek i już mam powikłania.

– Widząca? – zapytał głosik.

– Yyyhyyy...?
– Bądź pozdrowiona.
– Mhmmm...?
– Swarożyc pragnie cię zapewnić, że nie ma w związku z tobą żadnych planów.
To chyba dobrze wiedzieć, cokolwiek miałoby to oznaczać... Głosik niestrudzenie kontynuował pomimo braku mojej reakcji:
– Życzy ci powodzenia w poszukiwaniach.
– Przejdźcie do rzeczy – rozkazała Baba Jaga.
– Swarożyc mówi, że polowanie właśnie się zaczęło. Radzi też ostrożnie dobierać przyjaciół. – Głosik zachichotał.
Radosny śmiech cichł coraz bardziej, aż ustał zupełnie.
– Polowanie? – zapytałam głucho. – Jakie polowanie? Na co?
– Coś mi się wydaje, kochanieńka, że niestety na ciebie – wyjaśniła szeptucha.
Serce waliło mi jak oszalałe, czułam się tak, jakbym właśnie przechodziła ciężki zawał... albo niestrawność.
– Mieszko, bądź miły i pójdź do kuchni. Zostawiłam na blacie kilka żarówek. Wkręcimy nowe.
– Czy one...? – pisnęłam.
– Już ich nie ma. – Mieszko spojrzał mi głęboko w oczy. Powoli odgiął moje palce zaciśnięte na jego koszuli. – Zaraz wrócę.
Pewnym krokiem wszedł w ciemność. Po chwili otworzył drzwi. Do pomieszczenia wlało się światło z korytarza, rozpraszając cienie. Rozglądałam się jak szalona w poszukiwaniu małych upiornych dzieci, które przed chwilą się tu mądrzyły. Na szczęście nigdzie ich nie dostrzegłam.
– O właśnie, kochanieńka! Niestety jestem zmuszona prosić cię o nową dostawę żarówek. Kupisz mi je na jutro? – poprosiła Baba Jaga.

20.

– Ubożęta to nieszkodliwe duchy, strażnicy domowego ogniska. Żyją w ciemnościach, w ciemnych kątach izby. Dodatkowo pomagają utrzymać żar paleniska. Przyjęło się zostawiać dla nich w nagrodę spodeczek mleka – tłumaczyła cierpliwie Baba Jaga, gdy rozbite szkło zostało już zamiecione, a nowe żarówki wkręcone w żyrandole. – Niektórzy twierdzą, że to duchy naszych przodków albo zmarłych przedwcześnie dzieci, ale ja w to nie wierzę.

– Czyli to coś jak skrzaty? – spytałam.

Siorbnęłam herbatką z melisy na uspokojenie, którą mi przed chwilą zaparzyła. Miałam ochotę wlać w siebie całe wiadro takiej herbaty i dodatkowo zaprawić ją jakimiś tabletkami z hydroksyzyną.

– Nie. – Skrzywiła się z obrzydzeniem. – Skrzaty to jakiś niesmaczny zachodni wymysł, który nie ma z tym nic wspólnego. Ubożęta nie psocą. One pojawiają się na jawie lub we śnie. Potrafią ostrzec przed niebezpieczeństwem. To dobre duchy domu.

– Jeśli są takie dobre, to dlaczego tłuką żarówki? – prychnęłam.

Baba Jaga wydawała się zniesmaczona moją tępotą.

– Przecież przed chwilą powiedziałam. Żyją w ciemnościach. Ten pokój jest jedynym pomieszczeniem pozbawionym cieni, w których mogłyby się ukryć. Nie chciałam, żeby ktokolwiek mógł nas podsłuchać, nawet one. Dzięki temu małemu incydentowi mam teraz pewność, że nikt nie słyszał tego, o czym mówiliśmy. Żeby się do nas odezwać, musiały zgasić część świateł. To i tak lepiej niż kiedyś.

– A jak wcześniej się pojawiały? – Mieszko był bardzo zainteresowany tym tematem.

– Używały ognia, który podtrzymywały na kuchni. Wszystkie garnki miałam poprzepalane, kiedy wzniecały silniejsze płomienie.

– Do wszystkich tak przemawiają? – zapytał.

– Nie. – Baba Jaga uśmiechnęła się i dodała złośliwie: – Wiem, że nie odzywają się do Mszczuja, odkąd pięćdziesiąt lat temu przestraszony nagle wznieconym ogniem ugasił go zawartością wiadra na pomyje. Czasem pokażą mu tylko jakiś obraz w płomieniach.

Skrzywiliśmy się z niesmakiem. Nic dziwnego, że się do niego nie odzywały. Żerca nie wyglądał na osobę przykładającą wielką wagę do higieny osobistej i porządku. Aż strach pomyśleć, co mogło być w tym wiadrze.

– Chciałabym, żebyście mieli jasność – kontynuowała. – W waszych domach nie ma ubożąt.

– Dlaczego? – zdziwił się Mieszko.

– A wierzycie w nie?

Spojrzeliśmy na siebie zakłopotani.

– Ja ich nigdy wcześniej nie widziałem – wytłumaczył Mieszko.

– Ja też – powiedziałam.

– Czyli w waszych domach ich nie ma, skoro w nie nie wierzycie. – Szeptucha wzruszyła ramionami. – I już się nie pojawią. Nieważne, że teraz zaczniecie wierzyć. Chyba że...

– Co?

– Swarożyc ma moc nad ubożętami. Są istotami ognia, a on częściowo nad takimi istotami panuje. Jeżeli kiedyś będzie chciał z wami porozmawiać, to prawdopodobnie użyje w tym celu ubożąt. To chyba jedyny sposób, byście mogli je spotkać.

Swarożyc. A więc bogowie słowiańscy też istnieją? Naprawdę? Czułam, jak świat, który znam, wywraca się do góry nogami. Dopiłam herbatkę.

– Czy to na pewno wszystko mi się nie śni? – zapytałam nieśmiało. – Może to te ziółka...

– Przykro mi, ale halucynogenne zioła używane podczas obchodów nie działają tak długo. – Szeptucha pokręciła głową.

– Może to choroba psychiczna?

– Gosia! – Jej głos stwardniał, powoli zaczynała tracić cierpliwość.

Pochyliłam głowę i spojrzałam na dno kubka. Siedzący obok Mieszko nawet nie drgnął. To wszystko wydawało mi się jakimś szalonym snem.

– O co chodzi z tym całym polowaniem? – zapytałam zrezygnowana.

– Jesteś pewna, że chcesz o tym teraz rozmawiać? – Baba Jaga poklepała mnie po dłoni. – Może pójdziesz spać, a jutro na spokojnie wszystko omówimy?

– Nie wiem... – odpowiedziałam niepewnie.

– Jest już naprawdę bardzo późno. Lepiej będzie, jak trochę się wyśpimy przed tą rozmową. Jutro też jest dzień.

Żarówka nad naszymi głowami zasyczała. Podskoczyłam przerażona.

– To tylko jakaś mucha wpadła do klosza – powiedział Mieszko.

Poczułam, że robi mi się niedobrze. Kto by pomyślał, że zobaczę dzisiaj coś takiego.

– Zaraz przyjdę – bąknęłam i pobiegłam do łazienki.

– Może zaparzę jej jeszcze rumianku... – zdążył dobiec mnie zmęczony głos szeptuchy.

Zamknęłam za sobą drzwi i oparłam się ciężko o umywalkę. Moje odbicie w wiszącym nad nią lustrze wyglądało fatalnie. Długie włosy skołtuniły się i napuszyły. Zauważyłam, że w kołtunie tkwi źdźbło trawy.

Nabrałam w dłonie zimnej wody i opłukałam twarz. Hojnie nałożony tusz do rzęs popłynął czarnymi łzami po policzkach.

Serio? Serio?! Na bogów, przecież był wodoodporny... Jak mieć pecha, to do końca.

Jeszcze raz umyłam twarz i wytarłam oczy papierem toaletowym. Wyglądałam trochę lepiej. Niestety tylko trochę...

W oczach zapiekły mnie łzy. Usiadłam na zamkniętej klapie od sedesu i rozpłakałam się.

W co ja się wplątałam? Przecież to jest niemożliwe! Bogowie, demony, czary, wizje. Co to ma być?! Przecież ja nawet nie wierzę w te ziołowe specyfiki od szeptuchy, którymi z upodobaniem naciera się moja mama. A co dopiero mówić o bogach!

No i do tego wszystkiego Mieszko. Dawno zmarli władcy nie powinni spacerować po ziemi. A tym bardziej spacerować przede mną ubrani jedynie w ręcznik zawinięty na biodrach. Poczułam się jak świętokradca. Mieszko I urósł w naszym społeczeństwie do rangi mitu. Każdy chłopiec na swój bal przebierańców chce przebrać się za pierwszego władcę Polan. A ja go pożerałam wzrokiem, kiedy wyszedł spod prysznica kilka dni temu.

Wcale nie miałam pewności, czy wszystko, co dziś zobaczyłam, nie było jednak jakimś sennym koszmarem. Po plecach przebiegł mi dreszcz, kiedy przypomniałam sobie upiorny dziecięcy głosik rozbrzmiewający w ciemnościach.

Zerknęłam na wiszącą obok mnie zasłonę prysznicową, której dolna część znikała w staromodnej wannie stojącej na czterech lwich nóżkach. Wanna zachęcała do kąpieli. Odsłoniłam zasłonę tak energicznie, że o mało nie zerwałam małych, metalowych kółek, na których wisiała. Wanna była pusta. W szaleństwie, które mnie ogarnęło, jeszcze przed chwilą byłabym skłonna uznać, że czai się tam rusałka...

Chociaż z drugiej strony lepiej rusałka niż utopiec. A może rusałki żyją na łąkach...? Cholera! Nie mam o tym wszystkim bladego pojęcia! Zawsze traktowałam rodzime legendy jak bajki na dobranoc. Nie bawię się w żadne mityczne stwory! Chcę do domu.

Przez chwilę zatęskniłam nawet za budzikiem brzmiącym jak zarzynany kogut.

Potrząsnęłam głową zniesmaczona. Nie, za budzikiem jednak nie tęskniłam. To już chyba wolę ubożęta.

Jeszcze raz stanęłam przed lustrem. Wydmuchałam donośnie nos i poprawiłam włosy. Gdy zaczęłam wyglądać jak człowiek, poczułam się pewniej. Stawię temu czoło z uniesioną brodą, postanowiłam. Przetrwałam zajęcia w prosektorium na studiach? Przetrwałam. To i mityczne demony przetrwam.

Gdy już zdołałam się uspokoić, wróciłam do pokoju. Czekał na mnie tylko Mieszko.

– Gdzie Baba Jaga? – zapytałam.

– Poszła spać – wyjaśnił krótko. – Porozmawia z nami jutro podczas śniadania. Zostawiła ci rumianek.

To dobrze, pomyślałam. Wcale nie chciałam już dzisiaj rozmawiać o magii i bogach.

Mieszko wstał i wskazał na korytarz.

– Powiedziała, żebyś się położyła w pokoju gościnnym. Jest na końcu korytarza.

– A ty? – zapytałam, zanim zdołałam ugryźć się w język. – To znaczy Wasza Wysokość? Dagome? Jak powinnam się do ciebie zwracać?

Skrzywił się i przeczesał dłonią włosy. Wydawał się wypełniać sobą całe pomieszczenie.

– Teraz jestem tylko Mieszkiem.

– Najwyraźniej nie.

– Zdrzemnę się na kanapie – zmienił temat.

– Okej.

– Koło twojego pokoju jest łazienka – dodał. – Baba Jaga powiedziała, że znajdziesz tam czyste ręczniki.

Kiwnęłam głową na znak, że zrozumiałam. Wiedziona jakimś głupim impulsem, zapewne hormonalnym, podeszłam do niego i przytuliłam się. Na początku stał sztywno, ale po chwili rozluźnił się i odwzajemnił uścisk.

– Przykro mi, że cię dźgnęli – powiedziałam. – To było straszne.

– Nie bałem się – zaśmiał się.

– Wiem. – Zadarłam głowę, by spojrzeć mu w twarz. – Byłeś tylko cholernie wściekły.

– Drogowit popsuł mi plany. Można powiedzieć, że byłem odrobinę... rozczarowany zakończeniem tej potyczki.

Odsunęłam się od niego. Przytulanie się do władcy bez pozwolenia chyba było błędem.

– Jak dokładnie widziałaś przebieg bitwy?

– Widziałam wszystko bardzo wyraźnie, zupełnie jakbym stała obok, a jednocześnie czułam to co ty.

– Czułaś, jak umierałem?

– Tak. – Wzdrygnęłam się.

– Przykro mi.

Wzruszyłam tylko ramionami. Czułam również szaleństwo i żądzę krwi, która go ogarnęła podczas walki. Był niczym dzikie, nieokiełznane zwierzę. Wolałam jednak mu o tym nie przypominać.

– Powiedz, że wszystko będzie dobrze – poprosiłam.

– Nie mogę.

Pokiwałam głową.

– Pójdę już. Przepraszam, że rozdarłam ci koszulę.

– Nie szkodzi. Dobranoc, Gosiu.

– Miłych snów.

Miałam do niego mnóstwo pytań, ale nie wiedziałam, jak je zadać.

Włączyłam lampkę nocną w pokoju gościnnym. Był malutki. Mieściło się w nim tylko szerokie, dwuosobowe łóżko i mała drewniana komódka, na której stała lampka. Na łóżku leżała gruba pierzyna wypełniona gęsim pierzem. Miała wyhaftowane kwiatowe, ludowe wzory. Westchnęłam zniesmaczona.

Zdecydowanie nie lubiłam tej całej słowiańskości.

21.

Woda była bardzo gorąca, nad jej powierzchnią unosiła się para. Napełniłam wannę po brzegi. Słodki, różany płyn do kąpieli, który dodałam, zamienił się w puszystą pianę. Dopiero teraz zauważyłam, że tuż przy wannie, na małej półeczce, stały trzy czerwone, grube świece. Obok nich leżało pudełko zapałek. Skusiłam się.

Zgasiłam górne światło. Płomienie świec rzucały na ściany pokręcone cienie. Zrzuciłam ręcznik i delikatnie weszłam do wody. Miałam nadzieję, że szeptucha nie będzie mi miała za złe, że bez pytania panoszę się w jej łazience. Miękka piana dotykała mojej brody. Kolana wystawały z niej niczym dwie wyspy.

Przymknęłam oczy. Było mi tak przyjemnie. Wreszcie mogłam na chwilę zapomnieć o wszystkim i skupić się na sobie.

Nie wytrzymałam tak długo. Nie umiałam się wyciszyć. Wyobraziłam sobie, co by się stało, gdyby teraz do łazienki wszedł Mieszko. Mimo że były to tylko myśli, zaczerwieniłam się gwałtownie.

Czy uciekłby w popłochu? Przeprosiłby grzecznie i wyszedł? A może by został? Może podszedłby do wanny?

Odgarnęłam trochę pianę i nabrałam wody w dłonie. Opłukałam twarz, by zmyć z niej wstyd spowodowany takimi myślami.

Całe szczęście, że to tylko moje fantazje.

Wciąż siedziałam z zamkniętymi oczami, kiedy to poczułam.

Woda tuż przy moich stopach wzburzyła się lekko. Zaskoczona odjęłam dłonie od twarzy. Oczy odrobinę zaszczypały, gdy wpadły do nich mydliny. Bezmyślnie przetarłam je wierzchem dłoni, wpychając sobie do nich jeszcze więcej mydła. Podparłam się rękami i uniosłam trochę, żeby nie leżeć zanurzona po szyję.

Nie widziałam zbyt wyraźnie przez łzy, ale woda wydawała się spokojna. Wysunęłam powoli lewą nogę i patrzyłam, jak palce stopy wyłaniają się z grubej warstwy piany. Opuściłam ją. Sięgnęłam dłonią i zaczęłam grzebać nieporadnie po dnie. Przy drugim końcu wanny stało kilka butelek z płynami do kąpieli. Pomyślałam, że może któraś z nich zsunęła się do wody.

Nagle poczułam, że coś musnęło moją rękę. Szybko wyszarpnęłam ją z wody. To coś z pewnością nie było moją stopą, a tym bardziej kanciastym opakowaniem płynu do mycia.

Przez głowę przebiegła mi przerażająca myśl: a co, jeśli to szczur?! Może wślizgnął się tu, gdy miałam zamknięte oczy? Może zaraz mnie ugryzie?

Zanim zdążyłam wyskoczyć z krzykiem, woda znowu się wzburzyła.

Spod powierzchni wysunęła się gwałtownie szara ręka z odłażącymi, odmoczonymi płatami skóry, które zwisały smętnie przy paznokciach. Na kostkach zagiętych w szpony palców osiadła lekko różowa piana.

UTOPIEC!!!

Usiadłam sztywno wyprostowana.

W łóżku.

Nieprzytomnie rozejrzałam się dookoła, nie poznając pokoju, w którym się znajdowałam. Powoli dochodziło do mnie, że jestem w sypialni gościnnej, w domu szeptuchy.

To tylko sen, tylko koszmar. Przetarłam dłońmi twarz i jęknęłam. W głowie mi huczało, a język miałam zaschnięty na wiór.

Kac...

Odetchnęłam głęboko. Sen był bardzo realistyczny.

Zsunęłam nogi na zimną podłogę i pobiegłam do łazienki. W domu panowała niczym niezmącona cisza.

Spojrzałam podejrzliwie na wannę z mojego koszmaru. W świetle dnia nie wyglądała na nawiedzoną. Mimo wszystko postanowiłam się w niej nie kąpać. Szybki prysznic wydał mi się znacznie lepszym rozwiązaniem.

Gdy wróciłam do pokoju, na pościelonym łóżku znalazłam białą prostą sukienkę za kolana. Była na mnie odrobinę za luźna. Związałam włosy w węzeł, żeby nie zamoczyć materiału.

Zanim wyszłam na spotkanie innych domowników, stanęłam przy oknie i kilka razy odetchnęłam głęboko. Chciałam się przygotować na to, co przyniesie nowy dzień. Sąsiedzi Baby Jagi krzątali się po obejściu. Nikt nie wyglądał na przerażonego. Najwyraźniej ubożęta nikogo więcej nie odwiedziły.

Tylko mnie spotkał ten wątpliwy zaszczyt.

W kuchni czekało na mnie późne śniadanie. Rustykalna, ale pełna nowoczesnych sprzętów AGD kuchnia zapraszała, by spędzić w niej trochę czasu. Usiadłam przy stole przykrytym kraciastym obrusem.

Mieszko pił kawę. Jej mocny aromat zwykle sprawiał, że ciekła mi ślinka, jednak dzisiaj żołądek zwinął mi się w kłębek.

– Dzień dobry – mruknęłam.

– Masz. – Szeptucha podsunęła mi kubek z ziołami.

– Co to? – zapytałam.

– Na wymioty – wyjaśniła i wskazała piętrzącą się górę kanapek leżących na talerzu pośrodku stołu. – Później będziesz mogła zjeść śniadanie.

– Ale z czego to? – dopytywałam.

Westchnęła ciężko. Już wiedziała, że nie wypiję nic, czego skład mi się nie podoba.

– Sproszkowana kora kaliny, piołun, odrobina wrotycza i rumianek.

– A...?

– Tak, wszystko wcześniej umyłam...

Tajemnicza mikstura zaczęła działać już po pierwszym gorzkim łyku. Niemniej jednak brzuch nadal mnie bolał. Kiedy się na to poskarżyłam, szeptucha wstała bez słowa, nalała do szklanki wody z kranu, a następnie stłukła jajko i przelała białko do środka. Zamieszała zamaszyście łyżeczką. Patrzyłam zdumiona, jak podchodzi do pieca, otwiera małe drzwiczki i wylewa zawartość szklanki do ognia.

– Lepiej? – zapytała.

Ból brzucha zniknął. Nie... to na pewno rumianek. No przecież nie spalone jajko...

– Jesteś gotowa do rozmowy? – zapytała uroczyście szeptucha.

Ból brzucha nie pojawił się z powrotem, mimo że miał ku temu świetną okazję.

– Chyba nie mam wyboru...

Mieszko nie wypowiedział dzisiaj ani jednego słowa. Wpatrywał się nieruchomo w jeden punkt i pił kawę. Równie dobrze mogłoby go tu nie być. Zrobiło mi się trochę przykro. To w końcu wszystko jego wina. Gdybym go nie dotknęła, nic bym nie zobaczyła i dalej mogłabym żyć w słodkiej nieświadomości, że najgorsze, co człowieka może spotkać w lesie, to kleszcze.

Miał na sobie tę samą porwaną koszulę. Skrzywiłam się na ten widok. Było mi głupio, że zniszczyłam mu ubranie.

– Jesteście pewni, że wszystko, co się wczoraj działo, nie jest efektem zbiorowej histerii spowodowanej nadużyciem ziół halucynogennych? – zapytałam z nadzieją.

– Chciałabym, dziecko, ale niestety nie. – Szeptucha uśmiechnęła się do mnie smutno i usiadła obok.

Mieszko nie raczył odpowiedzieć. Nawet nie spojrzał w moją stronę.

– Nie trafiłaś tutaj przez przypadek – powiedziała Baba Jaga. – Twoje nadejście zapowiedziała przepowiednia na wiele lat przed twoim narodzeniem.

Mimowolnie odwróciłam się w kierunku złowieszczego obrazu z czerwonym kleksem farby.

– Tak, ta przepowiednia także w pewien sposób jest o tobie. Nie masz się czego bać. Gdy zrozumiesz, wszystko wyda ci się prostsze. – Poklepała mnie po dłoni.

– Mam nadzieję… – mruknęłam ponuro. – Z tego, co mówiłaś, przepowiednia na obrazie nie należy do najprzyjemniejszych.

– Ale nie mówiłam, że dla ciebie będzie nieprzyjemna.

Nie byłam tego taka pewna. Ten obraz wzbudzał we mnie niepokój.

– Bardzo rzadko rodzą się osoby z pewnymi specjalnymi zdolnościami – zaczęła. – Takie jak ty. Podobno ma na to wpływ występująca tego szczególnego dnia nietypowa konstelacja planet i gwiazd, jakaś koniunkcja. Jednak nikt tego do końca nie wie. Taka osoba jest nazywana widzącą. Często doświadcza wizji. Ma zdolność wstępowania do Nawi. Z tego, co mówią podania, prawie zawsze jest jakoś związana z bogami. Nieważne, czy jako szeptucha, wiedźma, czy żerca. Jest dotknięta przez bogów.

Poczułam się nieswojo na myśl o tym, że ktoś miałby mnie dotykać.

– Wiem, że nie wierzysz w bogów – kontynuowała. – Przypomnij sobie jednak wczorajszy wieczór. Ubożęta ujawniły się w twojej obecności. To nie była tania sztuczka ani wypity alkohol. One istnieją. Tak samo jak bogowie.

– A jak wyglądają? – Moje pytanie wytrąciło ją z rytmu opowiadania.

– Kto?

– Bogowie.

– Mają zmienne postaci – odpowiedziała wymijająco.

– To znaczy, że tak naprawdę wcale nie wiesz, jak wyglądają, co?

Mieszko odwrócił się powoli w moją stronę i huknął kubkiem o stół. Aż podskoczyłam na krześle. Jeżeli chciał osiągnąć maksimum niepotrzebnego w tej chwili dramatyzmu, to trzeba przyznać, że mu się udało.

– Bogowie są niebezpieczni. Mogą cię skrzywdzić – warknął.

– Z kleszczami nie wygrają – mruknęłam.

– Coś ty się tak uparła na te kleszcze? – Szeptucha pokręciła głową. – Nieważne! Wróćmy do rozmowy. Mogę nie wiedzieć, jak wyglądają, ale wiem, że spotkanie z nimi wcale nie będzie przyjemne.

– A czego oni ode mnie chcą?

– Jesteś widzącą. Widzące rodzą się bardzo rzadko, a dokładniej mówiąc, raz na dwanaście tysięcy trzysta czterdzieści pięć pełni księżyca... – Zawiesiła głos, a do mnie dotarły niedopowiedziane słowa.

– Czyli w tym samym czasie, w którym zakwita kwiat paproci – dokończyłam.

Dobra, powoli przestawało się to wszystko mieścić w mojej małej, pragmatycznej głowie. Nie dość, że okazuję się jakimś tajemniczym wybrańcem, urodzonym, kiedy planety ustawią się w rządku czy co tam one robią (co przypominało kiczowate hollywoodzkie filmy), to na dodatek bogowie istnieją, ubożęta kryją się po kątach, a tak zupełnie przy okazji, jakby rewelacji było za mało, w tym roku zakwitnie jeszcze kwiat paproci.

Pomińmy milczeniem fakt, że paprocie, które pojawiły się na naszej planecie jeszcze za czasów dinozaurów, NIE KWITNĄ! Mają zarodniki w zarodniach! Tworzą przedrośla z rodniami i plemniami! Nie po to uczyłam się tych durnych cykli życiowych paprotników w liceum, żeby teraz wmawiano mi, że paprotki kwitną.

Aha, zapomniałabym – z tą małą różnicą, że jednak zakwitają raz na ileś tam pełni księżyca...

Miałam wrażenie, że zaraz zacznę pluć cynicznymi uwagami jak żmija jadem.

– Zaraz. – Pokręciłam głową. – Jeżeli ten kwiat zakwita raz na dwanaście tysięcy trzysta czterdzieści pięć pełni i widzące też rodzą się raz na dwanaście tysięcy trzysta czterdzieści pięć pełni, to czy przypadkiem widząca nie powinna urodzić się w czerwcu? Za dwa miesiące? Czyli ja nie mogę być widzącą.

– Widząca rodzi się dokładnie na dwadzieścia cztery lata przed pojawieniem się kwiatu, by mogła odnaleźć go wtedy, gdy sama będzie w kwiecie wieku. Tak mówi legenda – dodała na widok mojej zdruzgotanej miny.

Poczułam, że podłoga usuwa mi się spod nóg. W kwiecie wieku? Serio? Na bogów, przecież mam dopiero dwadzieścia cztery lata! Nie jestem w żadnym kwiecie wieku! Nawet w legendach będą się czepiać, że jeszcze nie znalazłam faceta?

Chociaż z drugiej strony kiedyś kobiety umierały znacznie wcześniej. W młodszym wieku miały dzieci. Pewnie jak na tamte standardy rzeczywiście jestem już trochę podstarzała.

Uroczo – proszę państwa, oto Gosława Brzózka – odrobinę przeterminowana i czerstwa, ale za to ma wizje w bonusie...

– Chcę tylko zaznaczyć, że wciąż uważam to wszystko za wariactwo – westchnęłam. – No dobrze, załóżmy więc, że faktycznie jestem tą widzącą. Tylko co z tego? Co to zmienia?

– Tylko ty potrafisz odnaleźć kwiat paproci – wyjaśniła szeptucha. – A jest wielu, którzy chcą go zdobyć.

– Tylko ja?

– Niestety tylko ty.

– A po co im kwiat paproci?

Mieszko się skrzywił.

– Pamiętasz wizję, którą miałaś, gdy mnie dotknęłaś? – Kiwnęłam głową w oczekiwaniu na dalsze wyjaśnienia. – Tuż przed walką wypiłem napar. Dał mi nieśmiertelność.

Ten motyw wydał mi się całkiem rozsądny. Kto by nie chciał być nieśmiertelny?

– Kwiat paproci daje nieśmiertelność, ale potrafi ją także odebrać – kontynuował Mieszko.

– Bogowie pragną kwiatu – dodała szeptucha. – Wiem to od Swarożyca. Świętowit i Weles zamierzają go zdobyć.

– Skoro są bogami, to chyba są już nieśmiertelni.

Nic już z tego nie rozumiałam.

– Kwiat wzmocni ich siły. Zapewni w jakiś sposób przewagę nad przeciwnikiem. Bogowie są o siebie nawzajem zazdrośni. Każdy chce mieć przewagę nad innymi.

– A Swarożyc to dobry wujek, który tylko wszystkiemu się przygląda? – zakpiłam.

– Nie znam jego motywów. – Szeptucha pokręciła głową. – Nie wiem, dlaczego podał nam tę wskazówkę. Możliwe, że ma jakieś ukryte pobudki.

– Skoro kwiat odbiera nieśmiertelność, to im nie zaszkodzi? – zapytałam.

– Nie wiem. Jestem pewna tylko tego, że nie zawahają się przed niczym, by go zdobyć.

Nie musiała mi tego tłumaczyć. Dobrze znałam słowiańskich bogów z mitów i podań. Nie byli tacy jak bogowie innych narodów. Oni zupełnie nie przejmowali się nami, swoimi wyznawcami. Spokojnie można by było pokusić się o stwierdzenie, że byliśmy dla nich tym, czym dla nas są owady. Nieważnym brzęczeniem koło ucha. Znani byli raczej ze swej bezwzględności niż łaski.

Rozłożyłam bezradnie ręce.

– I co teraz mam zrobić z tą wiedzą? – zapytałam.

– Kwiat zakwitnie w Noc Kupały. Tylko wtedy będzie mógł zostać odnaleziony. Ci, którzy chcą odszukać kwiat, będą na ciebie naciskać, byś to zrobiła. Następną szansę będą mieli dopiero za tysiąc lat.

Zmrużyłam oczy. Jeżeli pełnia jest raz na około 29,5 doby, to w roku jest ich około 12. Przez chwilę utknęłam na przeliczaniu, ile to jest 12 345 podzielone na 12. Chyba rzeczywiście wyjdzie coś około tysiąca.

– To tysiąc dwadzieścia osiem lat – wtrącił Mieszko.

– Ty to dopiero musiałeś mieć piątki z matmy – prychnęłam. – No, chyba że cię faworyzowali, bo byłeś królem.

– Nigdy nie zostałem koronowany – odparł sucho.

– Gosia! – oburzyła się Baba Jaga. – Zachowuj się!

– Przepraszam. – Ukryłam twarz w dłoniach. – Po prostu już wariuję. To wszystko nie mieści mi się w głowie.

Baba Jaga bez słowa podeszła do kuchni i nastawiła wodę na kolejną ziołową herbatkę. Mieszko odchrząknął i zwrócił się do szeptuchy:

– Wczoraj nie byłaś zdziwiona, gdy okazało się, że jestem Dagome. Od kiedy o tym wiesz?

Cieszyłam się, że na chwilę zmieniliśmy temat. Musiałam odsapnąć po tych wszystkich rewelacjach.

– Odkąd pojawiłeś się w Bielinach.

– Ale skąd?

– Jestem szeptuchą. Wiem takie rzeczy.

– Mszczuj chyba nie zdaje sobie sprawy z tego, kim jestem.

– Bo to wróż – prychnęła zniesmaczona. – Oni przeważnie nie wiedzą, co się dzieje w realnym świecie.

Mieszko uśmiechnął się krzywo pod nosem. Chyba miał o bielińskim kapłanie podobne zdanie.

– Mimo wszystko chciałbym, by Mszczuj nie dowiedział się prawdy. Będę wdzięczny za dyskrecję – poprosił.

– Bogowie i tak o tobie wiedzą – zauważyła. – Jeżeli będą chcieli, to go o tym poinformują.

– Wątpię. Nie jest ich ulubieńcem.

Westchnęłam ciężko, ponownie zwracając na siebie uwagę Mieszka i szeptuchy. Odwrócili się do mnie, zupełnie jakbym dopiero co pojawiła się obok nich.

– Czyli co teraz? – zapytałam, oczekując jasnej odpowiedzi. – Wychodzi na to, że powinnam uciec stąd najdalej, jak się da, i poczekać, aż kwiatek raczy przekwitnąć? Bo jak zostanę tutaj, to bogowie będą mnie dręczyć?

– Kwiat cię odnajdzie. – Baba Jaga pokręciła smutno głową. – Nie uciekniesz od przeznaczenia. Nawet jeśli wyjedziesz na pustynię, to wyrośnie tam paproć, która zakwitnie w przesilenie letnie.

– A on nie miał przypadkiem rosnąć tylko w tych lasach? – jęknęłam.

– Rośnie tam, gdzie jest widząca.

– Czyli mam tutaj czekać na rozwój wypadków? – zapytałam.

– Doradzałabym ci takie rozwiązanie – zgodziła się. – W międzyczasie nauczę cię wszystkich potrzebnych rzeczy, które mogą się przydać podczas spotkania z bogami.

– Myślisz, że ich poznam?

Zmroziła mnie perspektywa spotkania trzygłowego Welesa albo Świętowita, który miał cztery twarze dookoła głowy.

– Obawiam się, że tak. Nie uciekniesz przed kwiatem, a oni o tym wiedzą.

– Skąd? Przecież nikt nie wie, że jestem widzącą. Sama dowiedziałam się o tym wczoraj.

– Bogowie śledzą cię od urodzenia – oświadczyła. – Byłaś obserwowana na każdym kroku.

Ktoś mnie podglądał? Fuu! I pomyśleć, że całe życie uważałam, że to nasz sąsiad w kamienicy jest zboczeńcem, bo zawsze wyrzuca śmieci w zsuwających się z pośladków slipkach...

Poczułam, że cała krew odpływa mi z twarzy. Ten mający w sobie coś z drapieżnego ptaka mężczyzna na festynie! Może mówił prawdę? Może był Welesem, a jego groźby należało potraktować serio? Poczułam, że żołądek znowu skręca mi się w supeł. Czy naprawdę mógł skrzywdzić moją mamę, gdyby tylko zechciał? Muszę do niej zadzwonić.

– Coś się stało? – zapytała szeptucha zatroskana moją miną.

– Nie... – skłamałam.

– Jesteś pewna?

– Chyba już czas, żebym wróciła do domu i porządnie to przemyślała. – Wstałam z krzesła na sztywnych nogach.

Baba Jaga złapała mnie za ręce.

– Bardzo mi przykro, że akurat ciebie to spotkało – powiedziała z mocą. – Zdążyłam poznać cię już na tyle dobrze, że wiem, jak ciężko będzie ci to przetrwać. Pamiętaj, że możesz na mnie liczyć.

– Dziękuję. – Wyswobodziłam się z uścisku.

– Odprowadzę cię na przystanek – zaoferował się Mieszko i także zerwał się z krzesła.

Zauważyłam, że spojrzała na niego spod oka.

– Gosiu, nie wolno ci nikomu mówić o tym, co się stało. Nawet ludzie, których znasz od dziecka, mogą służyć bogom. Mogą na ciebie donosić. Nie ufaj nikomu.

Nie wierzyłam, żeby Sława albo mama mogły mnie zdradzać. Byłam w stanie zgodzić się jedynie, że ta wredna Iza z trzeciej klasy liceum, która obgadywała mnie w łazience, mogła być boską wtyczką.

– Dobrze – powiedziałam dla świętego spokoju.

– Wieczorami w okolicznych wsiach będą ogniska z okazji Jarego Święta. Moim obowiązkiem jest w nich uczestniczyć. Jeśli chcesz, możesz się ze mną wybrać.

– Nie, chyba wolę posiedzieć w domu. Mam dość ognisk na jakiś czas.

– Rozumiem. Proszę cię jednak, żebyś jutro przyjechała do Bielin. Będziemy topić Marzannę w Bieliniance.

– W Bieliniance? – zdziwiłam się. Po raz pierwszy słyszałam tę nazwę.

– Taka mała rzeczka w lesie niedaleko głównej drogi. Przyjedź do mnie, to razem się tam wybierzemy.

Poszłam się przebrać pomimo nalegań szeptuchy, żebym nie wkładała brudnego ubrania.

Gdy tylko założyłam swoją sukienkę, poczułam się odrobinę lepiej, pewniej. Schyliłam się, by położyć na kołdrze białą sukienkę należącą do Baby Jagi.

– Uważaj na niego. – Szept za moimi plecami przestraszył mnie śmiertelnie.

– Słucham? – wykrztusiłam, przytulając do piersi sukienkę, jakby mogła mnie ochronić niczym tarcza.

Szeptucha zamknęła za sobą drzwi do malutkiego pokoiku gościnnego, by mężczyzna siedzący w kuchni nie mógł nas usłyszeć.

– Wszyscy, którzy chcą zdobyć kwiat, myślą tylko o sobie – dodała zagadkowo.

– Ale Mieszko nie chce kwiatu – zaprotestowałam.

– Jeżeli go nie chce, to skąd się tutaj wziął? I czemu akurat teraz? Jest nieśmiertelny. Żyje przeszło tysiąc lat. Nie sądzisz chyba, że tak mu zależy na naukach u podrzędnego wróża?

Musiałam się z nią zgodzić w tej kwestii. Przypomniałam sobie, jak widziałam ją umykającą spod parkietu. Wypomniałam jej tę sytuację.

– Powiedzmy, że staram się sprawić, by cię polubił – powiedziała. – Jego sympatia może ci się kiedyś przydać. Dobrze jest mieć nieśmiertelnego sprzymierzeńca.

– Jest tysiącletnim władcą. Szczerze wątpię, żeby polubił mnie w sposób, o którym mówisz – prychnęłam. – Takie rzeczy dzieją się tylko w amerykańskich filmach o wampirach.

– Nie każę wdawać ci się z nim w romans – żachnęła się. – Więcej problemów nie jest ci teraz potrzebnych. Po prostu chcę, byś nie była dla niego anonimową kobietą. Gdy cię polubi, będzie mu trudniej cię skrzywdzić. A w każdym razie mam taką nadzieję.

Nie wiedziałam, jak mam na to zareagować. Dlaczego Mieszko miałby chcieć zrobić mi krzywdę?

– Nie zgadzaj się nikomu pomagać. Gdy opowiesz się po którejś stronie, pozostałe mogą spróbować cię zabić, byś nie pomogła przeciwnikowi.

Wyszła, zostawiając mnie samą z moimi myślami, które do wesołych zdecydowanie nie należały...

22.

Moje myśli szybowały w przestworzach. Czułam się nierealnie. Zupełnie jakbym płynęła w powietrzu ponad asfaltem.

– Hej! – Głęboki, elektryzujący głos Mieszka ściągnął mnie na ziemię.

– Słucham?

– Chyba byłaś bardzo daleko stąd.

– Nawet nie wiesz jak.

Do przystanku nie było daleko. Musieliśmy przejść dwa kilometry. Pusta szosa ciągnęła się pośród pól, gdzie w czerwcu wyrosną truskawki, z których słyną te okolice. Prawie przez cały czas szliśmy z górki, więc nie zasapałam się za bardzo. Poza tym miałam wygodne buty.

– Jak się czujesz?

– Chyba dobrze. – Wzruszyłam ramionami. – Ciągle wydaje mi się, że to jakiś zły sen.

Słońce grzało coraz mocniej. Zbliżało się południe. Rozejrzałam się po otaczających nas polach przekonana, że zaraz dostrzegę południcę polującą na beztroskich rolników.

– Pamiętasz, jak szukaliśmy w lesie drabiny? – zagadnęłam.

Kiwnął głową.

– O co ci wtedy chodziło? Mówiłeś coś o jakimś drzewie.

– Mówiłem o drzewie kosmicznym. Chciałem wiedzieć, czy je widzisz.

– Jakieś drzewo tam rosło.

– Ja go nie widziałem. Mogłem zobaczyć tylko trzęsawisko przykryte mgłą. Za to ty zobaczyłaś drzewo kosmiczne.

– No i?

– Tylko widząca może zobaczyć wejście do Nawi i z niego skorzystać – wyjaśnił.

– Co takiego?

Czy ja się przypadkiem dowiedziałam, że mogę wejść do zaświatów? A już myślałam, że dzisiaj nic więcej nie będzie w stanie mnie zaskoczyć.

Nie odpowiedział na moje pełne zdumienia pytanie. No i dobrze. To było raczej pytanie retoryczne.

– Wyobrażam sobie, jak się czujesz – powiedział.

– Wierz mi, nie wyobrażasz sobie.

– Pomyśl, jak ja się poczułem, kiedy umarłem, a chwilę później wyjąłem sobie miecz wbity prosto w serce – zauważył.

Pokiwałam głową. Może rzeczywiście coś w tym było. Nie zazdrościłam mu sposobu, w jaki dowiedział się, że jest nieśmiertelny.

– Gosiu, chciałbym cię o coś poprosić – powiedział. – Daj mi kwiat, jeśli go znajdziesz.

– Czemu?

Szeptucha miała rację. Nie był bezinteresowny.

– Dlaczego nie chcesz już być nieśmiertelny? – zapytałam, przypominając sobie, co mówił o właściwościach kwiatu paproci.

– Zbyt długo chodzę po tym świecie. Czas go opuścić.

– Chcesz zrezygnować z nieśmiertelności? Przecież to wspaniały dar! – Nie mogłam tego zrozumieć.

– To nie jest rozmowa na teraz – uciął. – Mam swoje powody.

– Co robisz w Bielinach? – spytałam nagle. – Skoro nie chcesz żyć, to po co miałbyś zostać żercą?

Przez kilka kolejnych kroków milczał.

– Jestem tu wyłącznie z twojego powodu. Znam przepowiednię. Dowiedziałem się, że widząca ujawni się właśnie tutaj. Zawsze jest w jakiś sposób związana z bogami. Mogłaś pojawić się albo u szeptuchy, albo u wróża. Zacząłem szkolić się u niego, by mieć wszystko pod kontrolą. Baba Jaga jest inteligentna. Jak widzisz, rozpoznała mnie od razu albo ubożęta podpowiedziały jej, skąd pochodzę.

Przypomniało mi się, jak na początku naszej znajomości dopytywał się, czy na pewno zostanę w Bielinach na Noc Kupały. W rzeczywistości wcale go nie interesowałam. Byłam mu potrzebna do odnalezienia mitycznego kwiatu. Do niczego więcej.

– Czy to dlatego się zaprzyjaźniliśmy? – zapytałam. – Chciałeś w ten sposób wymóc na mnie obietnicę przekazania kwiatu tobie?

– Nie będę cię okłamywał – powiedział. – Potrzebuję tego kwiatu, a ty możesz mi go dać.

Bieliny były coraz bliżej. Zostało nam niewiele drogi.

Poczułam się oszukana. Te wszystkie miłe gesty, częstowanie mnie miodem, wspólny taniec, pomoc przy odnalezieniu drabiny. Pewnie tylko się do tego zmuszał.

– Pamiętasz, jak usiłowałam wykopać kamień piorunowy? Pojawiłeś się wtedy znikąd. Naprawdę robiłeś coś w Kakoninie czy to było kłamstwo?

– Pilnowałem cię – powiedział.

– Śledziłeś – sprostowałam.

– Nazywaj to, jak chcesz.

Już nie miałam wyrzutów sumienia, których nie mogłam się pozbyć po tym, jak go wtedy znokautowałam latarką. Należało mu się. Z radością przywaliłabym mu jeszcze raz.

– Co się stanie, jeśli dam ci kwiat?

– Poproszę szeptuchę, by przygotowała z niego napar. Nie wiem, co będzie potem. Może umrę od razu. Może dożyję starości i dopiero wtedy przeniosę się na żyzne pola Wyraju. Nigdzie nie znalazłem żadnej informacji na ten temat.

Musiałam nie wyglądać na zachwyconą tą perspektywą, bo kontynuował:

– Daj mi kwiat. Proszę.

Dobrze, że przynajmniej nie usiłował mi rozkazywać.

– Inni nie będą tacy mili – zaznaczył.

Doszliśmy do przystanku tuż obok sklepu spożywczego. W oddali majaczyła sylwetka pekaesu. Niebawem nadjedzie.

– A ty? – zapytałam. – Do czego ty się posuniesz?

Jego spojrzenie było twarde i bezwzględne. Czaiła się w nim groźba. Przez chwilę znowu przypominał Dagome z mojej wizji.

– Nie będę czekał kolejnego tysiąca lat. Nie wytrzymam tyle – szepnął. – Muszę zdobyć kwiat teraz.

Nie spodziewałam się innej odpowiedzi. Idąc za radą szeptuchy, niczego mu nie obiecałam.

Rozklekotany autobus zatrzymał się tuż obok. Drzwi otworzyły się ze zgrzytem. Stanęłam na schodkach. Drzwi zamknęły się, a autobus ruszył. Sylwetka Mieszka stojącego na poboczu stawała się coraz mniejsza, gdy pekaes piął się pod górkę, a następnie zniknęła, gdy pokonaliśmy wzniesienie.

Usiadłam przy oknie i zaczęłam bezmyślnie przyglądać się ładnym domkom jednorodzinnym, które powyrastały wzdłuż drogi jak grzyby po deszczu. Nie myślałam o niczym. Może powinnam zastanawiać się gorączkowo nad sytuacją, w którą się wpakowałam, ale nie miałam na to zbytniej ochoty.

***

W domu czekał na mnie bałagan sugerujący, że przez nasze mieszkanie przetoczyło się tornado. I to pijane. Wszędzie walały się butelki po piwie i opakowania po chipsach. Poczułam żal, że nie wróciłam do Kielc razem ze Sławą. Na pewno bawiła się lepiej niż ja.

Zachciało mi się płakać. Gdy byłam nastolatką, często fantazjowałam o tym, że jestem kimś wyjątkowym, wybranym do osiągnięcia czegoś wspaniałego. To były tylko głupie marzenia. Teraz pragnęłam wyłącznie normalności. Zazdrościłam Sławie, że beztrosko się upiła i dobrze bawiła ze znajomymi, zamiast rozmawiać z ubożętami.

Spostrzegłam szkło na podłodze, więc porzuciłam myśl o zdjęciu trampek. W kuchni czekał na mnie jeszcze większy syf. Zerwana firanka leżała w zlewie. Była na niej wielka różowa plama. Nie miałam pojęcia, jak Sława ze swoimi znajomymi zdołała ubrudzić firankę winem. Napiłam się z opróżnionej do połowy butelki i ruszyłam w stronę swojego pokoju.

Gdy mijałam drzwi do sypialni Sławy, stanął w nich Radek. Golutki, tak jak go bogowie stworzyli.

To nie moja wina, że zogniskowałam spojrzenie na pewnej części jego ciała, która, przysięgam, nie może być aż tak duża. To fizycznie niemożliwe. Poza tym te w prosektorium były mniejsze...

Zresztą czuję się całkowicie usprawiedliwiona. On zawsze gapi się na moje cycki.

– Ooo, cześć, Gosia – powiedział zaskoczony.

W jego głosie nie było słychać nawet jednej nuty wstydu.

– Cześć. – Tytanicznym wysiłkiem zdołałam skierować wzrok na jego uśmiechniętą szeroko twarz.

Popiłam z butelki dla kurażu.

– Nieźle wyglądam, nie? – Zarechotał zadowolony z siebie i podparł się pod boki, wysuwając biodra do przodu. –

Dziewczyny zawsze mi mówią, że jeszcze nigdy nie widziały takiego dużego...

– Radek, debilu! – W drzwiach pojawiła się zaczerwieniona Sława, opatulona zgniecionym prześcieradłem. – Ubierz się w coś!

Wepchnęła mu w ręce kłąb ubrań, które miał na sobie wczoraj.

Zadowolony z siebie chłopak ruszył dziarskim krokiem do łazienki, kręcąc tyłkiem. Na odchodne mrugnął do mnie.

Serio. Mrugnął do mnie, kręcąc tyłeczkiem.

Spojrzałam na Sławę. Wiedziałam, że nie była zbyt wybredna. Jednak nie sądziłam, że aż tak.

– No co! – obruszyła się. – Chciałam sprawdzić, czy Żywia mówiła prawdę.

– Kartonowe pudełko jest inteligentniejsze od niego. – Wskazałam palcem drzwi do łazienki.

– Już mnie tak nie osądzaj. Sama też nie wróciłaś na noc do domu. – Założyła ręce, przez co prześcieradło odrobinę się zsunęło.

Ten moment wybrał Radek, by opuścić łazienkę. Na szczęście w ubraniu. Spojrzał z uznaniem na Sławę.

– Zadzwonię do ciebie – rzucił i skierował się do drzwi.

Jednak zanim wyszedł, odwrócił się jeszcze, tknięty nagłą myślą. Po raz kolejny do mnie mrugnął i dodał:

– Do ciebie też zadzwonię.

Gdy tylko drzwi się za nim zamknęły i upewniłyśmy się, że odszedł wystarczająco daleko, obie roześmiałyśmy się głośno.

– Mam nadzieję, że jednak było warto – stwierdziłam.

Sława milczała przez chwilę.

– Było – przyznała wreszcie. – A teraz ty mi powiedz, gdzie spędziłaś noc.

23.

Bardzo pobieżnie opowiedziałam Sławie o tym, co robiłam poprzedniego wieczoru. Pamiętałam o złożonej Babie Jadze obietnicy. Zamierzałam jej dotrzymać.

– Wiesz, że możesz mi powiedzieć wszystko – nie ustępowała dziewczyna, splatając w warkocz włosy, tym razem ufarbowane na ciemną czekoladę.

Rozsiadła się wygodnie w moim pokoju, żebym jej nie uciekła. Popołudnie spędzałam w łóżku, po tym jak wyszorowałam łazienkę środkami dezynfekującymi (cholera wie, gdzie Radek się szlajał i co mógł na sobie przywlec) i wzięłam długi prysznic. Woda nie zmyła jednak moich ponurych myśli.

– A ty wiesz, że w każdej chwili możesz sprzątnąć kuchnię? – zmieniłam temat.

– Zrobię to po powrocie – zbyła mnie.

Szykowała się właśnie do wyjścia z domu. Miała dzisiaj nocną zmianę w barze.

– A może wpadniesz do mnie jutro wieczorem? Też siedzę na nocce – zaproponowała. – Zrobię ci jakiegoś fajnego drina!

– W sumie nie taki głupi pomysł – zgodziłam się.

Jutro rano musiałam pojechać do Bielin. Wieczór na szczęście miałam wolny. Oprócz leżenia w łóżku i użalania się nad sobą nie przychodziło mi do głowy nic innego, co mogłabym robić. Jeszcze nigdy nie byłam w miejscu pracy Sławy. Nie ma nic piękniejszego od możliwości zrobienia przyjacielowi obciachu w pracy.

– To powiesz mi w końcu, co się wczoraj stało? – naciskała. – Ja wiem, że w to wszystko jest wmieszany jakiś facet. Inaczej nie byłabyś w tak podłym nastroju.

– Niby jest. – Pokiwałam głową.

– Gadaj! Albo zadzwonię do Radka i naślę go na ciebie.

– O nie! Dziękuję bardzo!

– Przemyśl to. – Mrugnęła. – Chłopak zna się na rzeczy.

– Dzięki, nie skorzystam... ten handel wymienny Radkiem jest trochę obrzydliwy.

– Wypraszam sobie! To żaden handel wymienny. Oboje wczoraj za dużo wypiliśmy i jakoś tak wyszło – zmieszała się. – W zasadzie tak dużo wypiliśmy, że nawet nie pamiętam, jak do tego doszło. Niemniej jednak facet jest naprawdę dobry w te klocki.

– Jasne.

– Widać, że dużo ćwiczy – dodała złośliwie. – No, ale dość o mnie. Dawaj! Co robiłaś? Nie dam się zbyć byle jakim tłumaczeniem. Ostrzegam.

– Spałam u szeptuchy. Było już późno, nie opłacało się wracać – wyjaśniłam.

– A co było na ognisku? Czy jest takie jak w opowieściach?

– Nie było tam żadnej orgii, jeśli o to ci chodzi.

– Nie? – Wydawała się zawiedziona.

– Sława, średnia wieku uczestników wynosiła siedemdziesiąt lat... A może nawet osiemdziesiąt.

Skrzywiła się z niesmakiem. Mnie także żołądek przewrócił się z obrzydzenia, gdy przez chwilę wyobraziłam sobie geriatryczną orgię. Ortopedzi mieliby później sporo bioder do składania.

– Słabo, że wszystkie te szeptuchy i żercy są tacy starzy... – westchnęła.

Cóż, pewnie jeszcze trzydzieści lat temu te ogniska wyglądały zupełnie inaczej, biorąc pod uwagę hojnie używane halucynogenki i alkohol lejący się strumieniami.

– Gosia, widzę przecież po twojej minie, że był tam jakiś facet. Kto?

– Mieszko. – Wzruszyłam ramionami.

Mina jej zrzedła, co nie umknęło mojej uwadze.

– Czemu za każdym razem, kiedy o nim wspominam, ty się krzywisz?

Poczułam niepokój. A może szeptucha miała rację? Może nawet moi najbliżsi pracują dla bogów?

– Mam złe wspomnienia z pewnym facetem o tym imieniu – wyjaśniła. – Ale opowiedz mi o nim coś więcej. Kim jest?

Teraz z kolei ja zamilkłam. Co mogłam powiedzieć?

– Uczy się u żercy w Bielinach. Dziwny typ, ale bardzo przystojny. Szkoda, że spóźniłaś się na rytualne ognisko. Pomagał wróżowi Mszczujowi i pilnował, żeby pijany żerca nie wpadł do ognia.

– A jak wygląda?

– Wysoki, potężny blondyn.

– Potężny?

– Dobrze zbudowany. Naprawdę dobrze – podkreśliłam.

Zwykle nie kręcili mnie umięśnieni faceci, ale on... On zapierał dech w piersiach. W ogóle nie przypominał tępego osiłka.

– Jest bardzo spokojny. Wydaje się wszystko oceniać na chłodno. Ma takie trochę przerażające błękitne oczy. Jak kawałki lodu.

Sława pokręciła głową i podparła się pod boki.

– Gosławo Brzózka, jeszcze nigdy nie słyszałam, żebyś tak opowiadała o jakimś facecie.

– Nic z tego nie będzie – żachnęłam się. – Pochodzimy... jak by to powiedzieć... z dwóch różnych światów. No i chyba nie jestem dla niego dość dobra.

– Nawet mi się nie waż tak mówić – prychnęła. – Kobieto! Jesteś młodą, piękną lekarką. Serio, ty masz być dla kogoś nie dość dobra? To kto jest dobry? Ale cię nie zachęcam, niech mnie bogowie bronią. Wciąż mam uraz do tego imienia.

– Nic z tego nie będzie – uspokoiłam ją.

– A co jeszcze się działo na tym ognisku? Bo podobno niektórzy mają wizje. Słyszałam, że pije się tam sporo alkoholu. Widziałaś coś?

– Wizje? – Zaśmiałam się nerwowo. – Jakie wizje? Co ty, ja nic nie widziałam. Tylko chciało mi się spać od tych oparów.

– Tylko? – Wydawała się nie do końca mi wierzyć.

– Słowo harcerza – skłamałam. – Nawrzucali jakichś świństw do ognia. Miałam od tego koszmarne mdłości. Szeptucha potem musiała mi parzyć ziółka na wymioty.

Pokręciła głową zniesmaczona. Najwyraźniej spodziewała się pikantniejszych opowieści. Pomyślałam o Mieszku. Trochę żałowałam, że nie mogłam jej poczęstować żadną ciekawszą historią. Gdybym ja była zwykłą dziewczyną, a on zwykłym facetem, to kto wie? Okazało się, że to, o czym wszyscy plotkują, jest prawdą. Szeptuchy i kapłani są ze sobą w całkiem dobrych... stosunkach.

Zastanowiła mnie niechęć Baby Jagi do Mszczuja. Kryło się za tym coś więcej niż wstręt do higieny, który przejawiał staruszek. Może byli kiedyś parą?

– To jak? Wpadniesz jutro? To ostatni dzień wolny po świętach. Na pewno będą niezłe tłumy. Może kogoś poznasz? – namawiała mnie. – Kogoś, kto nie ma na imię Mieszko?

– A co mi tam. Przyjdę.

Ucieszona cmoknęła mnie w policzek i pognała spóźniona jak zawsze.

Teraz, z daleka od lasu i domu szeptuchy, wszystko wydawało się znacznie mniej realne. Gdy leżałam w piżamie w kotki, mając na stopach różowe skarpetki frotté, trudno było mi pojąć, że bogowie mogą czegoś ode mnie chcieć.

Uznałam, że dopóki mogę, nie będę zastanawiać się nad ostatnimi rewelacjami. Zwłaszcza że musiałam stawić czoło zniszczeniom, których dokonała Sława i jej pijani przyjaciele. Wiedziałam, że nie mam co liczyć na to, by moja współlokatorka sprzątnęła kuchnię. Jeśli chciałam cokolwiek tam zjeść, musiałam zająć się tym sama.

Nasza pralka nie wyszła obronną ręką z tej potyczki. Musiałyśmy zamówić hydraulika, gdy nagle podczas prania brudnych firanek woda zaczęła się z niej wylewać na podłogę. Obiecał, że pojawi się z samego rana jeszcze w trakcie obchodów wiosennej równonocy. Postanowiłam zaczekać na fachowca nawet kosztem niewielkiego spóźnienia do szeptuchy.

W końcu jestem widzącą, która pojawia się raz na 12 345 pełni księżyca. Chyba jedno spóźnienie zostanie mi darowane.

24.

Następny ranek spędziłam, przyglądając się hydraulikowi, który bezskutecznie usiłował naprawić naszą pralkę. Oczywiście spóźnił się dwie godziny. Przez to teraz ja spóźniałam się na obchody topienia Marzanny. Byłam wściekła. Nienawidzę się spóźniać. Spacerowałam za jego plecami, niecierpliwie zerkając na zegarek.

Mężczyzna stękał, klął i narzekał. Wybebeszył prawie całą pralkę, ale nie znalazł przyczyny przecieku.

– Nie rozumiem. – Pokręcił głową.

Nie przypominał typowego hydraulika. Przedstawiciele tego zawodu zawsze kojarzyli mi się z grubszymi facetami, którym dżinsy zsuwają się z tyłków, ukazując całemu światu sprane bokserki z napisem: „jestem seksi".

Ten, po którego zadzwoniła Sława, był chudy jak szczapa, blady jak śmierć, a swoje zbyt szerokie w pasie dżinsy nosił na porządnych, szerokich szelkach. Z niesmakiem za to przyglądałam się jego czarnym włosom. Były wstrętnie maziste. Nałożył na nie tyle brylantyny, że wyglądała, jakby zaraz miała zacząć spływać mu po twarzy i karku.

– Aha! – wykrzyknął zadowolony. – Mam pomysł.

Wyciągnął głowę z bębna, pocierając włosami o plastik pralki, przez co część brylantyny została na obudowie. Poczułam, jak żołądek wywraca mi się na drugą stronę. Będę musiała to potem dokładnie umyć.

Hydraulik sięgnął do małych prostokątnych drzwiczek u dołu pralki. Podważył je śrubokrętem. Na podłogę wylała się mętna woda i jakiś zmięty w kulkę materiał.

– Aha! – powtórzył raz jeszcze, zadowolony ze swojego odkrycia.

Używając śrubokrętu, rozsupłał kawałek materiału, który okazał się fioletowymi stringami.

– Wpadły w filtr! I go zatkały – oświadczył.

Oniemiała wpatrywałam się w zmiętoszoną bieliznę. Na szczęście nie należała do mnie, niemniej jednak i tak miałam ochotę zapaść się pod ziemię ze wstydu.

– Wszystko dobrze. Obejdzie się bez większych napraw. Całe szczęście, że nic się nie stało z bębnem.

– Dziękuję, panie Darku – wydusiłam.

– Nie ma sprawy. – Założył plastikową obudowę i zaczął zbierać narzędzia. – Teraz pralka powinna pracować jak ta lala. Takie małe elementy garderoby należy wkładać do specjalnych woreczków. Inaczej mogą wkręcić się w mechanizm.

Karnie kiwałam głową, słuchając pouczeń. Postanowiłam, że później zamorduję Sławę. Zaduszę ją tymi fioletowymi stringami.

– Naprawdę dziękuję.

– Proszę bardzo. – Machnął ręką. – Należy się trzysta złociszy.

– Że co? – wyrwało mi się.

– Trzysta złotych. – Uśmiechnął się szczerze, zacierając ręce.

Jak bogów kocham, na jakie licho ja się pchałam na medycynę? Trzeba było zostać hydraulikiem. Trzysta złotych za godzinę roboty zakończoną wyciągnięciem majtek z filtra...

Rozumiem, że niby mamy dzień świąteczny. No ale bez przesady!

W tym momencie Sława wróciła do domu po nocnej zmianie w barze. Miała pod oczami szare cienie. To była chyba pracowita noc.

– O, dzień dobry! – Uśmiechnęła się do nas.

Czym prędzej złapałam swoją torbę i wyminęłam ją w korytarzu.

– Zapłać panu, bo ja się śpieszę do pracy – powiedziałam szybko i wybiegłam na korytarz. – Do widzenia! Aha! Pan chyba znalazł w pralce coś twojego!

Byłam pewna, że mi się oberwie, gdy tylko wrócę wieczorem, ale nie potrafiłam się jakoś tym martwić.

Podczas jazdy samochodem do Bielin przetwarzałam w głowie wszystkie znane mi informacje na temat topienia Marzanny. Byłam pewna, że Baba Jaga mnie z tego przepyta, by móc potem wytykać mi przez parę tygodni rażącą w jej mniemaniu niewiedzę.

Moje pierwsze wspomnienia związane z Marzanną sięgają przedszkola. Pamiętam, że każde dziecko robiło swoją małą kukłę z dwóch patyczków, zgniecionej w kulkę kartki papieru zamiast głowy i pasków krepiny udających kolorową sukienkę. Następnie szliśmy na podwórko, żeby utopić nasze Marzanny w osiedlowej fontannie. Szczerze współczułam paniom przedszkolankom, które potem musiały do niej włazić, żeby wszystkie wyłowić, zanim zniesmaczone tym staruszki naślą na przedszkole straż miejską, oskarżając nas o śmiecenie.

Nie przypominałam sobie natomiast, żeby w późniejszych latach ktokolwiek z moich znajomych zawracał sobie głowę robieniem Marzanny. Owszem, miasto Warszawa organizowało obchody i z wielką fetą, z fajerwerkami zrzucano wieczorem kilka kukieł z mostu Poniatowskiego do Wisły. Nasz władca osobiście wrzucał największą Marzannę w dość brudną wiślaną wodę. Mnie nie bawiły te imprezy. Zawsze mi było żal biednej boginki bądź – jak niektórzy woleli – demona.

A kim była Marzanna? Śmiercią. Dosłownie śmiercią. Oznaczała zimową śmierć roślin i letarg zwierząt. Nic dziwnego, że ludzie ją topili. Chcieli, by nadeszła wiosna. Chociaż trzeba przyznać, że w tym roku zima była wyjątkowo łagodna. Może Marzanna miała już dość corocznego topienia?

– Czemu tak długo cię nie było?! Nie ma czasu. Jedź szybko, bo się spóźnimy! – przywitała mnie rozzłoszczona Baba Jaga.

Wyjątkowo żwawo jak na siebie wskoczyła do samochodu, gdy tylko zatrzymałam się pod jej domem. Na tylne siedzenia rzuciła kilka wiązek gałęzi jałowca. Nie zapięła pasów. Nigdy nie zapinała. Była święcie przekonana, że nie może jej się stać żadna krzywda.

Kto wie? Może widziała kiedyś w jakiejś wróżbie swoją śmierć i wiedziała, że nie musi się przejmować?

– Pralka mi się zepsuła. Rano musiałam pilnować hydraulika – zaczęłam się tłumaczyć. – Zresztą i tak obchody miały się zacząć w południe.

– Pralka! Też mi wyjaśnienie – prychnęła. – Będzie wstyd, kiedy się spóźnimy! W naszym zawodzie bardzo ważne jest, żeby uczestniczyć we wszystkich świętach.

I to by było tyle, jeżeli chodzi o jakąkolwiek wyrozumiałość. A ja myślałam, że dostanę jakieś dodatkowe punkty, bo jestem widzącą...

– A to nie kapłan powinien być obecny? – westchnęłam znużona. – Przecież my jesteśmy od leczenia ciała, a nie duszy.

W odpowiedzi tylko spiorunowała mnie wzrokiem. A w każdym razie wydaje mi się, że mnie spiorunowała. Nie byłam pewna. Patrzyłam na drogę.

– Skoro już mowa o kapłanach... – zawiesiła głos. – Mieszko poprosił cię o kwiat?

– Tak.

– I co mu odpowiedziałaś?

– Nic. – Wzruszyłam ramionami. – Zrobię tak, jak mi doradziłaś. Nie będę się opowiadać za żadną ze stron.

Staruszka zacmokała swoją złotą licówką. Uwielbiała to robić, kiedy się nad czymś głęboko zastanawiała.

– A inni już usiłowali się z tobą skontaktować?

– Nie jestem pewna, czy przypadkiem nie spotkałam Welesa – wyznałam.

– Co?! Kiedy?

– Pierwszego dnia świąt.

– Jesteś pewna? Jak wyglądał? W jakich to było okolicznościach? – dopytywała. – Czemu wcześniej mi nie powiedziałaś?

– Tuż przed daniem żertwy przez Mszczuja wróciłam na chwilę do naszego stoiska. Wtedy podszedł do mnie ubrany na czarno mężczyzna. Powiedział, że ma na imię Weles i że wszyscy robią to, co im każe. Groził mi.

– Czemu nie powiedziałaś mi wcześniej?

– Nie wiem. Na początku wcale mu nie uwierzyłam. Myślałam, że to zwykły psychol. Dopiero kiedy spotkałam ubożęta, zaczęłam się zastanawiać, czy przypadkiem nie mówił prawdy.

Szeptucha przestała cmokać. Poprawiła kwiecistą chustkę na głowie. Zerknęłam na nią kątem oka. Nie spodobała mi się jej mina.

– Musisz uważać, moje dziecko. Jeśli Weles tak szybko pofatygował się do ciebie osobiście, to nie jest dobrze.

– Przynajmniej Świętowit jeszcze mnie nie odwiedził – rzuciłam pogodnie.

– Nie wywołuj wilka z lasu.

– No tak... ale może to nie był prawdziwy Weles?

– Nie kojarzę takiego mężczyzny w Bielinach i okolicznych wsiach. – Pokręciła głową. – A jeśli nie jest stąd, to równie dobrze może być bogiem. Już ci mówiłam, że nigdy żadnego z nich nie spotkałam. Nie byłam im do niczego potrzebna, dlatego nigdy nie ujawnili mi swojej obecności.

A mimo to bardzo mocno w nich wierzyła. Mnie nie było stać na tak bezgraniczną wiarę. Nawet teraz, gdy dowiedziałam się, że bogowie naprawdę istnieją, miałam problem z oddawaniem im należnej czci.

Zaparkowałyśmy niedaleko urzędu gminy. Jaga wręczyła mi wiąchę gałęzi jałowca i nakazała rozdawać dzieciom po jednej gałązce. Zgodnie z tradycją jałowiec miał zostać zapalony, a następnie zatopiony razem z Marzanną.

Niezgrabnie złapałam wiąchę, starając się nie pokaleczyć suchymi igłami. Następnie ruszyłam za Babą Jagą szerokim chodnikiem pomiędzy drzewa. Wskazała palcem kierunek, z którego dobiegał dziecięcy śmiech.

– Kukły będą topione w Bieliniance. Nie jest głęboka, ale to wszystko, co mamy w okolicy. W Noc Kupały to na niej młode panny na wydaniu będą puszczać wianki.

– Trochę wcześnie na to topienie Marzanny – sarkałam pod nosem.

– Teraz będą ją topić dzieci i starszyzna – odparła. – Wieczorem młodzież przyjdzie nad Bieliniankę, by w swoim gronie świętować ostatni dzień Jarego Święta. My do szczęścia już nie będziemy im potrzebne.

Przy ulicy, w otoczeniu smukłych brzóz, okoliczni rolnicy porozstawiali kramy z wędlinami, ciepłym pachnącym bigosem i oczywiście miodem pitnym. Smakowite zapachy sprawiły, że pociekła mi ślinka. Nie zdążyłam rano zjeść śniadania i mój żołądek aż skręcał się z głodu.

Strażacy już przyjechali. Teoretycznie mieli pilnować, by nikt nie podpalił się przyniesionym przez nas jałowcem, tymczasem pełnili funkcję okolicznościowych muzyków. W tych stronach żadna impreza w plenerze nie mogła odbyć się bez skocznych melodii wygrywanych na skrzypcach i akordeonie.

Donośny dźwięk trąbki wystraszył ptaki z pobliskich drzew. No cóż. Najwyraźniej tym razem wzięli także instrumenty dęte.

Szybko pozbyłam się pachnących lasem gałązek jałowca i ruszyłam w kierunku rzeczki, zostawiając za sobą szmer rozmów i dźwięki instrumentów. To tam, na małym postumencie, stała przygotowana kukła. Została zrobiona przez miejscowe kółko gospodyń wiejskich. Byłam pod wrażeniem wykonanych detali. Z daleka można by pomyśleć, że kukła to żywa osoba.

Marzanna była mniej więcej mojego wzrostu. Stare ubrania wypchano słomą, nadając jej odpowiednie kształty. Musiałam przyznać, że biust zrobili jej porządny.

Twarz Marzanny wykonano z papier mâché, a włosy z żółtej włóczki zaplecionej w dwa sięgające pasa warkocze. Na szyi powieszono jej drewniane czerwone korale.

Odruchowo poprawiłam wąską czarną chustkę w czerwone kwiaty, którą obwiązałam kok w stylu pin-up.

– Jak żywa.

Drgnęłam przestraszona. Nie zauważyłam, że Jaga do mnie podeszła.

– W tym roku kółko gospodyń wyjątkowo się postarało – kontynuowała swoje rozważania szeptucha.

– Tak – przyznałam. – Jest odrobinę niepokojąca.

Jej namalowane czerwoną farbą usta wydawały się drwiąco uśmiechać.

– Zupełnie jakby na nas patrzyła – dodałam.

– W takich chwilach człowiek zaczyna wierzyć w przesądy.

Nie zdziwił mnie jej komentarz. Wiedziałam, że z topieniem Marzanny są związane liczne zabobony, którymi nigdy nie zawracałam sobie głowy. Czasami miałam wrażenie, że nasza wiara to jeden wielki przesąd.

– Znasz je oczywiście? – Spojrzała na mnie ostro.

Zaczerwieniłam się. Oczywiście, że ich nie znałam, bo nigdy w nie nie wierzyłam.

– Wiem, że nie można dotknąć pływającej kukły, bo inaczej odpadnie ręka?

– I?

– I więcej nie wiem...

– Powinnaś wiedzieć takie rzeczy! – syknęła. – Ręka nie odpadnie, tylko uschnie! A co, jeżeli ktoś cię zapyta, dlaczego mu uschła ręka? Wtedy nie będziesz wiedziała.

W życiu nie widziałam uschniętej ręki, jeśli mam być szczera. Poza tym uważam, że całkiem nieźle strzeliłam. Odpadnie czy uschnie – wielka mi różnica. W efekcie i tak pechowiec nie będzie miał ręki.

– Jak komuś zacznie schnąć ręka, to go wyślę na USG żył – mruknęłam ponuro.

– Gosiu, gdy zostaniesz lekarzem, to będziesz sobie wysyłać ludzi na USG, ale na razie jesteś praktykantką szeptuchy. A to znaczy, że jeśli komuś uschnie ręka, to zapytasz go, czy dotykał zatopionej Marzanny. Rozumiemy się?

Na wszystkich bogów. Co ja robię w tym zaścianku? Pomyślałam o przedszkolankach, które wyciągały z fontanny zrobione przez dzieci kukły zimowej boginki. Jakoś żadnej z nich nigdy nie uschła ręka.

– Tak. – Potwierdzenie ledwo przeszło mi przez gardło.

– No dobrze. To jakie jeszcze są przesądy związane z Marzanną?

– Nie wiem.

Szeptucha aż sapnęła.

– Jako widząca powinnaś to wiedzieć – syknęła. – Rozumiem, że zostałaś wychowana w Warszawie, gdzie takimi rzeczami nikt się nie przejmuje, ale na wszystkich bogów, teraz jesteś widzącą! Musisz nadrobić zaległości. I to czym prędzej!

– No dobrze.

– W drodze powrotnej nie wolno się odwrócić, bo wtedy topiąca się Marzanna spowoduje u takiej osoby chorobę. A jeśli ktoś się przewróci, to znaczy, że umrze w ciągu najbliższego roku. To nie jest dużo informacji do zapamiętania. Spróbuj je przyswoić!

Spojrzałam na otaczających nas starszych ludzi ostrożnie stawiających stopy pomiędzy wystającymi z ziemi korzeniami. Gdyby te przesądy były prawdziwe, to co roku Marzanna zbierałaby niezły plon.

Szeptucha powoli zaczęła się uspokajać. Dawno nie widziałam jej takiej zdenerwowanej.

– Przepraszam – mruknęła. – Ta cała sprawa z kwiatem paproci odrobinę wytrąciła mnie z równowagi.

– A co ja mam powiedzieć? – spytałam retorycznie.

– Ty masz się przede wszystkim więcej uczyć! Nie widzę Mszczuja – stwierdziła Baba Jaga, rozglądając się dookoła. – Nie podoba mi się to. Mam nadzieję, że się nie upił.

– A jest Mieszko? – zapytałam.

– Mieszko gdzieś się tu kręci. Mam nadzieję, że przyprowadził tego pijaka ze sobą. Idę go poszukać.

Przepchnęłam się przez grupkę rozchichotanych dzieciaków i dotarłam do rzeczki. Była szeroka na dwa metry, ale jej brzegi porastały niskie szuwary, przez co wydawała się znacznie węższa. Spodziewałam się czegoś okazalszego. Jeżeli kukła zaczepi się o tatarak, to utknie w miejscu, zamiast odpłynąć.

Powiał chłodny wiatr, więc objęłam się ramionami. Miałam na sobie tylko cienką bluzkę. Gdy wychodziłam, niebo było bezchmurne i myślałam, że będzie ciepło.

Odwróciłam się, żeby zobaczyć, gdzie poszła Baba Jaga. Kilkanaście metrów za mną stał Mieszko. Gdy nasze spojrzenia się skrzyżowały, ruszył w moją stronę.

25.

– Witaj.

Stanął obok mnie i wbił spojrzenie w powoli płynący nurt Bielinianki. Znowu miał na sobie tunikę sięgającą do połowy uda. Zastanowiło mnie, czy nie jest mu zimno. Cienkie płótno na pewno nie chroniło go wystarczająco przed chłodem.

Minęła nas grupka nastolatek. Chichotały wesoło, rzucając mu nieśmiałe spojrzenia. Przystojny kapłan robił najwyraźniej furorę.

– Cześć – odpowiedziałam.

– Myślałaś o tym? – zapytał bez ogródek.

– Tak.

Mijały minuty. Nie popędzał mnie, cierpliwie czekał, aż coś dodam. Problem w tym, że nie miałam co dodawać. Oczywiście, że myślałam o tym, co zrobię ze znalezionym kwiatem. Jednak nie doszłam do żadnych rozsądnych wniosków. Ktoś na pewno go dostanie, a pozostali prawdopodobnie się wściekną i będą chcieli zrobić mi krzywdę. Tak dla zasady.

Nawet im się nie dziwię. Gdybym ja miała czekać 12 345 pełni księżyca tylko po to, żeby jakaś dziewczyna zerwała dla mnie kwiatek, to z całą pewnością byłabym zawiedziona, gdybym go nie dostała.

Wydaje mi się, że nie było dobrego rozwiązania. Szkoda, że nie da się podzielić tego kwiatu na trzy części.

Gwar głosów za naszymi plecami przybierał na sile. Dzieci zaczynały się niecierpliwić, gdy dorośli, zamiast topić w rzece kukły, biesiadowali w najlepsze. Obok nas stanęły dwie starsze panie. Spojrzały na wodę, a następnie w bezchmurne niebo.

– Jest bardzo sucho – powiedziała pierwsza.

– Bardzo sucho – potwierdziła druga.

Obie miały już całkiem siwe włosy. Ich plecy były zgarbione od dziesięcioleci pochylania się na polu, a dłonie pomarszczone i zniszczone.

– Jeśli nie spadnie deszcz, nasiona się nie przyjmą.

– Nie przyjmą się.

– Wydziobią je ptaki.

– Wydziobią.

– Panie Dareczku! Oj, panie Dareczku! – Pierwsza staruszka uniosła ręce i splunęła do mętnej wody Bielinianki.

– Panie Dareczku. Prosimy pana. Chyba nie chce pan, abyśmy poszły na cmentarz. – Druga pogroziła palcem w powietrzu.

Obie odwróciły się i zgodnie ruszyły w stronę kramu zastawionego miodami pitnymi.

To było dziwne. Nie wiedziałam, co mam o tym myśleć. Jaki pan Dareczek? Nie zadałam tego pytania głośno, ale Mieszko, widząc moją minę, postanowił wyjaśnić mi zagadkową rozmowę.

– Pan Dareczek, a raczej pan Dargorad, to ostatni topielec w Bielinach. Dwa lata temu upił się porządnie. Najprawdopodobniej wpadł do Bielinianki i utonął.

Wychyliłam się, usiłując dojrzeć przez mulistą wodę rzeczne dno. Bez przesady. Nie była wcale aż taka głęboka, żeby się w niej utopić. Wyraziłam głośno swoje obawy.

– Gosiu, pan Dareczek nie wylewał za kołnierz. Musiał być bardzo pijany. Łatwo w takim stanie o tragedię. Pewnie wystarczyło, że wpadł głową pod wodę. Dno jest muliste, może nie mógł wstać.

Aż mnie ścisnęło w gardle, gdy wyobraziłam sobie, jak pijany mężczyzna walczył pod wodą o oddech.

– Mógł także usnąć na brzegu i po prostu zsunąć się do rzeki – dodał Mieszko. – W takim wypadku pewnie nawet nie zauważył, że umiera.

– Czemu do niego mówiły?

– Jest taki stary przesąd panujący w tych stronach. Gdy długo nie ma deszczu, trzeba głośno wymówić imię ostatniego topielca. Podobno ma to pomóc.

– Myślałam, że w takich chwilach sypie się mąkę na wiatr w darze dla płanetnika – mruknęłam.

– Każdy wierzy w inne przesądy. Jest ich dużo. – Wzruszył ramionami.

– Taa... ciekawe, czy jakiś w ogóle działa. Znasz jeszcze jakieś dotyczące deszczu?

– Znam pewną wariację na temat topielca.

– Opowiedz mi – zażądałam.

– W moich czasach, jeśli długo nie było deszczu, należało wybrać się na cmentarz.

– Tak jak mówiła ta druga pani – zauważyłam.

– Tak.

– I co robiono na tym cmentarzu?

– Należało odnaleźć miejsce, w którym był pogrzebany topielec, następnie odkopać jego zwłoki i wrzucić do rzeki.

Bogowie, kiedyś ludzie byli makabrycznie niehigieniczni. Przecież potem na pewno pili z tej rzeki...

– Cudownie – mruknęłam.

– Innym sposobem było ulepienie z gliny figurki mężczyzny z wyjątkowo dużym przyrodzeniem, którą potem wrzucało się do wody.

– To już lepszy pomysł.

– Zgadzam się. – Na krótką chwilę na jego ustach pojawił się krzywy uśmiech.

– Czas zacząć obchody! – rozległ się za nami drżący głos, po czym usłyszeliśmy donośne czknięcie. – Ustawmy się w rzędzie!

Nawet nie musiałam się odwracać, żeby zobaczyć, kto mówi. Najwyraźniej Jaga znalazła jeszcze nie całkiem trzeźwego bądź jak kto woli, już nietrzeźwego Mszczuja.

Mieszko wziął mnie za rękę i pociągnął na bok. Zaskoczona jego dotykiem spokojnie dałam się poprowadzić w krzaki. Dookoła nas zaczęły płonąć gałązki jałowca. Owionął nas ich żywiczny, oczyszczający zapach.

– Ładna Marzanna wyszła im w tym roku – zauważył Mieszko.

Ciągle nie puszczał mojej ręki. Poczułam, jak na policzki wypełza mi rumieniec. Przestałam odczuwać chłód. Zrobiło mi się nawet gorąco. Zawstydziłam się swojej reakcji. Na szczęście on zdawał się w ogóle tego nie zauważać.

– Prawda – wydusiłam.

Patrzyliśmy, jak sołtys z pomocą synów niesie kukłę boginki. Czarne, namalowane oczy zdawały się patrzeć prosto na mnie. Dzieci podchodziły po kolei do brzegu i wrzucały do wody swoje małe kukiełki albo podpalone gałązki jałowca. Na koniec w wodzie wylądowała kukła wykonana przez gospodynie wiejskie. Zanurzyła się do połowy, a następnie przechyliła i położyła na wodzie. Jej twarz wystawała ponad powierzchnię. Prąd zaczął ją powoli spychać w stronę zarośli.

Ludzie stali na brzegu, wpatrując się w symbol zimy, który miał odpłynąć i zapoczątkować wiosnę. Powoli zaczęli się odwracać i odchodzić. Zauważyłam, że matki mocno trzymały dzieci za ręce i nie pozwalały im oglądać się na rzekę.

Pokręciłam z niedowierzaniem głową.

– Gosiu. Daj mi kwiat, gdy już go znajdziesz – ponowił prośbę Mieszko, puszczając moją dłoń.

Odsunęłam się o krok. Tak na wszelki wypadek. Spojrzałam mu prosto w oczy.

– Nie mogę – powiedziałam. – Bogowie mnie skrzywdzą, jeżeli obiecam, że oddam ci kwiat.

– Ochronię cię.

– Przed bogami? To chyba niemożliwe.

– Jeszcze kilka dni temu nie wierzyłaś nawet, że istnieją – zauważył. – Teraz aż tak bardzo się ich boisz?

– Weles mi groził, więc tak. Boję się, że mogą mi zrobić krzywdę. Jeżeli komuś obiecam kwiat, to inni będą chcieli się mnie pozbyć. Zabiją mnie.

– Zapewnię ci ochronę – powtórzył.

– Niby jak? – żachnęłam się. – Przecież nie powstrzymasz bogów! Nie mogę ci nic obiecać. Chciałabym, ale nie mogę.

Prawie wszyscy, nie oglądając się za siebie, poszli w stronę głównej ulicy, przy której stały kramy z jedzeniem. Zostaliśmy sami. Z oddali dobiegał nas wesoły gwar rozmów.

Weszłam na ścieżkę. Mieszko powoli ruszył za mną.

– Zastanów się jeszcze nad tym – powiedział. – Będę cały czas w pobliżu, gdybyś mnie potrzebowała.

– Jasne...

Wzniosłam oczy do nieba. Nie wierzyłam, że zdoła powstrzymać bogów. Objęłam się ramionami, żeby dodać sobie otuchy. Wizja boskiej zemsty prześladowała mnie dzisiaj, odkąd wstałam z łóżka.

– Mieszko?

– Tak?

– Jak to jest umrzeć? – zająknęłam się.

– Boli – odpowiedział krótko.

Ścisnęło mnie w gardle.

– A potem? Co jest potem?

– Nie wiem. Nie trafiłem do Nawi. W jednej chwili czułem, jak miecz zagłębia się w moim sercu, traciłem przytomność, a w następnej otworzyłem oczy. Nie mam pojęcia, gdzie byłem przez ten czas pomiędzy. Nic nie pamiętam.

– Rozumiem. Dzięki.

Idąc, nie patrzyłam pod nogi. Moja stopa zahaczyła o wystający korzeń. Bezradnie zamachałam rękami w powietrzu i upadłam na jedno kolano, zanim Mieszko zdołał mnie złapać.

– Gosia! – W jednej chwili znalazł się przy mnie.

Pomógł mi wstać. Był wyraźnie zmartwiony.

– Upadłaś. To zły omen.

Odwróciłam się w stronę rzeczki i spojrzałam na unoszącą się na jej powierzchni Marzannę. Skoro się przewróciłam, to spojrzenie za siebie nie mogło mi już bardziej zaszkodzić. Twarz kukły powoli pochłaniała woda. Nie wiem, czy było to złudzenie, czy może farba, którą namalowano jej usta, zaczęła się rozpływać, ale przysięgłabym, że uśmiech Marzanny był znacznie szerszy niż wcześniej.

– Nie wierzę w przesądy – powiedziałam.

Pytanie tylko, kogo chciałam o tym przekonać. Mieszka? Siebie?

A może Marzannę?

26.

Klub, w którym pracowała Sława, nie był duży. Nie miał wydzielonego parkietu. Pod ścianami stały miękkie kanapy, a na środku sali okrągłe stoliki z krzesłami. Ja zajęłam jeden z ostatnich stołków stojących tuż przy barze. Miałam nadzieję, że dzięki temu zdołam porozmawiać ze Sławą.

Moja przyjaciółka miała rację. Ludzie chcieli się zabawić tego ostatniego beztroskiego dnia. Ciekawe, czy jak każe tradycja, szeptucha wprosiła się do kogoś na kolację. Zapewne tak.

Nie powiedziałam Babie Jadze, że się przewróciłam i obejrzałam na tonącą Marzannę. Gdybym to zrobiła, pewnie zatrzymałaby mnie w Bielinach, usiłując odczynić zły urok. Wolałam jak najszybciej się stamtąd wydostać, wrócić do Kielc i o wszystkim zapomnieć. Niepotrzebne mi było odczynianie uroków, tylko alkohol.

Sława postawiła przede mną mojito i powiedziała zmartwiona:

– Mam masę roboty, przepraszam. Dasz sobie radę?

– Jasne. – Machnęłam ręką.

– Nie przyszła jedna z barmanek i jest istny kociokwik – tłumaczyła się dalej Sława. – Gdy tylko będę miała wolną chwilę, to się do ciebie przysiądę.

– Nie przejmuj się. Nie jestem dzieckiem. Ja i moje mojito spokojnie damy sobie radę.

– Dzięki. – Posłała mi zmęczony uśmiech i poszła obsługiwać roześmiany tłumek klientów, który właśnie wtoczył się do klubu.

Skłamałam. W rzeczywistości czułam się trochę nieswojo, siedząc samotnie w barze. Niby nie przyszłam tu na podryw, więc nie miałam się czego wstydzić, ale i tak bałam się, że wyglądam głupio. Miałam nadzieję, że dam sobie radę, gdyby ktoś nachalny się do mnie przyczepił.

Wolno sącząc drinka, wpatrzyłam się w telewizor zawieszony nad barem. Był nastawiony na jeden z kanałów informacyjnych, na których przez całą dobę lecą wyłącznie wiadomości przerywane reklamami proszków do prania i nowych suplementów diety. Po chwili informacje pochłonęły mnie bez reszty. Nie miałyśmy w mieszkaniu telewizora.

To było takie ożywcze, dowiedzieć się, że coś złego wydarzyło się dla odmiany komuś innemu, a nie mnie.

Nawet nie dopiłam do połowy mojego mojito zapatrzona w informację o kocie, który umie wymiauczeć alfabet, kiedy tuż obok usiadł jakiś facet. Oparł się o bar i odwrócił w moją stronę.

– Postawić ci drinka? – zapytał.

Spojrzałam na niego z lekko zagubionym wyrazem twarzy, jako że wciąż przeżywałam informacje o miauczącym kocie.

On miauczał alfabet!

– Przepraszam, ale nie usłyszałam – powiedziałam.

– Pytałem, czy mogę postawić ci drinka.

Podniosłam swoją szklankę i pokazałam mu ją.

– Nie, dziękuję. Jeszcze mam.

– Naprawdę nalegam.

– A ja naprawdę nie jestem zainteresowana.

Mężczyzna na pierwszy rzut oka nie wyróżniał się niczym szczególnym. W ciemnym pomieszczeniu dopiero po chwili zauważyłam, że z jego oczami jest coś nie tak. Pochyliłam się zaintrygowana.

– Nie jesteś zainteresowana? – zakpił, uśmiechając się drapieżnie.

– Przepraszam – cofnęłam się gwałtownie. – Masz niesamowite oczy. Nosisz szkła kontaktowe?

Jego źrenice nie były okrągłe, tylko pionowe, lekko wydłużone. Jeszcze nigdy takich nie widziałam.

– Nie. – Pokręcił głową. – Nie noszę szkieł kontaktowych.

Zaczęłam się zastanawiać. Może to jakaś wada wrodzona? Na pewno nie uraz, bo wtedy tylko jedną źrenicę miałby uszkodzoną. Coś wspominali na zajęciach z okulistyki o zespole kociego oka. Jak zwykle w takich chwilach nie potrafiłam sobie przypomnieć, czym dokładnie, poza zniekształceniem tęczówki, się objawiał. Na wszelki wypadek ugryzłam się w język. Miałam ochotę zapytać tego gościa, co jest nie tak z jego oczami. Jednak nie byłam w gabinecie lekarskim, więc chyba nie wypadało. Postanowiłam poszukać później w internecie informacji o tym zespole chorobowym.

Odwróciłam się z powrotem do telewizora, uznając rozmowę za zakończoną.

– Nie potrzebujesz towarzystwa? – Mężczyzna nie owijał w bawełnę.

– Nie – parsknęłam. – Przepraszam, ale nie jestem tu sama.

– Wydaje mi się, że siedzisz tu sama co najmniej pół godziny.

No cóż. Dopiłam drinka dla kurażu.

– Naprawdę nie potrzebuję towarzystwa – powiedziałam twardo. – I proszę grzecznie, żebyś dał mi spokój.

Zrobiło się już późno. Klub był wypchany po brzegi imprezującymi kielczanami. W powietrzu unosił się dym papierosów. Nikt nie przejmował się tu zakazem palenia w ogólnodostępnych pomieszczeniach. Było bardzo duszno i gorąco.

Spojrzałam na faceta, który nie chciał się ode mnie odczepić. Te jego kocie oczy miały w sobie coś hipnotyzującego. Nie mogłam oderwać od nich wzroku. W głowie coraz bardziej mi szumiało.

– Proszę. Porozmawiajmy – zaproponował. – Widzę, że jesteś tu sama.

– Czekam na kogoś – skłamałam.

– Chyba nie. – Pokręcił głową. – Porozmawiasz ze mną?

– Nie wiem. – Mój protest był coraz słabszy.

– Nalegam.

– Czemu nie... – mruknęłam nieprzytomnie.

– Proponuję, żebyśmy wyszli na zewnątrz. Tu jest zbyt głośno i zupełnie nie ma czym oddychać.

Powoli zaczęłam podnosić się ze swojego miejsca. Rzeczywiście coraz trudniej było złapać oddech w tym zadymionym pomieszczeniu. Spodobała mi się perspektywa wyjścia na chwilę na dwór.

– Dobrze...

Niespodziewanie na moje ramię opadła ciężka dłoń. Oderwałam wzrok od nieznajomego i spojrzałam do góry.

Tuż obok stołka barowego, na którym siedziałam, stał Radek.

– Cześć, Gosiu – powiedział. – Sława do mnie zadzwoniła. Podobno nudzisz się sama, więc przyjechałem dotrzymać ci towarzystwa.

Mówił do mnie, ale nie spuszczał wzroku z mężczyzny siedzącego tuż obok. Zamrugałam gwałtownie. W głowie mi się kręciło. Rozkaszlałam się.

Wow, to mojito nieźle na mnie podziałało.

– Cześć. – Uśmiechnęłam się do niego przez łzy spowodowane kaszlem.

Nie byłam najszczęśliwsza, że to akurat Radek uwolnił mnie od pogawędki z nieznajomym, jednak nie zamierzałam wybrzydzać. Poza tym nie czułam się najlepiej. Miałam gorącą nadzieję, że nie były to spóźnione skutki wdychania halucynogenów podczas ogniska w Jare Święto.

– Do zobaczenia. – Mężczyzna o tajemniczych oczach wstał ze swojego miejsca i nie czekając na moją odpowiedź, wmieszał się w tłum.

Dziwny typ.

– Gosiu, dobrze się czujesz? – Radek wydawał się szczerze zatroskany.

– Trochę kręci mi się w głowie – przyznałam. – To chyba przez tę duchotę.

Chłopak kiwnął głową do Sławy, która bacznie przyglądała nam się zza baru. Chciała do nas podejść, ale nie mogła zostawić klientów.

Radek podał mi ramię i wyprowadził na zewnątrz. Był jak taran. Kiedy szedł, ludzie rozstępowali się przed nim, byle tylko „nie dostać z bara".

Światło misternie powykrzywianych żelaznych latarni rzęsiście oświetlało ulicę Sienkiewicza, główny kielecki deptak, zamknięty dla ruchu samochodowego. Po obu jego stronach stały odrestaurowane niedawno niskie, kolorowe kamieniczki. Wyłożona kostką ulica wyglądała naprawdę pięknie, skąpana w świetle latarni. Zupełnie jakby się skrzyła.

Radek zaciągnął mnie pod wiązkę żółtego światła i mamrocząc pod nosem, zaczął oglądać moje dłonie.

– Nie udrapał cię? Nie ukłuł?

– Słucham?

Po wyjściu z baru rozjaśniło mi się w głowie. Jeszcze chwilę wcześniej naprawdę bardzo źle się czułam. Nie wiem, co to było. Może jakaś reakcja alergiczna? Kilka razy odetchnęłam głęboko.

– Miał długie pazury – wyjaśnił. – Nie udrapał cię? To ważne.

Usiłowałam przypomnieć sobie dłonie nieznajomego, ale nie mogłam. Jego twarz także powoli zacierała mi się w pamięci. Tylko te dziwne oczy...

– Chyba nie – mruknęłam. – Miał pazury? O czym ty mówisz?

– Chodzi mi o paznokcie. – Wciąż przyglądał się badawczo moim dłoniom. – Mógł być narkomanem albo nie wiadomo kim. Nie powinnaś rozmawiać z obcymi. Wyglądał bardzo podejrzanie.

– Jestem wzruszona twoją troską, ale potrafię dać sobie radę sama. – Wyszarpnęłam ręce. – Czy ty dzisiaj nie piłeś? Mówisz jakoś od rzeczy.

– Tylko kilka piw. – Mrugnął do mnie.

Odetchnęłam głęboko i pochyliłam się do przodu, opierając dłonie na udach. Miałam wrażenie, że spadło mi ciśnienie krwi. Ciągle było mi słabo. Poczułam jego rękę na plecach.

– Gosia, dobrze się czujesz?

– Tak, tak. To chyba ciśnienie. Zakręciło mi się w głowie. Ta pogoda jest zwariowana.

– Barometry w stacji szaleją – przyznał.

Podniosłam się i po raz ostatni odetchnęłam głęboko. Nadmierna hiperwentylacja też mogła mi zaszkodzić. Wolałabym nie zemdleć przy Radku.

– Pazury – prychnęłam pod nosem i lekko się zatoczyłam. – Skąd ci się to wzięło?

– Chodź, odprowadzę cię do domu – powiedział i po raz kolejny zaproponował mi ramię niczym prawdziwy dżentelmen.

Noc była przyjemnie chłodna. Po raz kolejny zaczęłam zastanawiać się nad anomaliami pogodowymi w tym roku. Miałam nadzieję, że skoro zima i wiosna były takie ciepłe, to natura nie postanowi przekornie zmrozić nas w lecie.

Zerknęłam na kolegę alias kochanka Sławy. Mogłam tylko mieć nadzieję, że nie łudzi się, iż będę tej nocy jego. Nie miałam ochoty na romantyczne *tête-à-tête*. Tym bardziej z nim.

– Ten facet wyglądał niebezpiecznie – powiedział.

– Czy ja wiem.

– Jak mogłaś tego nie zauważyć? Na pewno nie miał wobec ciebie dobrych zamiarów.

Bogowie. Nie spodziewałam się po Radku takiej troski. Pomyśleć, że jeszcze nie dalej jak kilka tygodni temu sam usiłował wskoczyć mi do łóżka.

Powoli zbliżaliśmy się do kamienicy, w której mieszkałyśmy ze Sławą. Zauważyłam, że w bramie naprzeciwko wejścia do naszej klatki siedzi jakiś obdartus. Po chwili poznałam go po skołtunionej brodzie i szarym, dziurawym płaszczu. To ten sam bezdomny, który jakiś czas temu złapał mnie za rękę i zapytał, czy wierzę w bogów.

Radek zatrzymał się gwałtownie na jego widok. Parsknęłam śmiechem.

– Okej, teraz już nie mam wątpliwości, że coś brałeś. Taki wielki chłop, a taki strachliwy – stwierdziłam. – To tylko bezdomny. Nie zaatakuje nas. Przyznaj się, jakie dragi brałeś?

– To nie tak – mruknął wyraźnie zakłopotany. – Tylko że ten człowiek...

– Radek, spoko, już kiedyś z nim rozmawiałam. To tylko pan Witek. Bezdomny. Nie zrobi ci krzywdy. Najwyżej zacznie niewyraźnie bełkotać o bogach. – Machnęłam lekceważąco ręką.

Chłopak zepchnął mnie ze środka deptaka na wąski chodnik przy kamienicy, byśmy znaleźli się jak najdalej od bezdomnego.

– Gosiu, muszę ci coś wyznać. – Odchrząknął, jakby zaschło mu w gardle.

Oby tylko nie chciał podzielić się ze mną jakąś światłą myślą w stylu: „kocham cię!". Chociaż nie... Nie był takim typem. Już prędzej mógłby wyznać: „jestem gejem". Jednak nie byłaby to aż tak druzgocąca wiadomość. Nie dla mnie. Myślę, że Sława miałaby większy problem z zaakceptowaniem tej rewelacji. Istniała również szansa, że wyzna, iż cierpi na rzeżączkę, i zapyta, jak ją wyleczyć.

Tej ostatniej informacji chyba najbardziej nie chciałabym usłyszeć.

Radek milczał na tyle długo, zastanawiając się, w jakie słowa ubrać to, co chodziło mu po głowie, że z nudów wymyśliłam mu jeszcze kilka potencjalnych wyznań.

Stanęliśmy pod moją kamienicą. Wstukałam kod do otwierania drzwi, myląc się kilkakrotnie. Ciągle trochę kręciło mi się w głowie. Na pewno wypity ostatnio alkohol wypłukał ze mnie wszystkie mikroelementy. Postanowiłam nafaszerować się magnezem, kiedy tylko znajdę się w kuchni.

Może powinnam zrobić sobie kontrolne badania krwi? Morfologię i biochemię? Na pewno nie zaszkodzi. A zwłaszcza nie zaszkodzi mojej hipochondrii.

– Nie wiem, czy powinienem ci o tym mówić. Nie wiem, czy dobrze robię. Gosiu, nie jestem tym, za kogo mnie uważasz – wydusił.

Spojrzałam na niego. Czyżby jednak skłaniał się do opcji z homoseksualizmem?

– Mam nadzieję, że nie chodzi ci o to, o czym myślę... – mruknęłam.

Nie żebym kiedykolwiek chciała się z nim umówić, ale niewątpliwie jego przejście do drugiego obozu odbyłoby się ze stratą dla zapewne sporej liczby kobiet.

Zaczęliśmy mozolnie wspinać się po schodach.

– Jestem płanetnikiem – wypalił, gdy zatrzymaliśmy się pod moimi drzwiami.

– Hę?

Aż upuściłam klucze na tę rewelację. Albo dlatego, że trzęsły mi się ręce. To z całą pewnością niedobór magnezu.

– Płanetnikiem – powtórzył i podniósł klucze.

– Jaja sobie ze mnie robisz, co? – zapytałam.

Czułam, że jestem w stanie lekkiego upojenia. Niemniej jednak oszołomienie nie było aż tak wielkie, żeby bez bólu przełknąć rewelację, którą właśnie mnie poczęstował.

– To prawda – powiedział. – Może wejdziemy do mieszkania, a ja ci wszystko wytłumaczę?

Z wrażenia aż zapomniałam o zwykłej ostrożności oraz moim przyrzeczeniu, że nie będę przebywać sam na sam z Radkiem, i wpuściłam go do środka. Gdy usiedliśmy naprzeciwko siebie przy stole w kuchni, rozpoczął swoją opowieść:

– Jestem płanetnikiem od osiemnastego roku życia. Zostałem porwany w chmury przez burzę. Nie wiem, dlaczego akurat ja. To chyba ślepy traf. Byłem zwykłym dzieciakiem. Nie wiedziałem, z czym to się wiąże, wiesz...

– Aha – potaknęłam z poważną miną, chociaż nie miałam zielonego pojęcia, z czym to się wiąże.

– Teraz zajmuję się tym na poważnie. Walczę za każdym razem ze żmijami. Pilnuję, żeby w Jare Święto spadł deszcz.

Poważnie zaczęłam się zastanawiać nad jego poczytalnością.

– Chyba mi nie wierzysz...

– No wiesz, właśnie mi oświadczyłeś, że jesteś płanetnikiem. Trudno w to uwierzyć.

– Ujawniam się tylko dlatego, że grozi ci niebezpieczeństwo, a ja cię polubiłem – powiedział. – Bogowie już wiedzą, że ty wiesz.

Zmroziło mnie. Czyli to jednak nie były wygłupy. Odsunęłam się od stołu i spojrzałam na Radka tak, jakbym widziała go po raz pierwszy. Jeżeli ja jestem tajemniczą dziewczyną mogącą odnaleźć kwiat paproci, to może on faktycznie jest płanetnikiem?

No ale bez jaj – nie ma żmijów. Gdyby istniały, to chyba naukowcy by o tym wiedzieli. Znaleziono by jakieś kości, piloci samolotów by je zauważyli.

– Wiem, że jesteś widzącą – powiedział. – A skoro ja wiem, to znaczy, że wszyscy wiedzą. Wiesz, nie jestem żadną szychą.

– Po której stronie stoisz? – zapytałam.

– Świętowita. Powinnaś go wysłuchać. Jego święty dąb rośnie w pobliżu Bielin. Wybierz się tam któregoś dnia, żeby z nim porozmawiać – namawiał.

– Nie jestem przekonana, czy w ogóle chcę się mieszać w te sprawy. – Pokręciłam głową.

– Nie uda ci się uciec od przeznaczenia – stwierdził. – W końcu ktoś cię zmusi do odnalezienia kwiatu. Radzę sprzymierzyć się ze Świętowitem. Weles może cię skrzywdzić.

– Nie boję się.

Radek pokręcił smutno głową. Na zmianę to zaciskał, to rozluźniał dłonie. Widać było, że czuje się nieswojo. Chyba zaszczyt mnie kopnął, że przyznał mi się do bycia płanetnikiem. Najwyraźniej nie chwalił się za często tą informacją.

– Ten mężczyzna, którego spotkałaś w barze, był jednym z jego wysłanników. To wąpierz, jeden z rodzajów upirów, które są sługami Welesa.

– Wąpierz?

– On już zaczął cię szukać, osaczać. Gosiu, musisz to zrozumieć. Za wszelką cenę będzie chciał przeciągnąć cię na swoją stronę. Uważaj na siebie. Byłoby przykro, gdyby coś ci się stało.

– Niewątpliwie – mruknęłam.

– Naprawdę – obruszył się.

Nie uwierzyłam mu. Nie wyglądał na szczególnie smutnego. Może to dlatego, że nie dałam mu się zaciągnąć do łóżka.

– Porozmawiaj ze Świętowitem. Proszę.

– Jeżeli pójdę z nim porozmawiać, to dam wyraźny sygnał Welesowi, że nie chcę mieć z nim nic wspólnego. A wtedy może zrobić mi krzywdę – wyjaśniłam cierpliwie. – Wydaje mi się, że przynajmniej teraz nie powinnam opowiadać się za żadną ze stron.

– Niedługo Noc Kupały. Nie zostało dużo czasu. Zmuszą cię do wyboru.

– Litości. Noc Kupały jest w przesilenie letnie pod koniec czerwca. Teraz jest marzec. To mnóstwo czasu.

– Odsuwasz tylko nieuniknione – burknął.

No i co z tego? Moralista się znalazł.

– Czyli jesteś martwy? – zmieniłam temat.

– Co?

– Jesteś płanetnikiem, nie? To znaczy, że jesteś martwy? Nie jestem na bieżąco, jeśli chodzi o naszą rodzimą demonologię, ale chyba większość istot nadprzyrodzonych była kiedyś ludźmi, którzy umarli w gwałtowny sposób, co?

Nalałam sobie do szklanki przegotowanej wody z czajnika. Suszyło mnie. Dopiero gdy zaspokoiłam pragnienie, poczułam, że jestem gotowa na dalszą rozmowę.

– Ja żyję! To obłoczniki są martwe. Zresztą już prawie ich nie ma. Wyemigrowały gdzieś na Ukrainę. Obłoczniki to złośliwe dusze wisielców odpowiedzialne za chmury i inne duperele. Ja jestem płanetnikiem. Moja praca jest ważna. Walczę ze smokami. I w żadnym razie nie jestem martwy – zaperzył się.

– Okej, okej. Przepraszam. – Najwyraźniej uraziłam jego ego.

– Jeśli tylko masz wolny wieczór, to bardzo szybko mogę ci udowodnić, że jestem bardzo żywy.

Wreszcie wrócił Radek, jakiego znam.

– Dzięki, ale dzisiaj chyba nie skorzystam.

– A jutro robisz coś wieczorem?

– Nie wiem, co robię jutro wieczorem. Jeśli będę miała ochotę na szybki seks, to do ciebie zadzwonię.

– Będę czekał. – Wyszczerzył zęby w uśmiechu.

Chłop jak dąb, pogromca żmijów, a łatwowierny jak szczeniaczek.

– To mówisz, że smoki naprawdę istnieją?

– Tak. Pioruny podczas burz wcale nie powstają w chmurach, tylko w pyskach smoków.

Większego idiotyzmu dawno nie słyszałam.

– I ty zabijasz żmije?

– Tak. Gdy zbliża się burza i niebo przykrywają ciemne chmury.

– A gdzie z nimi walczysz?

– No, w chmurach – odparł takim tonem, jakby to było zupełnie oczywiste.

– A jakim cudem znajdujesz się w chmurach? Umiesz latać?

– Płanetnicy nie latają... Unoszę się na chmurze! Mam swoją własną, małą chmurę. Naprawdę tego nie wiesz?

Okej. Ja chyba faktycznie muszę nadrobić zaległości z rodzimej wiary.

– A co się dzieje ze żmijami, gdy je zabijesz?

– Znikają.

– Znikają?

– Rozpływają się w powietrzu.

To by zgrabnie tłumaczyło, czemu nikt do tej pory nie odnalazł żadnych szczątków. Jak na mój gust, to wytłumaczenie było aż zbyt doskonałe.

– A polał cię ktoś wodą w Jare Święto? – zagadnął.

Zaśmiałam się. Nie wierzyłam w ten zabobon. Polanie wodą miało rzekomo zapewnić powodzenie u płci przeciwnej. Byłam już na to za stara. Kiedy chodziłam do szkoły, bardzo przeżywałam, gdy inne koleżanki były pryskane wodą przez chłopców, a mnie obchodzili oni szerokim łukiem, bo nosiłam okulary i aparat na zębach. Teraz już nie dawałam się nabrać na takie głupoty.

– Zamierzam wziąć długą kąpiel. To będzie mój rytuał wody.

– A może...

– Nie.

Skrzywił się wyraźnie zawiedziony.

– Noc jeszcze młoda – oświadczył i klasnął w dłonie. – Skoro nie masz dzisiaj ochoty, to podskoczę jeszcze do baru Sławy. Może wyhaczę jakąś laskę. Do zobaczenia!

Mówiąc to, wyszedł z mieszkania, zostawiając mnie samą z moimi niewesołymi myślami krążącymi wokół bóstw i demonów.

Przyznam szczerze, że po Radku spodziewałam się wiele, ale nie czegoś takiego.

Podrapałam się po przedramieniu, które nagle zaczęło strasznie swędzieć. Odsłoniłam rękaw bluzki. Tuż koło łokcia miałam długie na dwa centymetry zadrapanie. Było wyraźnie zaognione. Szybko poszłam do łazienki, żeby je zdezynfekować.

Wąpierz! Co za idiotyzm. Wąpierze, czy też jak przyjęło się mówić – wampiry, istnieją tylko w amerykańskich filmach dla nastolatek. Zresztą nie przypominałam sobie, żeby mężczyzna z baru mnie dotykał. Musiałam zadrapać się gdzie indziej.

27.

Drogę do Bielin pokonałam wyjątkowo szybko. Nie jeżdżę agresywnie, ale szosa była pusta. Aż się prosiło nacisnąć mocniej pedał gazu.

Gdy wysiadłam pod domem Baby Jagi, porzucając samochód z jedną oponą w rowie, moja komórka zabrzęczała. Dostałam SMS-a od Sławy. Ostrzegała mnie, że gdy wrócę z pracy, a ona odeśpi nocną zmianę w klubie, to będę musiała iść z nią na zakupy. Pewnie natchniona znaleziskiem w odpływie pralki postanowiła kupić nowe stringi.

Weszłam do chaty szeptuchy akurat w dobrym momencie, żeby usłyszeć poradę lekarską:

– Na bóle oczów wyciungnijcie samej wiadro wody ze studni, pierw niech wpatruje sie godzine w te wode, a potem nio obmywo ocy – mówiła Baba Jaga jakiejś kobiecinie z zaczerwienionymi spojówkami.

Ja bym raczej poleciła kupienie kropli do oczu, ale co ja się tam znam na leczeniu...

– To na pewno pomoże? – Kobieta miała najwyraźniej podobne wątpliwości.

– To je dobro rada. Syćko psejdzie. – Szeptucha pokiwała głową.

– No dobrze – zgodziła się niechętnie klientka. – Ile się należy?

– Dwodziescia złotech rada kostuje.

Wciąż nie mogłam pojąć, że ludzie faktycznie płacili za takie beznadziejne porady.

– Widzę, że od rana sam zysk – powiedziałam, kiedy kobieta wyszła.

– A nie najgorzej, nie najgorzej – przyznała Baba Jaga.

Nagle rozległo się donośne stukanie do drzwi. Nie czekając na zaproszenie, do izby wkroczył mężczyzna ze spuchniętym policzkiem.

– Babo Jago, ratuj, bo mnie ząb boli! – wykrzyknął odrobinę bełkotliwie.

– Siadojcie – powiedziała, skwapliwie pokazując mu krzesło.

– Dziękuję. Ból złapał mnie z samego rana. Gęba spuchła, że ledwie uchylić można.

– Na bolaki zębów to duntysta w Kiełcach – stwierdziła. – On ulecy.

– Nie mogę dzisiaj pojechać, bo w polu muszę obrobić. Jutro pojadę z samego rana, ale proszę, poradź mi coś, babuleńko, teraz, bo przecież wytrzymać się nie da.

Szeptucha podeszła do mężczyzny i pomacała go po policzku, a następnie zajrzała do ust. Nawet ze swojego miejsca na ławie pod oknem mogłam zauważyć, że zbyt wielu białych zębów to pan nie posiadał. Można nawet śmiało powiedzieć, że te żółte zaliczały się do jaśniejszych.

– Psykładojcie na polika dębowe skóry, chrzan z octem i tsy raza na dzień po półkwaterku dobry wódki – zaleciła Baba Jaga.

Przez chwilę pogrzebała w kredensie i wyciągnęła na stół korę dębu oraz małą buteleczkę octu.

– Wódke i chrzan mocie? – upewniła się.

– Mamy... znaczy mam. Dziękuję, szeptucho. Życie moje ratujesz, kochana babuleńko. Ile płacę?

– Pinćdziesiunt złotech.

– Ile...?!

– To je dobra kora.

Mężczyzna nie dyskutował więcej. Posłusznie położył na stole banknot i uciekł, aż się za nim kurzyło.

– Niezły dzisiaj ruch w interesie – powiedziałam.

– Sporo osób ma drobne problemy po piciu. Większość przychodzi po coś na żołądek.

– I co im radzisz? – zapytałam.

– A co ty byś poradziła?

Zastanowiłam się. Znałam kilka sposobów na leczenie bólów brzucha.

– Pewnie czystą wodę z białkiem z jajka wylać do palącego się pieca – westchnęłam zrezygnowana.

– Pomogło ci wtedy, co? – Uśmiechnęła się szeroko, pokazując złote licówki.

– Po prostu inne metody wydają się jeszcze głupsze – mruknęłam. – Wątpię, czy komukolwiek poradziłabym zebranie przed wschodem słońca mchu spod strzechy, by go następnie zaparzyć i wypić.

– Jeszcze można zaparzyć wrotycz – zauważyła.

– Ale sama mówiłaś, że on jest na ból brzucha wywołany zaklęciem.

Nie wierzyłam, że mówię coś takiego głośno. W głowie mi się to nie mieściło.

– Sprytna jesteś – zaśmiała się. – Naprawdę słuchasz tego, co do ciebie mówię.

Wzruszyłam ramionami. No słucham, co innego miałabym tutaj robić?

– A jak się czujesz po ostatnich rewelacjach? – zapytała i postawiła przede mną kubek jakichś ziółek.

Powąchałam je ostentacyjnie.

– To tylko melisa na uspokojenie – mruknęła.

Baba Jaga wiedziała, czego potrzebuję. Wypiłam zawartość jednym haustem.

– Dobrze się czuję. Chyba wciąż jeszcze do mnie nie dotarło, w co się wplątałam – westchnęłam, drapiąc się bezmyślnie po ręku.

– Radzę ci szybko się z tym oswoić.

– No... w ogóle to wczoraj chyba poznałam płanetnika.

– Och!

Jarogniewa wydawała się całkowicie zaskoczona tą informacją. Chyba ubodło ją, że od tylu lat piastuje stanowisko szeptuchy i nie spotkała ani jednej nadprzyrodzonej istoty poza ubożętami. Za to ja jestem tu dopiero drugi miesiąc i nie mogę się od nich opędzić.

– Jak to?

– Znajomy mojej współlokatorki przyznał się, że jest płanetnikiem. Powiedział, że bogowie już wiedzą o tym, że ja wiem. Radzi mi, żeby zrobić to, co każe Świętowit, bo w przeciwieństwie do Welesa będzie sympatyczny.

– Nie jest to do końca prawda. Na Świętowita także należałoby uważać. Wszyscy bogowie są nieobliczalni.

– Świetnie...

W odpowiedzi szeptucha tylko wzruszyła ramionami. Faktycznie nie było już nic więcej do dodania. Gdybym ja była boginią, pewnie też w ogóle nie przejmowałabym się ludźmi.

– Powiedział, że powinnam iść pod święty dąb i porozmawiać ze Świętowitem.

– Pójdziesz?

– Chyba nie. Na razie nie będę nikomu sprzyjać.

– Mądrze.

– A możesz mi opowiedzieć o nich coś więcej? – poprosiłam.

– O kim?

– O bogach.

Skrzywiła się nieznacznie. Poprawiła kciukiem zsuwającą się licówkę.

– Strasznie obciera dziąsła – wyznała.

Widząc, że nie zareagowałam, wstała i podeszła do kuchni. Nucąc pod nosem jakąś prząśną przyśpiewkę, zamieszała drewnianą łyżką w pokaźnym garnku. Sądząc po rozchodzącym się w pomieszczeniu zapachu, gotowała żurek.

Czekałam cierpliwie. Nie miałam zamiaru dać się zbyć.

– Dobrze – ustąpiła w końcu. – Co chcesz wiedzieć?

– Wszystko. Wiem tylko to, co mówili nam w szkole. A i wtedy nie słuchałam uważnie. Wiem, że Świętowit ma cztery twarze, jego symbolem jest biały koń, a obrzędowym ciastem kołacz. Za to Welesowi z karku wyrastają trzy głowy, ma słabość do czarnych koni i zasiada na złotym tronie w Nawi.

– To całkiem sporo wiesz – skwitowała.

– No ale chodzi mi o szczegóły! Jak mogę poznać, że rozmawiam z bogiem? Przecież mogą ukryć przede mną tożsamość.

Baba Jaga zaśmiała się chrapliwie, ubawiona tym pomysłem.

– Moja droga, zapewniam cię, bogowie do wstydliwych nie należą. Kiedy tylko ich spotkasz, od razu się o tym dowiesz. Wątpię, czy wytrzymają bez wyznania ci swojego imienia przez trzydzieści sekund rozmowy. Albo nawet dziesięć...

Przypomniałam sobie upiornego faceta z obchodów Jarego Święta. Faktycznie, nie czekał, aż sama domyślę się, kim jest.

– Ale co, jeśli będą chcieli ukryć przede mną swoją tożsamość? – upierałam się. – Jak wtedy mam ich poznać?

– Dziecko, ja nigdy żadnego z nich nie spotkałam. Miałam jedynie kontakt ze Swarożycem, ale nigdy mi się nie ukazał. Przekazywał mi informacje poprzez ubożęta.

Zasłoniłam twarz dłońmi. Miałam ochotę rwać włosy z głowy.

– Komu mam dać kwiat? – jęknęłam.

– Nie wiem, co mam ci powiedzieć – spoważniała. Usiadła obok mnie na ławie i wzięła mnie za rękę. – Uważam, że obaj są niebezpieczni. Ba! Wszyscy bogowie są niebezpieczni, a ci dwaj w szczególności.

– Dlaczego?

– Bo nienawidzą się nawzajem. Od dziesięcioleci toczą bój, a ty stanęłaś teraz między nimi. To dlatego nie wolno ci się opowiadać za żadną ze stron. Obaj lubią spacerować po naszym świecie, więc masz sporą szansę, że któregoś spotkasz. Ja żadnego osobiście nie widziałam. Nie byłam wystarczająco... – zawiesiła głos.

– ...godna? – wyrwało mi się.

– Interesująca – dokończyła. – Wiem, że Świętowit często przesiaduje na swoim ulubionym drzewie. Umie zamieniać się w gołębia. Kilka razy widziałam w koronie dębu białego ptaka.

Akurat gołębi w okolicy było mnóstwo. Podejrzewałabym raczej, że to ulubieniec któregoś z okolicznych hodowców. Jednak zanotowałam w pamięci, żeby za żadne skarby nie zbliżać się do świętego dębu.

Z rozbawieniem pomyślałam, że jeżeli podpadnę Świętowitowi, to gołębie obsrają mi samochód.

– A Weles?

– Weles... Z tego, co słyszałam, Weles uwielbia przebywać pośród ludzi. On się nie ukrywa. Musisz też uważać na jego sługi. Ma na swoje wezwanie demony, takie jak latawce, strzygi, wąpierze oraz utopce. Czyli wszelkiego typu upiry. A to bardzo niebezpieczne istoty.

– A płanetnicy? Są sługami Świętowita?

– Właściwie nie. Żyją, więc nie mogą mieć pana. Jednak Świętowit mógł znaleźć sposób na przeciągnięcie któregoś na swoją stronę. Może coś mu obiecał w zamian za usługi. Płanetnicy to ludzcy obrońcy. Są żołnierzami ludzi, a nie bogów.

– Czyli Świętowit też ma na podorędziu swoją armię potworków, tak?

– Można tak powiedzieć. Służą mu rusałki, południce, wiły, syreny. Jednak ten podział nie jest sztywny. Tak naprawdę każdy z bogów może zmusić do służby dowolną istotę nadprzyrodzoną. Musisz o tym pamiętać.

– A po czym poznam demona?

– Mogę podać książkowy opis, ale wątpię, czy ci się przyda. Demony mogą udawać ludzi.

– No rozumiem, ale jaki jest ten książkowy opis?

– Wszystkie demony mają kilka cech wspólnych, takich jak czasowa niewidzialność, ciemne, czasem czerwone zabarwienie skóry, skrzenie się w słońcu, gęste owłosienie, duża głowa, nadmiar palców, ptasie stopy, brak pleców...

– Jak można nie mieć pleców? – przerwałam jej.

– Nie wiem. Tyle lat żyję, a żadnego demona nie widziałam. Tym bardziej demona bez pleców. Mówię ci, co jest napisane w podręcznikach.

– No to raczej łatwo poznam demona. Będzie mocno pokręcony – prychnęłam.

– Nie skończyłam ci opowiadać. Często demony wyglądają jak najnormalniejsze kobiety. W kobiecej postaci występują między innymi rusałki, wiły, południce i mamuny.

– To utrudnia sprawę – westchnęłam.

Zaczynało mi się kręcić w głowie od nadmiaru informacji. Skrzenie się w słońcu przynajmniej pasowało do wampirów, które znałam z filmów. I pomyśleć, że uważałam to za idiotyzm, kiedy pierwszy raz oglądałam słynny hollywoodzki przebój dla nastolatek! A tu taka niespodzianka. Autorka ściągnęła skrzenie się od dobrych, słowiańskich wąpierzy.

– Wszystko już mi się miesza – wyznałam.

– Sama za wiele nie pamiętam. – Baba Jaga spojrzała w przestrzeń. – Gdy byłam w twoim wieku, moja nauczycielka przekazała mi trochę wiedzy, ale zdążyłam już wszystko zapomnieć. Muszę zapytać okoliczne szeptuchy o sposoby na demony. Ja znam tylko te podstawowe, z użyciem soli i żelaza. Postaram się jak najszybciej dowiedzieć wszystkiego, co może ci się przydać.

– Dziękuję.

– Chcesz już wrócić do domu? – zaproponowała. – Nie obrażę się, jeżeli zrobisz sobie kilka dni przerwy. Ten okres na pewno jest dla ciebie ciężki. Mogłabyś wyjechać stąd na jakiś czas. Przewietrzyć się.

– Nie mam gdzie pojechać.

– To trochę pozwiedzaj. W okolicy jest wiele ciekawych miejsc do zwiedzania.

Szczerze mówiąc, podobał mi się jej pomysł. Chętnie wyskoczyłabym gdzieś, żeby odrobinę zdystansować się od wydarzeń ostatnich dni.

– Ale... trochę mi głupio.

– Dlaczego głupio?

– Jestem u ciebie od półtora miesiąca. Najpierw nic nie wiedziałam i nie miałam samochodu. Potem skręciłam nogę. Teraz znowu mam mieć wolne.

– I co z tego?

– Źle się z tym czuję. – Skrzywiłam się. – Nie chcę, żebyś pomyślała, że migam się od roboty. Nie jestem taka!

Szeptucha zarechotała, szczerze ubawiona.

– Dziecko, ile ty masz lat?

– Dwadzieścia cztery.

– Całe życie jeszcze przed tobą. Zdążysz się napracować. Zaręczam. Poza tym zdawałam sobie sprawę z tego, że pod moją opiekę trafi widząca. Swarożyc mnie ostrzegł. Wiedziałam, że nie będziesz zwykłą dziewczyną, którą zaprzęgnę do mielenia ziół i zbierania szyszek. Natychmiast stąd wychodź i korzystaj z życia.

– Naprawdę?

– Naprawdę. Gdy już minie Kupalnocka i będziemy wiedziały, na czym stoimy, porządnie zajmiemy się twoim stażem i nauką.

– Czuję się tak, jakbyś mnie stąd wyrzucała.

– Umówiłam się z kimś na popołudnie – wyznała.

– Wiedziałam!

Pożegnałam się z nią i wsiadłam do samochodu. Nawet całkiem zgrabnie udało mi się wyjechać z rowu. Istnieje szansa, że płot szeptuchy po moim cofaniu nie stoi już idealnie prosto, ale przecież nikt nie zauważy.

Prawda?

28.

Sława nie darowała mi wyprawy do centrum handlowego. Tak jak podejrzewałam, znalezione w filtrze stringi skłoniły ją do poszukiwania nowej seksownej bielizny. Nie wiem, jak to się stało, ale ja także wróciłam do domu z pakunkami.

W życiu nie kupiłam sobie ładnej bielizny nocnej, bo i po co? Przecież i tak jej nikt nie ogląda. Do spania w zupełności wystarczał mi stary podkoszulek, majtki z lekko rozciągniętą gumką i obowiązkowo skarpetki frotté. Przynajmniej było mi wygodnie.

I ciepło w stopy.

– A co, jeśli kiedyś będzie nocował u mnie facet i przypadkiem zobaczy cię w tych twoich reformach? – zapytała Sława.

– A dlaczego twój facet ma mnie oglądać w bieliźnie? – żachnęłam się.

– A jeżeli przypadkiem go spotkasz, idąc do toalety?

– To zacznę piszczeć i ucieknę...

– Chyba raczej on zacznie piszczeć i ucieknie.

– A to nawet lepiej. Wtedy od razu ty mu się wydasz ładniejsza, niż początkowo zakładał – odcięłam się.

Nie udało mi się przegadać Sławy. Kupiłam seksowną, kremową koszulkę, która miała więcej koronki niż materiału, i dobrane do tego majtki. Nie rozumiem, dlaczego dałam się na to namówić. Mogłabym za wydaną kwotę spokojnie żywić się przez miesiąc albo kupić sobie kilkanaście par fig z podobizną Hello Kitty.

– Powinnaś zawsze spać w takiej bieliźnie – mądrzyła się przez drogę powrotną do domu moja przyjaciółka.

– A niby czemu?

– Bo wtedy podświadomie będziesz czuła się seksownie i dzięki temu po przebudzeniu będziesz tak wyglądała.

– Bogowie... znowu się naczytałaś „Cosmo", co? Zawsze potem sypiesz z rękawa takimi mądrościami.

– To mówisz, że szeptucha daje ci urlop? – zmieniła gładko temat.

– Tak, może wyjadę na kilka dni.

– A już wiesz dokąd?

– Nie mam pojęcia. Może odwiedzę mamę?

Od razu gdy to powiedziałam, zrozumiałam, jak dużym błędem byłoby pojechanie do domu. Mama bardzo by się zmartwiła, że zamiast się uczyć, jadę na wakacje. Poza tym nie umiem kłamać. Szybko by się zorientowała, że coś jest nie tak.

– Naprawdę zazdroszczę ci tej roboty. Nie, żebym narzekała, ale ty masz ciągle jakieś wolne! Dziwię ci się, że w ogóle zastanawiasz się nad wyborem pomiędzy lekarzem a szeptuchą. Przecież jako lekarz musiałabyś siedzieć w szpitalu także w niedziele i święta.

Puściłam jej uwagi mimo uszu. Nie pierwszy raz słyszałam te argumenty. Nie zostanę szeptuchą. Prędzej umrę!

Postanowiłam delikatnie podpytać ją o Radka. Może jej też się kiedyś zwierzył ze swojej tożsamości? Szeptucha co prawda ostrzegała, żeby z nikim nie rozmawiać na takie tematy, ale przecież Radek sam się zdradził. Sława zna go dłużej niż ja. Może też coś o nim wie.

Powoli dochodziłam do wniosku, że chyba jednak wolałabym, gdyby Radek oświadczył mi, że ma rzeżączkę.

– Wiesz co... pamiętasz, jak wczoraj Radek odprowadzał mnie do domu?

– Pamiętam, pamiętam.

Na jej twarzy pojawił się szeroki uśmiech.

– A co? – zapytała podekscytowana. – Czyżbyś zaprosiła go do mieszkania?

– Tak, to znaczy nie! Nie o to mi chodzi.

Zagwizdała.

– Chcę tylko powiedzieć, że nie mam nic przeciwko. Nasza noc była, że tak powiem, nic nieznaczącym epizodem po pijaku. Jeśli masz na niego ochotę, to się nie krępuj. Przy okazji to Żywia miała rację. On naprawdę jest dobry w łóżku.

– Nie mam na niego ochoty.

– Jak tam sobie chcesz.

– Nie chcę. Zresztą chyba był wczoraj bardziej wcięty niż ja.

– Dlaczego tak myślisz? Nie stanął na wysokości zadania? – W jej oczach pojawiły się iskierki rozbawienia.

– Bo oświadczył mi, że jest płanetnikiem – powiedziałam całkiem poważnie.

– Że co?! – ryknęła.

Potknęła się na schodach prowadzących do naszego mieszkania. Torby z pakunkami posypały się po betonowych stopniach. Na szczęście troskliwie zapakowana, okręcona w bibułki i wstążeczki bielizna nie wypadła z pudełek.

Nie wiem, po co obkładać bieliznę bibułką. Przecież się nie potłucze w transporcie. Najwyraźniej gdy się tyle żąda za śliski ścinek materiału ledwie zasłaniający cycki, to trzeba do niego dodać ekstrawaganckie opakowanie.

Wkurza mnie to – mam wrażenie, że cena koszulki byłaby znacznie niższa, gdyby nie to zbrojone pudełko.

– Czyli chcesz mi powiedzieć, że wiesz coś na ten temat?

– Ja nic nie wiem na ten temat!

Pochyliła się, żeby zebrać pakunki. Pomogłam jej, czekając, aż coś doda. Nic nie dodała.

– I co o tym sądzisz? – nie wytrzymałam.

Sława weszła do mieszkania i rzuciła zakupy na podłogę.

– Nie wiem – westchnęła. – Nie mam zielonego pojęcia, co mu strzeliło do głowy. To przecież jakaś kompletna głupota.

– Też tak myślałam, ale był bardzo przekonujący.

– Nie mówisz mi czegoś – stwierdziła.

– Mnie się wydaje, że to ty mi czegoś nie mówisz – odparowałam.

Zmarszczyła czoło, przyglądając mi się uważnie. Usiadłyśmy na kanapie w salonie. Gdzieś zza ściany dobiegało nas dudnienie muzyki. Najwyraźniej sąsiadom nie przeszedł jeszcze świąteczny nastrój albo wzięli urlop, żeby celebrować Jare Święto tak jak przed wiekami, czyli cały tydzień.

Dawniej z okazji święta wiosny każdego wieczoru palono ogniska i biesiadowano. Jak głoszą legendy, biesiady kończyły się orgiami. Teraz już nie było orgii. A przynajmniej oficjalnie.

– Przepraszam – powiedziała. – Znam Radka od wielu lat. Wiem, że nie należy do najbystrzejszych. Jednak nie sądziłam, że będzie usiłował poderwać cię za wszelką cenę.

– Co?

– No przecież sama mówisz, że zastosował na tobie podryw na płanetnika. Już mu się to zdarzało. Potrafi być bardzo przekonujący. Opowiada o swojej pracy w stacji meteorologicznej, a następnie o tym, jak to przed laty został porwany w chmury i walczy tam ze żmijami – wyjaśniła. – Pewnie nawet pokazywał ci bliznę na twarzy i mówił, że to po ostatniej bijatyce ze smokiem, co?

– Eee...

Wszystko, co mówiła Sława, wydawało się proste i logiczne. O ile w ogóle może być logiczny podryw na taki tekst. Jednak miałam wrażenie, że kłamie. Tylko dlaczego moja najlepsza przyjaciółka, którą znam od wielu lat, miałaby mnie okłamywać?

Zaczęłam się zastanawiać, co tak naprawdę wiem o Sławie. Poznałyśmy się, gdy poszłam na studia. Chodziłyśmy razem na zajęcia z zumby. Bardzo szybko się zaprzyjaźniłyśmy. Czułam się, jakbym znała ją całe życie, a nie kilka ostatnich lat.

Mimo to praktycznie nic o niej nie wiedziałam. Nigdy nie powiedziała mi, jakie szkoły skończyła, nigdy nie poznałam jej rodziców. Twierdziła, że ma rodzinę w Kielcach, ale jeszcze ani razu nie wybrała się do niej w odwiedziny.

Zmroziły mnie nieciekawe myśli. Poczułam ucisk w żołądku, który zamienił się w ostre kłucie. Pomasowałam brzuch, odnotowując w pamięci, że muszę kupić tabletki na neutralizację kwasów. Przydadzą mi się w najbliższych dniach.

Żeby zyskać na czasie, podeszłam do lodówki i nalałam sobie mleka.

– Boli cię brzuch? – Sława wydawała się szczerze zmartwiona.

Znała mnie lepiej niż ja ją. Wiedziała, że po produkty mleczne sięgam tylko w ostateczności.

Przyjrzałam się jej dokładnie. Miała drobną trójkątną twarzyczkę, na której królowały ogromne czarne oczy otoczone długimi rzęsami. Tatuaż przedstawiający kwiaty powoju wił się po jej szyi, schodząc aż do obojczyka. Zerknęłam na jej włosy. Farba skutecznie maskowała ich prawdziwy kolor.

– Mówisz, że to tylko jego wymysł?

– Gosia, a od kiedy ty wierzysz w bogów? – parsknęła. – W życiu nie widziałam, żebyś odmówiła chociaż jedną modlitwę. Swój staż u szeptuchy traktujesz jak największą karę, jaka mogła cię spotkać. Dlaczego nagle uwierzyłaś Radkowi, który oświadczył, że jest płanetnikiem?

– Wydaje mi się, że nie zrobił tego dla podrywu. Mówił bardzo przekonująco.

– Gosiu, on ostatnio bardzo przekonująco wmawiał wszystkim, że spał ze stoma kobietami. Szczerze wątpię, że aż tyle naiwnych się znalazło. Zresztą po co miałby mówić ci takie niedorzeczne rzeczy, jeśli nie dla podrywu?

– Nie wiem – skłamałam. – Ale nie usiłował zaciągnąć mnie do łóżka.

Przypomniałam sobie naszą rozmowę.

– No dobra, może trochę próbował. Ale on zawsze próbuje.

– Może wczoraj tylko postanowił przygotować grunt pod następny podryw – stwierdziła Sława i machnęła lekceważąco ręką. – Ja bym się na twoim miejscu nim nie przejmowała. Zmyślał jak zawsze.

– No może...

Kilka godzin później stałam przed lustrem i krytycznie przyglądałam się swojemu odbiciu. Nowa koszulka dobrze na mnie leżała. Pasowała do mojej karnacji i apetycznie podkreślała walory. Jednak była znacznie mniej wygodna od obszernego podkoszulka i porozciąganych majtek.

Fanaberia.

Mimo wszystko postanowiłam zastosować się do rady Sławy i chociaż raz przespać się w nowym nabytku.

Kto wie? Może faktycznie dzięki temu po przebudzeniu będę się czuła piękna i seksowna? Szkoda tylko, że nikt mnie w tej bieliźnie nie widzi.

Nawet nie zdawałam sobie sprawy, jak szybko to się zmieni.

29.

Niebo było czarne. Nawet najmniejszy jasny punkcik nie zdradzał, że gdzieś wysoko świecą gwiazdy. Nie widziałam zarysu chmur, ale musiały tam być.

Księżyc błyszczał tylko wąskim paseczkiem. Zbliżał się nów. Jego istnienie i cykl miesięczny wyjaśniało kilka legend. Zgodnie z jedną z nich wilki zjedzą księżyc i zniknie z nieba, a wedle drugiej zanurzy się on w jeziorze, by ponownie się narodzić.

Zdecydowanie wolałam drugą przypowieść.

Objęłam się rękami. Było mi zimno. Na nagich ramionach poczułam gęsią skórkę. Obróciłam się dookoła własnej osi, usiłując dostrzec coś przez mrok. Oczy miałam już przyzwyczajone do ciemności, ale widziałam tylko zarysy rosnących dookoła polany drzew. Było ciemno choć oko wykol.

Powoli docierało do mnie, że coś jest chyba nie tak. Ostatnie wyraźne wspomnienie dotyczyło mojej sypialni, gdzie położyłam się spać.

Wieczór pamiętałam jak przez mgłę. Bardzo swędziała mnie ręka. Jak przystało na lekarza, połknęłam tabletkę przeciwhistaminową, podejrzewając, iż powodem świądu jest jakieś uczulenie, i zadowolona z własnej przezorności usnęłam, ledwie zamknęłam oczy.

Teraz zaś stałam pośrodku lasu, w kompletnych ciemnościach. A co gorsza, miałam na sobie tylko seksowną koszulkę i majtki, które kazała mi kupić Sława.

Leki przeciwalergiczne powodują senność, ale nie taką, żeby nie wiedzieć, co się dzieje.

Poruszyłam skostniałymi palcami nóg. Spostrzegłam, że mam bose stopy. Pod podeszwami czułam zimną trawę. Oczyma wyobraźni zobaczyłam biegające tuż obok mrówki i kleszcze, czyhające wśród ściółki na moje nagie łydki. Podniosłam stopę i przyjrzałam się podeszwie. Była ubłocona, ale nie poraniona. Czyżbym przyszła tu na piechotę?

Jeszcze raz się rozejrzałam. Nie miałam wątpliwości, że znajduję się w puszczy w pobliżu Bielin. To tutaj najwyraźniej prowadziły wszystkie moje ścieżki.

Nie rozumiałam, co się dzieje! Jakim cudem mogłam się tu znaleźć? Przecież dojście pieszo z Kielc do Bielin zajęłoby mi dobrych pięć godzin. Wąski sierp księżyca był całkiem nisko. Czy oznaczało to, że faktycznie wędrowałam niestrudzenie przez kilka godzin wzdłuż trasy szybkiego ruchu?

Wydawało mi się to kompletnie nielogiczne. Zwłaszcza że nigdy wcześniej nie lunatykowałam. Uczucie dezorientacji powoli zastępował strach.

Co powinnam zrobić? Czekać tutaj na nadejście ranka czy może iść przez las? Tylko w którą stronę?

Było mi zimno. Zadrżałam tak, że aż zadzwoniły mi zęby. Zaczęłam tupać w miejscu, żeby chociaż trochę się rozgrzać. Podskoczyłam kilka razy.

W głowie miałam kompletną pustkę. Bogowie, niech Sława zauważy, że mnie nie ma, że stało mi się coś złego!

– Halo! – zawołałam. – Jest tu kto?

Wiatr poniósł mój głos, ale nawet echo nie chciało powtórzyć słów. Jeszcze raz spojrzałam z nadzieją w niebo, jakby stamtąd miała nadejść odpowiedź.

– Proszę, proszę. Nie sądziłem, że tak się dla mnie przygotujesz. – Kpiący głos zmroził mnie bardziej niż wiatr.

Odwróciłam się gwałtownie w kierunku tajemniczego głosu. Miałam przed sobą mężczyznę z baru. Byłam o tym święcie przekonana, chociaż nie mogłam sobie przypomnieć, jak wyglądał. Zamroczona alkoholem zapamiętałam tylko jego oczy.

Teraz miałam okazję lepiej mu się przyjrzeć. Pomimo panującego mroku wydawał się emanować wewnętrznym blaskiem. Miał szczupłą, odrobinę szczurzą twarz. Szerokie wargi były mocno uwypuklone, jakby skrywały za sobą aparat ortodontyczny, taki jak ten, który nosiłam w podstawówce. Krótko ścięte włosy odsłaniały brwi wygięte do góry niczym skrzydła ptaków. Nadawały jego twarzy lekko zdziwiony wyraz.

Jakim cudem mogłam go nie zapamiętać?

– Kim jesteś? – zapytałam i przezornie cofnęłam się kilka kroków. – Co ja tu robię? Porwałeś mnie?

Drżałam coraz bardziej. Objęłam się ramionami w obronnym geście. Zrobiło mi się słabo, gdy pomyślałam, że ten szaleniec może mnie skrzywdzić. Na pewno będzie chciał mnie skrzywdzić. Przecież inaczej nie byłby ze mną sam na sam w ciemnym lesie.

Spojrzenie mężczyzny ślizgało się po moim dekolcie i odsłoniętych nogach. Krótka koszulka ledwie zasłaniała pośladki. Poczułam się naga.

– Naprawdę nie podejrzewałem, że tak się dla mnie przygotujesz. – Oblizał wargi.

– Zostaw mnie w spokoju! – pisnęłam. – Kim jesteś?!

– To nie jest właściwe pytanie.

Serce waliło mi w piersiach, jakby miało zaraz wyskoczyć. Słyszałam tylko szum własnej krwi. Szybko oceniłam, w jakiej odległości znajduje się mężczyzna i czy mam jakiekolwiek szanse.

Odwróciłam się na pięcie i ruszyłam biegiem przed siebie. Zanim dotarłam do ściany drzew, zerknęłam przez ramię, żeby zobaczyć, czy za mną biegnie.

Nagle zobaczyłam go przed sobą. Skręciłam gwałtownie. Znowu stał przede mną. Za każdym razem, nieważne, jaki kierunek obrałam, uśmiechający się kpiąco mężczyzna zastępował mi drogę.

Nagle dotarło do mnie znaczenie charakterystycznej cechy demonów, którą wcześniej wyśmiałam. Brak pleców to tylko metafora. Oznaczał, że potwora można mieć jedynie przed sobą, że nie można zajść go od tyłu.

– Czym jesteś? – zapytałam głuchym głosem.

– Teraz zadałaś właściwe pytanie. – Uśmiechnął się szeroko.

Zobaczyłam w jego ustach szereg długich, ostro zakończonych zębów. Nie miał dwóch ostrych kłów tak jak filmowe wampiry z Hollywood. To był najprawdziwszy wąpierz. Wszystkie jego zęby były kłami. Spokojnie mógłby rozszarpać mi gardło.

Zupełnie jakby czytał w moich myślach, przeciągnął wyjątkowo długim językiem po żółtawych zębiskach.

Pożałowałam, że szeptucha nie zdążyła opowiedzieć mi więcej na temat upirów. Teraz na nauki było już za późno.

– Chyba już wiesz, czym jestem.

– Czego ode mnie chcesz?

Powoli zaczął się zbliżać. Cofnęłam się przestraszona.

– Zostaw mnie!

– Nie uciekniesz przede mną – zaśmiał się chrapliwie. – Nie możesz. Czuję cię, gdziekolwiek się znajdziesz. Jesteś moja.

Polana, na której staliśmy, nie była duża. Po chwili dotknęłam plecami pnia drzewa. Wąpierz zbliżył się do mnie i oparł ręce na pniu po obu stronach mojej głowy. Wiedziałam, że mu nie ucieknę. Nie miałam najmniejszych szans.

Jego dziwne oczy błyszczały. W ciemnościach zniekształcone źrenice nie były podłużne. Rozszerzyły się jak u kota, zajmując prawie całą szerokość gałek ocznych. Wciągnął powietrze i z lubością zmrużył oczy.

– Pachniesz strachem – oświadczył. – To bardzo smakowity zapach.

– Nie krzywdź mnie – poprosiłam.

– Nie zamierzam.

Poczułam, jak zalewa mnie fala ulgi.

– Jeszcze nie zamierzam – dodał i zadrżał. – Choć bogowie nie zdają sobie sprawy, jaką torturą jest dla mnie darowanie ci teraz życia. Mam ochotę zanurzyć się w twojej krwi i rozszarpać wnętrzności. Ten zapach! Twój strach tak pięknie pachnie. Znacznie lepiej niż u mojej poprzedniej ofiary – powiedział, dysząc pożądliwie.

Oczy przesłoniła mu krwawa mgiełka. Zaczął tracić nad sobą kontrolę. Jęknęłam przerażona i odwróciłam wzrok. Chciałam skurczyć się w sobie, zniknąć.

Warknął jak dziki pies, opryskując mnie śliną. Jego oddech śmierdział zepsutym, gnijącym mięsem.

– Masz szczęście. Nie mogę cię teraz zabić. Ale nie przejmuj się. Twoje żałosne życie nie potrwa długo. Mam dla ciebie wiadomość od Welesa.

Złapał mnie za brodę i wykręcił twarz do siebie tak, bym musiała na niego patrzeć. Czułam, że zatapiam się w jego dziwnych oczach. Szaleńczo galopujące serce zwolniło.

Źrenice stwora zaczęły się zwężać. Pulsowały.

Czerwień mnie pochłaniała.

– Wiadomość – powtórzyłam.

– Dostarczysz mu kwiat paproci – oświadczył upir. – A ja tego dopilnuję. Rozumiesz?

– Rozumiem.

– Co zrobisz?

– Dostarczę Welesowi kwiat paproci.

Mężczyzna wyciągnął dłoń na wysokość moich oczu, tak bym mogła zobaczyć, jak paznokieć jego kciuka wydłuża się i zamienia w długi szpon, na którego czubku pojawia się czarna kropelka jadu.

Pogłaskał mnie po policzku opuszkami palców.

– Jesteś moja – powiedział. – Jeżeli nie będziesz grzeczna, spotka cię kara.

Jego palce sunęły wzdłuż linii żuchwy. Przesunęły się na szyję. Ich dotyk mnie mierził. Zadrżałam z obrzydzenia. Serce znowu zaczęło mi walić.

– Nie jesteś teraz grzeczna.

Przeszywające mnie źrenice rozszerzyły się, a następnie zwęziły.

– Jesteś moja.

– Jestem twoja.

Poczułam ból, gdy szpon przeciął moją skórę tuż pod lewym obojczykiem. Zapiekło. Wąpierz pochylił się. Zlizał płynącą po skórze krew. Skrzywiłam się gdy gorący wręcz język skierował się na ranę. Nie mogłam się ruszyć. Chciałam krzyczeć, biec, ale nie mogłam. Byłam sparaliżowana. Umysł wyrywał się do ucieczki, ale ciało nie zamierzało mnie słuchać.

Jego szorstki język przesunął się w kierunku szyi. Polizał miejsce, w którym szaleńczo pulsowała tętnica.

Wąpierz odsunął się. Zobaczyłam na jego wargach czerwone kropelki krwi.

– Smakujesz mi – mlasnął.

Oblizał łapczywie usta.

– Gdy już dostarczysz Welesowi kwiat, zabawimy się dłużej. Chcę, żebyś wiedziała, że wielbię krew. Celebruję każdą jej kroplę. Masz w sobie niecałe pięć litrów tej boskiej substancji. Zapewniam cię, że utoczę ją z ciebie na tyle wolno, żebyś miała tego całkowitą świadomość. Cieszysz się?

Po moich policzkach zaczęły płynąć łzy.
– Cieszysz się?! – warknął. Jego źrenice się zwęziły.
– Cieszę się – wyszeptałam.
– Unieś rękę.
Spełniłam polecenie. Nie zrobiłam tego ze strachu. Zrobiłam to, bo musiałam. Za pomocą swoich dziwnych oczu całkowicie mnie kontrolował.
Złapał mnie za nadgarstek i ugryzł. Jęknęłam z bólu. Poczułam, jak wysysa ze mnie krew. Zrobiło mi się słabo.
Nagle z głębi lasu dobiegł nas trzask gałęzi i szuranie liści. Hałas zbliżał się szybko. Wąpierz odsunął się ode mnie. Krew kapała wolno na trawę. Wysunął długi język i polizał miejsce ugryzienia. Rana momentalnie się zasklepiła. Nie został po niej najmniejszy ślad, jakby nigdy jej tam nie było.
Na polanę wjechał olbrzymi koń. Poznałam go. To Nix, kary ogier należący do Mieszka. Na jego grzbiecie siedział na oklep władca Polan.
Gdy Nix zatrzymał się gwałtownie, mężczyzna puścił wodze, wyprostował się i wycelował trzymaną w dłoniach strzelbę prosto w stojącego przy mnie upira.
Potwór zasyczał wściekle i zniknął. Po prostu rozpłynął się w powietrzu. W tej samej chwili zniknęły też ręce, które trzymały mnie nieruchomo przyciśniętą do drzewa.
Zemdlałam.

30.

– Gosiu, Gosiu! Słyszysz mnie?

Jego głos dochodził do mnie jak przez mgłę. W uszach głośno mi szumiało. Nie wiedziałam, gdzie się znajduję i co się dzieje.

– Gosia! Gosia!

Ciemność powoli zaczęła ustępować. Zobaczyłam nad sobą zatroskaną twarz Mieszka. Zrozumiałam, że leżę na trawie z głową opartą o jego kolana. Poczułam, jak delikatnie głaszcze mnie po policzku.

– Gosiu, słyszysz mnie?

– Co się stało? – wyjąkałam i spróbowałam się podnieść.

Zakręciło mi się w głowie. Podtrzymał mnie i pomógł usiąść. Przestałam słyszeć szum krwi w uszach. Było mi słabo.

Zauważyłam, że ciągle znajduję się na polanie pośrodku lasu. Kary ogier Mieszka pasł się spokojnie kilka metrów dalej. Obok mnie na ziemi stała przenośna lampa LED. Oświetlała wszystko swoim zimnym, lekko niebieskim blaskiem.

Po policzkach pociekły mi łzy. To wszystko było prawdą. Nie przyśniło mi się. Weles nasłał na mnie wąpierza, a ten pił moją krew. Zadrżałam.

– Zostałaś zaatakowana – powiedział Mieszko.

Odgarnął mi z czoła kilka kosmyków.

– Zimno mi – wyszeptałam.

Zdjął z siebie kożuch i zarzucił mi go na ramiona. Otoczył mnie jego zapach, lekko korzenny i bardzo zmysłowy. Drżałam coraz mocniej. Czułam, że znajduję się na krawędzi histerii. Takiej z panicznym wrzaskiem i kompletną utratą kontroli.

– Mieszko! – Rzuciłam mu się na szyję.

Objął mnie mocno i delikatnie pogłaskał po plecach.

– Jestem przy tobie, wszystko będzie dobrze – wyszeptał cicho.

– Nie zostawiaj mnie!

– Nigdzie nie idę.

Panika powoli zaczęła mnie opuszczać. Przestałam drżeć. Nie wiem, jak długo wtulałam się w niego jak małe dziecko potrzebujące opieki. Odsunęłam się dopiero wtedy, kiedy byłam pewna, że dam radę powstrzymać płacz.

– Dlaczego uciekł? – spytałam.

– Nie miał powodu ze mną walczyć. Wąpierze nie są zbyt odważne – wyjaśnił.

Potrząsnęłam głową. Wciąż byłam oszołomiona i bardzo zmęczona.

– Chodź. – Podniósł się i podał mi rękę. – W pobliżu znajduje się chata, w której czasem nocują leśnicy i myśliwi. Tam się ogrzejesz. Nie możemy tutaj zostać.

– Myślisz, że wróci? – jęknęłam.

– On nie, ale nie wiadomo, co jeszcze czai się w ciemnościach.

Szarpnięciem postawił mnie na nogi. Zachwiałam się. W jednej chwili znalazł się tuż obok, by mnie złapać. Zaczerwieniłam się po cebulki włosów, gdy dotarło do mnie, że widzi mnie w koszulce nocnej. Opatuliłam się szczelniej kożuchem i mruknęłam niewyraźne podziękowanie. Już wolałabym, żeby zobaczył mnie w jak to mówi Sława, babcinych reformach.

Zanim się zasłoniłam, zaciekawione spojrzenie Mieszka prześlizgnęło się po moim dekolcie, brzuchu i udach. Nic nie powiedział. Nawet się nie uśmiechnął.

Niemniej spojrzał.

Powinnam się wstydzić, ale poczułam mściwą satysfakcję. Miałam szczerą nadzieję, że chociaż na chwilę mu się spodobałam, tak jak on spodobał się mnie, zanim dowiedziałam się, że jest nieśmiertelnym władcą.

Jednak po głębszym namyśle stwierdziłam, że wcale mi to nie przeszkadza nadal fantazjować. Trochę czuję się przez to jak heretyczka.

Ale tylko trochę.

Podeszliśmy do konia. Wydawał się jeszcze większy niż wtedy, gdy widziałam go ostatnio. Jak widać, pewne nawyki zostają ludziom na zawsze. Nasz mityczny władca tysiąc lat temu pewnie też jeździł na dużym pociągowym koniu zdolnym unieść rosłego mężczyznę w pełnym rynsztunku.

– Podsadzę cię – powiedział. – Przerzuć nogę przez grzbiet.

– Mam usiąść okrakiem?

– Nie masz nic pod spodem?

Ponownie się zaczerwieniłam.

– Mam majtki...

Tym razem on się lekko zmieszał.

– Usiądź bokiem, jeśli wolisz, ale nie będzie wygodnie – ostrzegł.

Nie czekając na moją reakcję, złapał mnie w pasie i praktycznie bez żadnego wysiłku posadził na końskim grzbiecie. Rzeczywiście nie było wygodnie. Na dodatek prawie od razu poleciałabym do tyłu i spadła z drugiej strony, gdyby nie złapał mnie za rękę.

– Poprowadzę Niksa. Trzymaj się grzywy – rozkazał i chwycił za rzemienny kantar, by móc pokierować koniem. – Będę go prowadził powoli, ale postaraj się nie spaść.

Nic nie odpowiedziałam. Skwaszona zacisnęłam palce na długiej grzywie wierzchowca, postanawiając, że nie zlecę z jego grzbietu, żeby nie dać Mieszkowi satysfakcji.

Użalałam się nad sobą. Czułam się zbrukana przez upira. Na samą myśl o tym, że mnie ugryzł i chłeptał moją krew, przewracał mi się żołądek. To było obrzydliwe. Nie wspominając o tym, jakie bakterie mógł mieć w pysku.

Czym prędzej muszę zastosować jakiś antybiotyk o szerokim spektrum działania.

Nie wiem, jak długo jechaliśmy. Trochę kręciło mi się w głowie i momentami odpływałam. Dopiero gdy niebezpiecznie pochylałam się do przodu, wracała mi świadomość.

Dostrzegłam ukrytą pomiędzy drzewami i rozłożystymi paprociami małą drewnianą chatę z kamiennym kominem. Właśnie tak wyobrażałam sobie dom Baby Jagi, zanim przyjechałam do Kielc. Brakowało tylko kurzej nóżki.

Mieszko pomógł mi zsiąść z konia. Uwiązał Niksa do pobliskiego drzewa i ruszył do domku. Drzwi nie były zamknięte. Wszedł do środka i postawił na stole lampę. Ostrożnie przestąpiłam próg, niepewna, co tam zastanę.

Chata bardziej zasługiwała na miano chatki. Pachniało w niej trocinami i dymem. Sprawiała bardzo przyjemne wrażenie. Składała się z jednej izby, w której stało toporne łóżko z siennikiem przykrytym kocem oraz stół z dwiema ławami. W kącie dojrzałam ładny kamienny kominek. Obok niego ktoś położył świeże szczapy drewna.

Zamknęłam za sobą drzwi. Chociaż byłam odgrodzona od lasu tylko cienką warstwą desek, która z całą pewnością nie stanowiła żadnej bariery dla wąpierza, poczułam się bezpieczniej.

– Czasami tu nocuję – wyjaśnił Mieszko, kucając przy kominku.

Cieszyłam się, że zamierza rozpalić ogień. Było mi przeraźliwie zimno pomimo kożucha, który na mnie narzucił. Skulona usiadłam na ławie. Nie mogłam powstrzymać szczękania zębami.

Po chwili w kominku zapłonął ogień. Ciepło powoli zaczęło rozlewać się po zakurzonej izbie. Mieszko zdjął koc z siennika i narzucił mi go na gołe nogi. Gdy mnie opatulał, niechcący dotknął mojej stopy.

– Zimna jak lód – zauważył.

Bez słowa usiadł obok mnie i przygarnął do siebie. Czułam, jak jego dłoń rozciera mi plecy. Drugą złapał moje zlodowaciałe ręce. Byłam nieziemsko zmęczona. Oczy same mi się zamykały, głowa opadła w zagłębienie pomiędzy jego szyją a barkiem.

Nie wiem, ile czasu drzemałam. Chyba tylko kilka minut, ale gdy się obudziłam, nie było mi już zimno. Mieszko cały czas był obok.

– Gosiu? – Dotknął mojej brody, odchylił mi głowę i spojrzał głęboko w oczy.

Zobaczyłam, że jego błękitne tęczówki mają małe zielone kropeczki tuż przy źrenicach. Ba! Byliśmy tak blisko, że spokojnie mogłam policzyć jego rzęsy! Nasze usta dzieliło tylko kilka centymetrów. Czułam jego oddech na policzku.

Pocałuje mnie. Na wszystkich bogów, on zaraz mnie pocałuje!

– Gosiu, jeśli już ci ciepło, to wyjdę na chwilę do konia.

Niemal było słychać, jak moja niezmiernie głupia nadzieja upada na ziemię i roztrzaskuje się niczym lustro.

– Wrócę za dwie minuty. Jeśli chcesz, połóż się na łóżku.

– Jasne.

Gdy wstał, poczułam się tak, jakbym coś straciła. Obok mnie znajdowała się teraz pustka.

Ofuknęłam się w myślach, że zachowuję się jak podlotek. Opatuliłam się szczelnie kożuchem i podeszłam do kominka. W świetle ognia spojrzałam na swoje ubłocone stopy. Obrzydliwe.

Chciałam, żeby Mieszko już wrócił. Bałam się być sama. Cały czas widziałam oczy wąpierza. Czułam pulsujący ból w nadgarstku, tam, gdzie mnie ugryzł. Potarłam wygojoną skórę. To niesamowite, że nie ma śladu. Odchyliłam kożuch, żeby spojrzeć na miejsce pod obojczykiem. Zadrapał mnie pazurem, ale tu także nie było żadnego znaku na skórze, tak jak w miejscu ugryzienia. Magia.

Drzwi do chatki otworzyły się, a ja podskoczyłam przestraszona.

– Spokojnie, to tylko ja. Przyniosłem trochę nalewki z czarnego bzu – powiedział Mieszko i dokładnie zamknął za sobą drzwi. Zasunął skobel.

– To na przeziębienie – zauważyłam.

– Biorąc pod uwagę, jak przemarzłaś, nie powinno ci zaszkodzić.

Podeszłam do stołu. Już miał usiąść, ale zatrzymał się w pół ruchu, widząc moją minę.

– Mieszko, czy ja się teraz zamienię w upira? Nie chcę!

Moja broda zaczęła się podejrzanie trząść.

– Chodź.

Usiadł na ławie i odkręcił litrową butelkę żółtawej, odrobinę mętnej nalewki. Zajęłam miejsce obok niego i wzięłam łyk podsuniętego mi trunku. Palił w gardło niemiłosiernie. Sam spirytus zmieszany z cukrem. Niemniej od razu poczułam się lepiej, kiedy jego ciepło rozlało się po brzuchu.

– Nie zamienisz się w upira – powiedział i także się napił. – W każdym razie nie od razu.

– Jak to? – Wyrwałam mu z dłoni butelkę. Potrzebowałam pocieszenia o wiele bardziej niż on.

– Szeptucha nie opowiadała ci o wąpierzach? – zdziwił się.

– Nie zdążyła... na razie miałam krótki wykład ogólny, jak poznać boginkę albo upira. Bez wdawania się w szczegóły.

Skrzywiłam się po wypiciu nalewki. Miałam nadzieję, że jej zdolności lecznicze rekompensują chociaż trochę spustoszenie, które sieje teraz w mojej wątrobie.

– Poza tym powiedziała, że nie zna się zbyt dobrze na tych istotach, bo nigdy żadnej nie widziała. Obiecała mi, że zasięgnie języka i przekaże mi dokładne instrukcje – westchnęłam. – A skąd ty wiesz o wąpierzach?

– Chodzę po tym świecie już ponad tysiąc lat. Widziałem wiele rzeczy. Miałem do czynienia z kilkoma wąpierzami.

– Zaatakował cię kiedyś jakiś?

– Nie. Widziałem tylko ich ofiary. Wiem, co wąpierz może zrobić żywicielowi.

Zamyśliłam się. Powoli przestawałam się już dziwić, że chce wypić napar z kwiatu paproci i umrzeć. Na pewno był zmęczony wszystkim, co zobaczył. Widział, jak jego następcy rządzą Królestwem. Nie każdy z nich dobrze sobie z tym radził. Mieszko musiał być wściekły, widząc nieudolność następców.

– Więc kiedy zostanę upirem?

– Wąpierz to pasożyt. Żywi się krwią, ale także powoli wysysa duszę z upatrzonej ofiary, odbiera jej nadzieję. Musisz pamiętać, że wąpierz jest martwy, to ożywione przez bogów zwłoki. Istnieje kilka teorii mówiących o tym, jak można stać się po śmierci wąpierzem. Według jednej z nich w upira zamienia się osoba, z której uprzednio oprawca wyssał całą krew. Jednak podobno można stać się nim także, gdy po świeżym grobie przebiegnie czarny kot.

– Głupie.

– Głupie – przyznał. – Niemniej jesteś bezpieczna, dopóki wąpierz nie pozbawi cię całej krwi.

– Dobre i to...

– Gosiu, posłuchaj mnie teraz uważnie. Zostałaś zahipnotyzowana. To podstawowa umiejętność wąpierzy, dzięki której rzadko są wykrywane i wielokrotnie mogą nachodzić tych samych żywicieli. Możesz nawet nie pamiętać waszego pierwszego spotkania.

– Pamiętam, ale jakby przez mgłę – wyznałam.

– Żeby mieć nad tobą władzę i panować w twoich snach, wąpierz musiał udrapać cię kolcem jadowym.

Pobladłam. Zerwałam z siebie kożuch i pokazałam mu zadrapany kilka dni temu łokieć.

– Bardzo swędzi – powiedziałam.

Nie zwracając najmniejszej uwagi na seksowną koszulkę, obejrzał zaczerwieniony łokieć.

– Wygląda na miejsce zakażenia.

– I jeszcze tutaj. – Wskazałam palcem dekolt. – Tu udrapał mnie dzisiaj. A tu ugryzł. Potem polizał te miejsca i rany zniknęły.

Mieszko przesunął delikatnie opuszkami palców pod moim obojczykiem. Dziękowałam teraz bogom za to, że nie mógł czytać mi w myślach. Jeszcze by się przestraszył, że siedzi w jednym pomieszczeniu z taką erotomanką.

– Kolejna przydatna umiejętność. W ten sposób tuszują ślady.

– Czyli wystarczy, że nie dam mu się do końca wyssać, i wszystko będzie w porządku? – chciałam się upewnić.

– Nie.

– Nie?

– To wąpierz. Teraz, gdy cię zatruł, będzie przychodził do ciebie w snach. Trudno to wyjaśnić. Jego hipnoza działa na ciebie podczas snu. Może kazać ci wtedy wyjść z domu i spokojnie dokończyć dzieła. – Mówiąc to, z powrotem narzucił na mnie kożuch, pewnie przeszkadzał mu widok mojej koszulki.

– I mnie zabić?

– Tak.

– Ale to bez sensu! – zaprotestowałam. – Przecież jeśli mnie zabije, to Weles nie dostanie kwiatu paproci.

– To Weles go przysłał? – Jego głos stał się twardszy.

– Tak. Pamiętam jak przez mgłę, ale upir kazał mi powtórzyć, że oddam kwiat paproci Welesowi.

– Powtórzyłaś?

– Byłam zahipnotyzowana. Oczywiście, że powtórzyłam.

– Czyli oddasz mu kwiat. – Sposępniał.

– Co? No jasne, że nie oddam. Nie ze mną takie numery.

– Jesteś pod wpływem wąpierza. Oddasz ten kwiat Welesowi. Gosiu, to już nie zależy od twojej woli. Wąpierz najprawdopodobniej zabije cię od razu, gdy tylko bóg dostanie kwiat.

Cudownie. Po prostu cudownie. W takim wypadku niewiele mi zostało. Już zaczął się kwiecień.

Od początku wiedziałam, że ten cały wyjazd na wieś źle się dla mnie skończy. Miałam ochotę się rozpłakać.

– Czyli co teraz?

– Teraz mamy tylko jedno wyjście.

Zaraz, zaraz – czy on właśnie powiedział „my"?

– Musimy znaleźć grób wąpierza i go zabić. Wtedy Weles straci nad tobą władzę.

Tak! Naprawdę powiedział „my"!

– Gosia, czy ty mnie słuchasz?

– Tak, tak. – Pokiwałam głową, robiąc mądrą minę. – Musimy zabić wąpierza.

Wzięłam jeszcze jeden łyk nalewki. Opróżniliśmy już pół butelki. Nie wiem jak Mieszko, ale ja byłam już nieźle wstawiona. Nigdy nie miałam mocnej głowy. Jestem raczej przykładem picia ekonomicznego – wiele mi nie potrzeba.

– Nie możesz zostać sama – powiedział. – W nocy musi cię ktoś stale pilnować. Wąpierz będzie usiłował wywabiać cię na dwór, by wysysać z ciebie krew i coraz bardziej zatruwać swoim jadem. Jeżeli wasz związek będzie trwał przez następne miesiące aż do Nocy Kupały, nie będziesz mogła mu się oprzeć i spełnisz wolę Welesa.

– Nie ma mnie kto pilnować – zaoponowałam. – Moja współlokatorka nie wie, że jestem widzącą, poza tym pracuje w barze, więc nie każdej nocy jest w domu.

– Ja będę spędzał z tobą noce.

– O, ho ho!

Bogowie, czy ja to wykrzyknęłam głośno? Chyba tak! Zaraz się spalę ze wstydu.

Mięsień na policzku Mieszka zaczął rytmicznie drgać. Wyglądał teraz, jakby to on miał spalić się ze wstydu. Zaciekawiło mnie to. Myślałam, że twardy, zaprawiony w boju dowódca, który przecież jest też wielokrotnym mordercą (pamiętam, jak w mojej wizji mordował przeciwników), nie zna wstydu.

Napił się z gwinta. Ciekawe, kiedy i jemu alkohol uderzy do głowy? Skubany, jest mocny. Zupełnie jakby wodę popijał.

– Powiedziałem ci, że jeżeli oddasz mi kwiat, będę cię ochraniał. Obiecuję, że zachowam cię przy życiu.

– A ja ci powiedziałam, że nie mogę obiecać, że oddam ci kwiat. Weles i Świętowit będą chcieli mnie zabić, jeśli cokolwiek obiecam.

Dopił nalewkę i odstawił butelkę na stół. Westchnęłam w duchu. Znowu wróciliśmy do „rozmów biznesowych". Szanse na jakiekolwiek romantyczne chwile w leśnej chatce nawet pomimo alkoholu spadły do zera.

Nic tak nie psuje nastroju jak dyskusje o umieraniu.

– Słuchaj, nie mogę ci obiecać, że oddam ci kwiat, ale mogę obiecać, że o tym pomyślę. Jak na razie wygrywasz z Welesem. – Na koniec parsknęłam śmiechem.

– W takim razie będę cię teraz pilnował przed wąpierzem. Udowodnię, że zasługuję na kwiat.

– Okej.

Nie wiedziałam, co innego mogłabym powiedzieć.

– A możemy w ogóle zabić wąpierza? Przecież on już jest martwy.

Moja wiedza na temat wampirów kończyła się na osinowych kołkach i czosnku. Nie miałam zielonego pojęcia, co naprawdę należało zrobić.

– Musimy znaleźć jego grób i odkopać go za dnia.

– I co dalej? Kołek?

– Nie – zaśmiał się. – Takie rzeczy działają tylko w filmach. Musimy przebić mu czaszkę żelaznymi gwoździami, obrócić go twarzą do dołu, a grób posypać ziarnami maku.

– Serio?

– To dlatego przede mną uciekł. Miałem strzelbę załadowaną nabojami z żelaza. Upiry nie lubią czystego żelaza.

– Myślałam, że upiry nie lubią soli.

– To prawda. Większość upirów nie lubi soli, ale akurat wąpierze mają do niej neutralny stosunek.

– Rozumiem. A jak znajdziemy grób wąpierza?

– To będzie najtrudniejsza część zadania.

– Jak to?

– Musimy pochodzić po okolicznych cmentarzach. Jego grób powinien być niedaleko. Wąpierze bardzo pilnują podziału terytorium. Ich zasięg nie jest duży. Maksymalnie pięć, może dziesięć kilometrów. W każdym razie tak było kilkaset lat temu. Mam nadzieję, że to się nie zmieniło.

– Dziesięć to dużo. Przecież wszędzie naokoło są wsie. Przy każdej jest mniejszy lub większy cmentarzyk.

– Dlatego nie znajdziemy grobu pierwszego dnia.

– Dobra. W takim razie mamy umowę. Pomagasz mi zabić wąpierza, a ja się zastanowię, czy oddać ci kwiat.

To jedna z lepszych transakcji, jakie ostatnio zawarłam. Naprawdę.

– Poza tym nie podoba mi się insynuacja, że jestem z nim w związku – postanowiłam to wyraźnie zaznaczyć.

– Dobrze, nie będę tak mówił.

– To co teraz?

– Teraz wreszcie powinniśmy się wyspać.

31.

Niebawem powinien wstać świt. Nie spałam praktycznie całą noc i na dodatek wypiłam dużą ilość nalewki na spirytusie. Powinnam paść na łóżko i spać jak zabita. Mimo to nie mogłam zmrużyć oka.

Mieszko kazał mi zająć siennik i przykryć się kocem. Sam zsunął dwie ławy i położył się na nich koło kominka. Pod głowę podłożył sobie kożuch. Gołym okiem było widać, że jest mu niewygodnie. Ławy były za krótkie i bardzo twarde.

Leżał na wznak, dzięki czemu mogłam podziwiać jego dumny profil na tle pomarańczowego ognia. Miał zgrabny nos i linię żuchwy. Jan Matejko nawet nie zdawał sobie sprawy, jak bardzo minął się z prawdą, tworząc osiemset lat później jego portret. Nawet koloru włosów nie zgadł.

– Mieszko?

– Hm?

– Śpisz?

Dobra, przyznaję. Moje pytanie nie należało do najmądrzejszych. Ba! Nie mieściło się nawet w pierwszej setce mądrych pytań.

– Nie.

– Ja też.

– Zauważyłem.

Poczułam, że pogrążam się z każdym kolejnym słowem. Zakryłam twarz kocem i skrzywiłam się niemiłosiernie. Rozmowy z Mieszkiem zdecydowanie nie należały do porywających.

– Mieszko?

– Hm?

– A skąd w ogóle wiedziałeś, że mam kłopoty? Skąd wziąłeś się w lesie?

– Ubożęta mnie zaalarmowały.

– Jak to?

– Przekazały mi wiadomość od Swarożyca. Powiedziały, że zaatakował cię wąpierz i że jesteś w pobliżu tej chaty na polanie. Na szczęście upir wybrał znane mi miejsce.

Przypomniałam sobie, jak chłeptały mleko, które szeptucha zostawiła dla nich na spodeczku. Aż mną wstrząsnęło, kiedy wspomniałam słodki, dziecięcy głosik, który wydobywał się z ciemności. To było, delikatnie mówiąc, przerażające.

– Przepaliły wszystkie żarówki w mieszkaniu – dodał.

Odsłoniłam głowę i podniosłam się na łokciu, żeby móc go lepiej widzieć.

– Dlaczego Swarożyc postanowił cię ostrzec?

Czyżby bóg ognia kibicował potajemnie Mieszkowi, by ten zdobył kwiat, który może pozbawić go życia? Tylko dlaczego Swarożycowi miałoby zależeć na pozbyciu się Mieszka?

– Zapytałem o to ubożęta. Powiedziały, że równowaga jest najważniejsza.

– Hę?

– Chyba chodziło im o to, że gdyby któryś z bogów zdobył kwiat, to wtedy równowaga na świecie zostałaby zaburzona. Najwyraźniej Swarożycowi na niej zależy.

– Albo chce się ciebie pozbyć – mruknęłam ponuro.

– Albo chce się mnie pozbyć – przyznał. – Jeżeli tak, to nie mam nic przeciwko.

Ale ja mam...

Patrzyłam, jak wstaje, żeby dołożyć drew do kominka. Głośno strzeliło mu w plecach, kiedy się wyprostował.

Żarłoczne płomienie, symbol boga, o którym mówiliśmy, rzucały ciepły, żółtawy blask na przykurzone deski. Położyłam się na plecach i wbiłam wzrok w pogrążone w cieniu sklepienie chaty.

– Nie martwi cię to? – zapytałam.

– Nie. Czuję, że już nastał mój czas. Tysiąc lat to naprawdę dużo, Gosiu. Jesteś jeszcze młoda, więc wieczność wydaje ci się kusząca. Jednak kiedy już się jej zazna, słodycz zamienia się w gorycz.

Usiłowałam sobie wyobrazić, że żyję nieskończenie długo. Wreszcie miałabym czas przeczytać te wszystkie książki, które odkładam na później, zobaczyć seriale, którymi zachwycają się moi znajomi, ale ja ich nie widziałam, bo nie mam czasu włączyć telewizora. Taka mała namiastka Nawi.

– No, jak na razie wieczne życie wydaje mi się całkiem fajne – przyznałam.

– Też tak myślałem.

– Czyli teraz jesteś nieśmiertelny? I nie można cię zabić?

– Nie można. Próbowałem.

– Próbowałeś się zabić?!

– Nie. Samobójstwo to śmierć niehonorowa. Usiłowałem zginąć w walce.

No tak. Honor, ojczyzna i te sprawy.

– Czyli dźgnięcie w serce cię nie zabije.

– Nie.

– A gdybyś spłonął?

Na nieśmiertelne amerykańskie wampiry w filmach ogień działa. Może na nieśmiertelnego władcę Polan także?

– Kiedyś poparzyłem się wrzącą smołą. Trochę bolało, ale szybko się zagoiło. Nie została nawet blizna. Złamane kości zrastają się jeszcze tego samego dnia.

– Ale masz bliznę po dźgnięciu mieczem w serce przez Drogowita – zauważyłam.

– Nie wiem, jak ci to wyjaśnić. Też długo się nad tym zastanawiałem. Może został ślad, bo to była moja pierwsza śmierć? Ta, która uwolniła moc kwiatu paproci?

Całe szczęście, że nie zostają mu ślady! Biorąc pod uwagę jego waleczność, na pewno po tysiącu lat miałby teraz mnóstwo brzydkich blizn.

– Czyli faktycznie nie da się ciebie zabić.

– Chyba nie. Trucizna też nie działa – dodał. – Ani upadek z dużej wysokości, utonięcie, powieszenie.

Nagle powieki zaczęły mi ciążyć. Przymknęłam oczy, myśląc o tym, co powiedział. Podrapałam swędzącą rękę.

– A poćwiartowanie na kawałki?

Odpowiedziała mi cisza.

– Śpisz? – spytałam.

– Nie. Nigdy nikt mnie nie poćwiartował. Jednak mimo wszystko nie żałuję, że tak się nie stało.

– Okej.

– Czemu pytasz, jak mnie zabić?

– Spokojnie. – Machnęłam ręką. – Nie dlatego, że chcę się ciebie pozbyć. Po prostu byłam ciekawa, jak działa ten cały kwiat.

– Śpij, Gosiu – powiedział znużony.

– Jeśli jest ci niewygodnie, to możesz położyć się obok mnie – zaproponowałam.

– Wolę nie.

– Dlatego, że jestem brudna? – Ziewnęłam rozdzierająco.

– Nie – zaśmiał się. – Nie będę dzielił z tobą łoża, ponieważ jesteśmy pijani, a ty jesteś piękną kobietą.

Zanim zdążyłam odpowiedzieć mu cokolwiek błyskotliwego, chociaż znając moje riposty, raczej nie byłoby to zbyt błyskotliwe, sen złapał mnie w swoje szpony. Opadające powieki zamknęły się zdradziecko, odgradzając mnie od mężczyzny, który właśnie oświadczył mi, że chciałby spędzić ze mną noc.

Nie ma sprawiedliwości na tym świecie.

32.

Obudził mnie koszmarny ból głowy. Tępe pulsowanie w skroniach przypominało uderzenia młota kowalskiego. W ustach kompletnie mi zaschło. Miałam wrażenie, jakbym najadła się piachu.

Otworzyłam zaropiałe oczy i zaraz je zamknęłam, kiedy oślepiło mnie wpadające przez okna światło.

– Która godzina? – jęknęłam.

– Prawie południe – odpowiedział mi Mieszko. – Powinnaś już wstać.

Nieprzytomna usiadłam na łóżku. W głowie cały czas czułam pulsujący ból. Jeszcze nigdy nie miałam takiego kaca. Przysięgam na wszystkich bogów, że ostatni raz upiłam się nalewką zdrowotną.

Odetchnęłam przez nos.

Niemniej zadziałała – nie czułam śladu kataru.

– Masz coś do picia? – wychrypiałam.

Bez słowa podał mi butelkę wody. Chciałam opróżnić ją całą, ale kiedy wypiłam połowę zawartości, żołądek skurczył mi się nieprzyjemnie. Otarłam dłonią usta i jęknęłam.

Przydałyby mi się teraz środki na nadkwasotę, które przez większość życia wcinam jak cukierki. Wszystko przez te nerwy.

– Dzięki – oddałam Mieszkowi butelkę.

Chatka w świetle dnia była urocza. Drewniana powała i półki nad kominkiem były odrobinę przykurzone i okopcone, jednak sprawiały miłe wrażenie. Gdyby dorzucić tu kilka książek, świeczek i jakąś niedźwiedzią skórę na podłogę pod kominkiem, to byłoby całkiem romantyczne gniazdko.

Spojrzałam na swojego towarzysza, który stał obok mnie. Zogniskowałam wzrok na plastikowej butelce bez etykiety. Moja hipochondria nie miała kaca. Była wciąż przytomna.

Bogowie, mam nadzieję, że w środku jest woda mineralna albo chociaż przegotowana.

– Skąd wziąłeś wodę?

– Ze źródła pod dębem.

Zrobiło mi się niedobrze. Posłałam mu zrozpaczone spojrzenie, żeby wiedział, że właśnie naraził mnie na zarażenie bakteriami, z którymi absolutnie nie chciałam mieć do czynienia.

Jednak nic nie powiedziałam, ponieważ... Mieszko wyraźnie pożerał mnie wzrokiem. Właściwie to mu się nie dziwiłam. Wciąż miałam na sobie koszulkę, która w świetle dnia więcej pokazywała, niż zasłaniała. A jeśli już coś zasłaniała to też nieudolnie, ponieważ była w cielistym kolorze. Natychmiast zasłoniłam się kocem.

– Mieszko! – prychnęłam oburzona.

– Masz ładną bieliznę. – Uśmiechnął się szczerze i bez wygłupów.

Nie miałam najmniejszego pojęcia, co powinno się odpowiedzieć na taki komplement.

– Dzięki?

Gdy zasłoniłam piersi zmechaconym kocem, wyraźnie stracił zainteresowanie moją osobą. Odstawił butelkę na stół. Sięgnął po ławę i przysunął ją bliżej łóżka. Usiadł na niej, szeroko rozstawiając nogi. Pochylił się, opierając przedramiona na kolanach. Najwyraźniej chciał, żeby nasze oczy były na tej samej wysokości. Nie wiem, na co liczył. Może miał nadzieję, że dzięki temu będę mogła się lepiej skupić.

Nic bardziej mylnego. O wiele łatwiej było mi konwersować z jego niesamowicie umięśnioną klatką piersiową niż z zimnymi błękitnymi oczami, które zapierały dech w piersiach.

Nagle uświadomiłam sobie, że przecież włóczyłam się w nocy po lesie. Bogowie! Z całą pewnością przyczepiło się do mnie mnóstwo kleszczy. Ponownie odsunęłam koc i zaczęłam oglądać swoje stopy i doły podkolanowe. Cholera jasna. Będę się musiała bardzo dokładnie obejrzeć w jakimś lustrze.

Mieszko aż odsunął się zaskoczony. Najwyraźniej nie domyślił się, czemu nagle odsłoniłam swoje wdzięki.

– Myślisz, że mogłam złapać jakiegoś kleszcza? – jęknęłam. – Byłam bez butów!

– Wątpię.

– Będę musiała poszukać – powiedziałam płaczliwie.

– Gosiu, musimy porozmawiać. Postaraj się przez chwilę skupić.

– Jasne – odparłam, chociaż moje myśli krążyły teraz wyłącznie wokół boreliozy i schematu antybiotykoterapii w przypadku pojawienia się rumienia wędrującego, który jest patognomonicznym objawem tej choroby.

– Skup się – poprosił.

– Nie mogę – jęknęłam. – Wszystko mnie swędzi.

– To twoja wyobraźnia. – Wziął mnie za ręce. – Nie ma na tobie żadnych kleszczy.

– Ale...

– Jak porozmawiamy, to będziesz mogła dokładnie się obejrzeć.

– Ale nie wszędzie mogę. Co z karkiem?!

Westchnął zirytowany.

– Odwróć się.

Szybko spełniłam polecenie. Uniosłam włosy. Poczułam jego rękę na karku. Po plecach przebiegł mi przyjemny dreszcz.

– Sprawdź za uszami.

– Nie masz żadnego kleszcza.

– No dobrze... przepraszam. – Znowu się do niego odwróciłam i owinęłam kocem.

– Nie szkodzi. – Na jego twarzy błąkał się uśmiech. – Kogoś mi przypominasz, kiedy tak ciągle się czymś martwisz.

– Kogo?

– Nieważne. – Uśmiech zniknął.

Nagle pomyślałam, że mój oddech na pewno nie pachnie zbyt pięknie po takiej popijawie. Lekko odwróciłam głowę, starając się nie oddychać w jego stronę.

– Zdajesz sobie sprawę z tego, że jesteś teraz w niebezpieczeństwie, prawda?

– Yhy.

– Weles rozpoczął polowanie. Najprawdopodobniej Świętowit także będzie próbował cię osaczyć.

Zdecydowałam się nie mówić mu o Radku. Jeszcze postanowiłby odrąbać mu głowę. Tak na wszelki wypadek.

– Musimy trzymać się teraz razem. Rozumiesz?

– Yhy.

– Nikt nie wie, że tu jesteś. Wąpierz może cię wyczuć, ale tylko w nocy. W dzień jesteś tu bezpieczna. Nie znajdzie cię. Proponuję, żebyśmy w tym domku zrobili naszą bazę wypadową. Co ty na to? Będę mógł pilnować cię w nocy przed wąpierzem, dopóki go nie zabijemy.

Pokiwałam głową i bezgłośnie wskazałam na ramiączko swojej koszulki. Jasne, bardzo chętnie ruszę na spacer po najbliższym cmentarzu. Jednak nie mogę iść w tym stroju.

– Ubranie. – Zmarszczył brwi.

Odchyliłam się do tyłu i powiedziałam półgębkiem:

– Jeśli mamy tu trochę pomieszkać, to powinieneś przywieźć moje ubrania. Mała walizka jest pod łóżkiem. Wrzuć do niej cokolwiek. Zapasowy klucz trzymamy pod wycieraczką.

– Myślałem raczej, że przywiozę ci jakieś swoje ubrania, a potem razem pojedziemy po twoje rzeczy – powiedział. – Na pewno będziesz potrzebowała nie tylko ubrań. Nie znam się na damskich kosmetykach. Poza tym wolałbym nie grzebać w twojej bieliźnie. Zwłaszcza jeśli masz tylko taką... fikuśną.

Jego wzrok ześlizgnął się po moim ramieniu. Prawie czułam, jak parzy mi obojczyk i dekolt.

Fikuśną? Skąd on wytrzasnął to słowo?

Cóż. Jego pomysł ma więcej sensu niż mój. Po głębszym namyśle też wolałabym, żeby nie grzebał w mojej bieliźnie. Mam tam za dużo zawstydzających majtek z Hello Kitty. Mógłby się zawieść, gdyby je znalazł.

Zwłaszcza jeśli spodziewa się fikuśnych stringów.

– Zresztą lubisz chodzić po lesie w tych śmiesznych ubraniach. Nie wiem, czy zabrałbym wszystko, co będzie ci potrzebne.

– No dobra, dobra. Zgadzam się! – powiedziałam szybko, żeby przestał wymyślać wymówki. Z każdą kolejną zawstydzał mnie coraz bardziej. – To ja tu poczekam, aż przyjedziesz z ubraniami, tak? – zapytałam.

– Tak. Bądź ostrożna, Gosiu. Postaram się wrócić jak najszybciej.

Mówiąc to, dotknął mojego ramienia i spojrzał mi głęboko w oczy. Najwyraźniej jestem za bardzo na niego napalona. Muszę przestać zwracać uwagę na takie gesty. Mieszko tylko stara się być uprzejmy, a ja już wyobrażam sobie nie wiadomo co.

– Czekaj! A dlaczego akurat ta chatka musi być naszą bazą wypadową? Nie możemy zatrzymać się u mnie w mieszkaniu?

– Chcesz się tłumaczyć swojej współlokatorce z mojej obecności?

– Nie... A czemu nie możemy zatrzymać się u ciebie?

– Gosiu. Co prawda moja nauka u Mszczuja jest tylko przykrywką, jednak wolałbym, żeby ludzie o mnie nie plotkowali. Żerców nie obejmują śluby czystości, w zasadzie są wielce niepożądane, jednak nie powinienem oficjalnie mieszkać z kobietą. Poza tym moja gospodyni mogłaby mieć pretensje.

– No dobrze. Rozumiem. Możemy naszą bazę zrobić tutaj – zgodziłam się niechętnie. – Chciałabym jedynie zaznaczyć, że moja niechęć wynika tylko z braku dostępu do ciepłej bieżącej wody. To nie dlatego, że mi się tu nie podoba.

– Myślę, że prysznic będziemy mogli brać u mnie w mieszkaniu w Bielinach.

– Dorzucę ci się do rachunków za wodę – zaproponowałam hojnie.

– Nie musisz. Nie jestem biedny.

– Nie uważam, że jesteś biedny, po prostu... – urwałam zakłopotana.

– Spokojnie, Gosiu. – Puścił do mnie oko. – Miałem tysiąc lat na gromadzenie majątku. Nie zbiednieję, kiedy będziesz korzystać z mojego prysznica. Poza tym ta sytuacja chyba nie potrwa długo. Musimy szybko znaleźć wąpierza.

– Dobrze.

– Jadę. Wrócę niebawem.

Wyszłam przed chatkę owinięta w koc, żeby zobaczyć, jak odjeżdża na Niksie. Gdy na jego grzbiecie siedział potężny mężczyzna, koń wcale nie wyglądał na tak wielkiego.

Westchnęłam ciężko i rozejrzałam się po okolicznych drzewach. Jakimś tajemniczym sposobem ja – pragmatyczna hipochondryczka – wpadłam w sidła przygody.

Nie podobało mi się to. Zupełnie mi się to nie podobało, chociaż w bonusie dostałam seksownego władcę, którego kręcą koronki.

Spojrzałam na błękitne niebo. Miałam bose stopy, jednak mimo to postanowiłam przejść się odrobinę po okolicy. Poza tym koszmarnie chciało mi się sikać. Szczerze wątpiłam, że znajdę tu gdzieś wychodek. Nie zostawało mi nic innego, jak odejść kawałek i wypiąć się w krzaki z nadzieją, że nie wgryzie mi się w tyłek zbyt duża liczba kleszczy.

Całe szczęście, że ten rejon nie jest endemiczny dla boreliozy!

Drewniana chatka była malutka, ale zadbana. Wyglądała, jakby ktoś ją niedawno odnowił. Pewnie Mieszko, skoro często z niej korzystał. Dookoła domku znajdowała się niewielka wykarczowana polanka. Obeszłam chatkę dookoła. Za nią teren opadał w dół, a wąska ścieżka prowadziła do małego jeziorka.

Stanęłam na brzegu. Woda była krystalicznie czysta. Aż nie mogłam uwierzyć, że widzę pokryte drobnymi kamyczkami dno. W porastającej brzegi trzcinie słychać było kumkanie żab. Między kamieniami zobaczyłam kijanki. Pełna sielanka.

Dopiero po chwili zauważyłam, że jeziorko zasilało źródełko, które wybijało spomiędzy dużych kamieni. To dlatego było takie czyste. Po przeciwnej stronie wypływał z niego wąski na czterdzieści centymetrów strumyk, podążając w głąb lasu.

Stanęłam w wodzie, żeby opłukać zakurzone i ubłocone stopy. Uniosłam koc, nie chcąc go zamoczyć.

Woda wyglądała na tak czystą, że postanowiłam na chwilę zapomnieć o wszelkich obawach i wyrzucić ze świadomości strach przed zarazkami. Zdjęłam z ramion koc i odłożyłam go delikatnie na trawę. Koszulka ledwie zakrywała mi pośladki, więc bez obaw weszłam głębiej. Dno opadało lekko. Gdy woda sięgała mi już do połowy uda, stanęłam, nie chcąc zamoczyć ubrania.

Pochyliłam się i opłukałam ramiona oraz twarz, wmawiając sobie, że woda w jeziorku jest czysta. Było bardzo ciepło. Skóra szybko mi wyschła. Wystawiłam twarz do słońca, ciesząc się chwilą. Ból głowy zniknął. Nawet żołądek przestał ściskać się z głodu.

W miarę możliwości sprawdziłam wszystkie potencjalne miejsca na moim ciele, w które mógłby wgryźć się żądny krwi kleszcz. Na szczęście nie znalazłam żadnego pasażera na gapę.

Uspokojona, brodziłam w wodzie zadowolona z siebie, co chwilę mocząc ręce. Zupełnie straciłam poczucie czasu.

Nagle usłyszałam za plecami szelest. Odwróciłam się spłoszona.

Na brzegu stał Mieszko. Przyglądał mi się bez słowa, mrużąc oczy przed mocnym słońcem, które migotało na wzburzonej przeze mnie powierzchni wody.

– Nie usłyszałam cię – powiedziałam zakłopotana. – Długo tu stoisz?

W odpowiedzi tylko pokręcił głową.

Powoli, ostrożnie stawiając stopy na kamienistym dnie, ruszyłam w jego stronę. Miałam nadzieję, że jeziorko, do którego wlazłam, nie jest święte i Mieszko mnie nie zruga. W tym lesie każdy kamień wydawał się należeć do bogów.

Podał mi dłoń i pomógł wyjść na brzeg.

– Czyżbyś odkryła w sobie rusałkę?

– Och, wierz mi, do rusałki mi daleko – udawałam swobodę. – To przez tę przezroczystą koszulkę. Wiesz, gra świateł i takie tam.

Natychmiast narzuciłam na siebie koc. Chciałam zrobić na Mieszku dobre wrażenie, odkąd go poznałam, jednak niekoniecznie paradując przed nim praktycznie nago.

– Przywiozłem ubranie i coś do jedzenia – powiedział przed wejściem do chatki. – Poczekam tutaj.

Z ulgą weszłam do ciemnego i chłodnego wnętrza. Gdy już mnie nie widział, zawyłam bezgłośnie i podskoczyłam kilka razy ze złości.

Co jest ze mną nie tak?! Czemu on tak szybko wrócił?! Teraz pewnie myśli, że jestem wariatką paradującą nago po lesie!

Rozwścieczona rzuciłam koc na łóżko i prawie zerwałam z siebie nocną bieliznę. Niech Sława będzie przeklęta za to, że namówiła mnie na jej kupno. Przysięgam, że spalę to cholerstwo, gdy tylko wrócę do domu. Sto razy wolę moje babcine reformy, w których zawsze śpię.

Włożyłam koszulę Mieszka. Tak jak inne, była wykonana z porządnego płótna. Na szczęście nie prześwitywała zbytnio. Płócienne spodnie były na mnie o wiele za długie. Podciągnęłam je i mocniej ścisnęłam paskiem. Brakowało mi tylko butów. Zauważyłam, że Mieszko przywiózł grube skarpetki. Najwyraźniej nie znalazł w swojej szafie obuwia w rozmiarze zbliżonym do mojego. Splotłam włosy w warkocz i wyszłam na zewnątrz.

Nie czekając na mnie, jadł śniadanie na trawie.

– Wiedziałem, że utoniesz w moich ubraniach.

– Nie jest źle. Jak widzisz, całkiem dobrze sobie poradziłam – powiedziałam, pokazując mu podwinięte rękawy i nogawki.

Podał mi przygotowaną przez siebie kanapkę. Mieszko nie był mistrzem kuchni, więc i kanapka nie należała do najwykwintniejszych.

– Miałem w domu tylko ser – wyjaśnił, widząc, że uważnie przyglądam się jedzeniu.

– Jest okej. Lubię ser – powiedziałam szybko.

Całe szczęście, bo poza serem nic więcej pomiędzy dwiema kromkami chleba nie było.

Ustaliliśmy, że pojedziemy busem do Kielc po najpotrzebniejsze dla mnie rzeczy, a wrócimy moim samochodem. Mieszko pomimo tysiąca lat oszczędzania nie dorobił się własnego auta. Wyznał mi, że woli konie.

Na szczęście szeptucha dała mi krótki urlop, więc nie zaniepokoi się moją nieobecnością. Pewnie nawet nie podejrzewała, że wykorzystam go do zabijania wąpierzy. Sławie napisałam SMS-a, że wyruszam na małe zwiedzanie i w najbliższym czasie nie będę dostępna, bo zamierzam chodzić po lesie, gdzie nie ma zasięgu.

Mogłam zniknąć. Moje alibi było perfekcyjne. Oczywiście o ile ktoś z Bielin nie wypaple Babie Jadze, że chodzę do Mieszka na prysznic.

Cały dzień zajęły nam przygotowania do polowania. Zaczęliśmy od przewiezienia moich ubrań. Następnie zaopatrzyliśmy się w rzeczy niezbędne do pokonania wąpierza, takie jak długie, kilkucentymetrowe żelazne gwoździe, które będziemy musieli wbić mu w czaszkę, worek maku, którym powinniśmy posypać jego grób, i siekierę, na którą uparł się Mieszko, bo strasznie mu się spodobała.

Ach, ci faceci. Nic, tylko siekiery im w głowach.

33.

Przekształciliśmy chatkę w bazę z prawdziwego zdarzenia. Połowę stołu zajęła mapa okolicy, na której pinezkami zaznaczyliśmy wszystkie cmentarze. Broń i mak ustawiliśmy na półkach nad kominkiem. Mieszko rozłożył sobie śpiwór, a ja położyłam na łóżku swoje koce i poduszki, żeby było mi wygodniej. Moja walizka wylądowała w kącie obok jego plecaka. Do przenośnej lodówki schowaliśmy jedzenie, żeby nie dobrały się do niego mrówki. Na wszelki wypadek zaopatrzyliśmy się też w miód pitny, którym zamierzaliśmy świętować zwycięstwo, i wodę mineralną, którą ja będę później leczyć kaca.

Ustaliliśmy, że następnego dnia odwiedzimy cmentarz w Bielinach. Wąpierz z jakiegoś powodu zwabił mnie w pobliże tego miejsca. Musi mieć swoje legowisko gdzieś w pobliżu.

Mieszko rozpalił w kominku, chociaż noc była ciepła, i wyłączył lampę. Od razu pojawił się romantyczny nastrój. Chatka coraz bardziej mi się podobała. Sama zrobiłam kanapki na kolację, więc były o wiele bardziej zjadliwe.

– Opowiedz mi coś o sobie – poprosiłam, gdy usiedliśmy do jedzenia.

Zdziwił się.

– Co?

– Żyjesz tysiąc lat. Na pewno masz mnóstwo do opowiadania. – Wzruszyłam ramionami. – Gdybym ja miała tyle czasu, zwiedziłabym cały świat! Przejechałabym go wzdłuż i wszerz.

Zapatrzył się w ogień i zamilkł na dłuższą chwilę. Czekałam cierpliwie, gdy tymczasem on wędrował po swoich wspomnieniach. Ziewnęłam. Było jeszcze wcześnie, ale nie wyspałam się poprzedniej nocy.

Zaczęłam się zastanawiać, jak sama wykorzystałabym wieczność. Czy naprawdę spędziłabym ją na podróżach? Na pewno po części. Jednak co z resztą czasu? Co robić, gdy nie ma już nic nowego do zobaczenia? Nic nowego do zrobienia?

Miejmy nadzieję, że misja załogowa na Marsa się powiedzie. Wtedy będzie można jeszcze tam pojechać.

– To ja idę do łazienki, a ty pomyśl – zaproponowałam i zanim zdążył cokolwiek odpowiedzieć, wyszłam na zewnątrz.

Przeciągnęłam się i odetchnęłam z ulgą chłodnym powietrzem. Miałam na sobie tylko koszulkę, więc na moich ramionach od razu pojawiła się gęsia skórka.

Zapadł zmierzch. W powietrzu czuć było zapach nadchodzącego deszczu. Spojrzałam w ciemne niebo. Nie było widać gwiazd. Zanosiło się na niezłą ulewę. W zaroślach dookoła chatki cykały świerszcze. Poczułam, jak na ramieniu siada mi komar. Klasnęłam, ale zdążył uciec.

Nagle po plecach przebiegł mi dreszcz niepokoju. Coś było nie tak, bardzo nie tak. Rozejrzałam się, ale nie zauważyłam nic podejrzanego. Na wszelki wypadek ponownie spojrzałam w niebo, by się upewnić, że nie krąży po nim żaden ptak ani płanetnik. Człowiek już nigdzie nie jest bezpieczny.

Mieszko co prawda uparcie twierdzi, że nikt nie wie, gdzie się ukrywam, ale ja w to nie wierzyłam. Przesiadywanie w lesie, po którym na co dzień wesoło hasają bogowie i ich poddani, nie wydaje mi się dobrym pomysłem. Jednak nie było innego miejsca, gdzie moglibyśmy przeczekać całe to zamieszanie.

Chociaż mogliśmy przecież wynająć pokój w hotelu w Kielcach. Nie, to bez sensu. Nie mam pieniędzy na takie fanaberie. Codziennie musielibyśmy pokonywać kilkadziesiąt kilometrów samochodem, a tak byliśmy przynajmniej na miejscu.

Szybko poszłam w krzaki. Nie miałam zamiaru spędzić sama na dworze więcej czasu, niż było to niezbędne. Chciałam wrócić do romantycznej chatki i wysłuchać ciekawych opowieści.

Podbiegłam do stawu, żeby opłukać ręce i twarz przed snem. Ukucnęłam przy brzegu i nabrałam wody w dłonie.

Po drugiej stronie coś zaszeleściło. Woda przeciekła mi przez zdrętwiałe palce, gdy rozległ się niski pomruk.

Powoli wstałam, nadludzkim wysiłkiem powstrzymując cisnący się na usta krzyk przerażenia. Gęstwina tuż obok zafalowała, jakby przeszło za nią coś dużego. Bogowie! Co to może być?! Zaczęłam drżeć. Zrozumiałam, że określenie „skamieniały z przerażenia" jest prawdziwe. Chociaż chciałam uciekać, byłam tak przerażona, że nie mogłam się ruszyć.

Samotne wychodzenie na dwór, żeby „skorzystać z krzaczka", wcale nie było bezpieczne.

W zaroślach trzasnęła gałązka. Już miałam wrzasnąć, kiedy wyszedł spomiędzy nich pan Leszek, leśniczy. Jego brudny, znoszony mundur w ciemnozielonym kolorze stanowił kamuflaż idealny. Praktycznie zlewał się z otaczającą roślinnością. W zapadającym mroku nie było widać srebrnych haftów przedstawiających liście dębu, żołędzie i nasze godło, które zawsze są obecne na uniformach leśników. Dobrana kolorem czapka ze sztywnym daszkiem, tak zwana czapka garnizonowa, którą do mundurów galowych noszą też między innymi

Służby Powietrzne naszego Królestwa, przekrzywiła mu się zawadiacko na głowie. Wśród wystających spod niej siwych skołtunionych włosów zobaczyłam patyczek i liść. Ślady przedzierania się przez gęstwinę.

– O bogowie! – O mało nie usiadłam na ziemi z wrażenia. – Panie Leszku! Okropnie mnie pan nastraszył!

Jego krzaczaste wąsy poruszyły się pod nosem przypominającym sporych rozmiarów kartofel, ale nie dotarł do mnie żaden dźwięk.

– Pewnie zastanawia się pan, co tu robię – gadałam jak nakręcona. – Zatrzymałam się z kolegą w domku myśliwskim. Mam nadzieję, że to nie problem. Obiecujemy, że nie będziemy śmiecić. Nic z tych rzeczy. Wie pan, jest taka ładna pogoda. Ta pora roku jest wprost idealna na spędzenie kilku chwil na łonie natury.

Ponownie mruknął coś pod nosem.

– No tak… – Nie wiedziałam, co jeszcze mogę dodać. – Chyba nie dostaniemy żadnego mandatu, prawda?

Doskonale wiedziałam, że za wejście do rezerwatu trzeba zapłacić, kupując odpowiedni bilet. Myślałam jednak, że ta zasada mnie nie obowiązuje, skoro jestem szeptuchą.

Jeszcze ani razu nie szłam przez puszczę wyznaczonym szlakiem. Przy szlakach nie rosną dobre sosny na leczniczy syropek.

– Bo wie pan. Co prawda nocujemy w domku myśliwskim, ale nie polujemy. O nie! To zupełnie nie w naszym stylu.

Mężczyzna milczał.

– A może potrzebuje pan jakiejś porady lekarskiej? Znaczy szeptuchowej? – usiłowałam złapać się ostatniej deski ratunku, czyli małego przekupstwa. – Bo wie pan, panie Leszku, ja się szkolę u szeptuchy. Jestem już całkiem niezła w te klocki.

Krzaki koło leśniczego poruszyły się gwałtownie. Kompletnie tym zaskoczona odskoczyłam jakiś metr do tyłu.

Spomiędzy gałęzi wychynął pysk olbrzymiego niedźwiedzia brunatnego. Jego czarne ślepia błyszczały. Poruszył mięsistym nosem, usiłując wyczuć mój zapach. Pewnie nie było to trudne, bo pół godziny temu psiknęłam się perfumami, żeby ładnie pachnieć. Dla Mieszka, rzecz jasna.

Futro miśka faktycznie było brunatne, tak jak wskazywała na to jego nazwa. I w ogóle nie był wyliniały tak jak te nieszczęsne stworzenia w zoo.

Leśniczy położył dłoń na głowie zwierzęcia, a ono wydało z siebie westchnienie i z lubością przymknęło ślepia. Odetchnęłam z ulgą, widząc tę czułą, rodzinną wręcz scenkę.

– Tresowany niedźwiedź! – zapiałam z zachwytu. – Mogę pogłaskać?

Leśniczy wytrzeszczył na mnie oczy. Nie czekając na pozwolenie, podeszłam bliżej i delikatnie poklepałam zwierzaka po głowie. Zamruczał z aprobatą i sapnął. Miałam szczęście, że mnie nie obsmarkał. Jednak mimo że był uroczy, to odrobinę śmierdział. Natychmiast pożałowałam, że go dotknęłam.

– Mam nadzieję, panie Leszku, że pan na siebie uważa. Od dzikich zwierząt można złapać dużo nieciekawych chorób. Mogą też przenosić pasożyty. – Odrobinę ściszyłam głos, jakby misiek mógł się obrazić za moje słowa. – Powinien pan regularnie przyjmować środki na odrobaczanie.

Schyliłam się do jeziorka i opłukałam ręce. Nie przestawałam przy tym mówić:

– Poza tym powinien pan uważać na kleszcze. Właśnie zaczął się na nie sezon...

Gdy się podniosłam, leśniczy i jego niedźwiedź zniknęli. Rozejrzałam się dookoła zaskoczona.

– Co do...? Panie Leszku? Panie Leszku!

Nie miałam pojęcia, gdzie się podziali. Nie mogli przecież tak szybko odejść! Na dodatek zachowując kompletną ciszę. Nie wiem, jak pan Leszek, ale tak na oko ważący pół tony niedźwiedź nie wyglądał na mistrza gracji, który umie bezszelestnie prześlizgiwać się przez krzaki.

Gdy podeszłam do miejsca, w którym przed chwilą stali, zahaczyłam stopą o gałąź. Podniosłam ją. Odchodziły od niej trzy dębowe listki. Dziwne. Nigdzie w pobliżu nie rosną dęby...

Wróciłam do chaty i oparłam się o drzwi. Na wszelki wypadek zamknęłam drewniany skobel.

– Długo cię nie było – zauważył Mieszko. – Czyżbyś znalazła w lesie porządną łazienkę, o której nie wiem?

– Spotkałam leśniczego, pana Leszka. Dziwnie się zachowywał. Chyba. Może jak na niego to było całkiem normalnie, nie wiem. Pokazał mi swojego tresowanego niedźwiedzia – wyjaśniłam.

Nic nie odpowiedział. Złapał za siekierę, odepchnął mnie od drzwi i wybiegł z chatki bez żadnych wyjaśnień. Szczerze mówiąc, przeraził mnie bardziej niż pan Leszek ze swoim oswojonym miśkiem.

Szybko przebrałam się w piżamę, korzystając z jego nieobecności. Tym razem nie zamierzałam spać w żadnych cielistych koszulkach nocnych. Założyłam obszerny podkoszulek z grafiką przedstawiającą tygrysa i legginsy w paski. Tak jak każdego wieczoru zaplotłam włosy w warkocz, żeby się nie poplątały, kiedy w nocy będę kręcić głową po poduszce. Byłam zadowolona z końcowego efektu. Miałam nadzieję, że emituję teraz właściwą ilość seksapilu.

Mieszko otworzył zamaszyście drzwi, a te z hukiem uderzyły o ścianę. Razem z nim do pomieszczenia wpadł chłodny wiatr i pierwsze krople deszczu.

Można się go było przestraszyć. Gdy płomienie podświetliły jego twarz o mocno zaciśniętych wargach i zmarszczonych brwiach, wyglądał naprawdę przerażająco. No i na dodatek ściskał w dłoni siekierę.

– Nie znalazłem go – powiedział.

Zamknął za sobą drzwi i usiadł przy ogniu. Ściągnął przez głowę wilgotną koszulę i powiesił na kołku w pobliżu kominka. Nawet chciałam powiedzieć coś mądrego, ale zupełnie zapomniałam, co to miało być, kiedy zobaczyłam mięśnie jego brzucha.

Miałam nadzieję, że nie śliniłam się zbyt obficie.

– Czego od ciebie chciał?

– Hę?

O bogowie! Jakiż to wspaniały brzuch. Od pępka w dół aż do paska spodni biegła wąska linia złotych włosów. Przez głowę przeleciały mi łacińskie nazwy mięśni, których uczyłam się na anatomii. Mieszko miał je wszystkie dobrze wykształcone. Bardzo dobrze wykształcone.

Szkoda, że nie mieliśmy takich modeli anatomicznych.

– Gosia? – w jego głosie pojawiło się rozbawienie.

Chyba jednak śliniłam się na jego widok zbyt obficie.

– Nic nie chciał. – Zmusiłam się, żeby oderwać spojrzenie od jego brzucha i przenieść je na twarz.

– Jak to?

– Nic nie mówił. Wyszedł z lasu i po prostu stał. Powiedziałam mu, że zatrzymałam się w domku z kolegą i że nie będziemy śmiecić ani kłusować. Dobrze, że nie chciał nam wlepić mandatu. Pewnie powinniśmy spytać go o zgodę, zanim się tu wprowadziliśmy.

– Gosiu, to nie był leśniczy.

– No jak nie był! Oczywiście, że był. Już go kiedyś spotkałam, kiedy byłam w lesie z Babą Jagą.

Usilnie próbowałam sobie przypomnieć tamten dzień. Wydawało się, że to było całe wieki temu. Faktycznie nie powiedziała, że pan Leszek jest leśniczym. Sama wywnioskowałam to po jego mundurze. Szeptucha kazała mi być tylko ostrożną.

– To był leszy.

– Hę?

Muszę przestać mówić „hę". Moja twarz wyrażająca kompletne zdziwienie podczas wypowiadania tego słowa na pewno nie należy do najpiękniejszych.

– Nie gadaj – parsknęłam.

Nie... „nie gadaj" brzmi jeszcze gorzej.

– Spotkałaś opiekuna lasu, leszego.

– Baba Jaga powiedziała, że nazywa się Leszek.

– Najwyraźniej nie była jeszcze wtedy pewna, czy jesteś widzącą.

– Ale ma mundur leśniczego. Musi być leśniczym – mruknęłam.

Ten argument brzmiał zdecydowanie lepiej w mojej głowie, niż gdy wypowiedziałam go na głos.

– Ale skoro to opiekuńczy duch lasu, to nie zrobi nam krzywdy, prawda? – usiłowałam zatrzeć złe wrażenie. – Leszy powinien strzec lasu, wypasać zwierzęta i pomagać wędrowcom odnaleźć drogę.

– Do zadań leszego należy także zabijanie myśliwych i gubienie drogi wędrowcom, jeśli mu się nie spodobają. Zawsze też może zamienić się w dzikie zwierzę i po prostu nas zabić, jeśli przyjdzie mu taka ochota.

– No cóż... od brudnej roboty ma chyba tresowanego niedźwiedzia.

– On nie jest wytresowany, Gosiu.

– Ale go pogłaskałam.

Lekko zbladł.

– Nie rób tego więcej.

– Nie będę. – Teraz ja zbladłam.

Przeciągnął dłonią po opadających na oczy wilgotnych włosach. Na jego brodzie widoczny był ostry jednodniowy zarost. Patrzyłam, jak wstaje i zamyka drzwi na skobel.

– Co ty chciałeś mu zrobić tą siekierą? – zapytałam.

– Jest z żelaza. Krzywdy bym mu nie zrobił, ale może udałoby mi się go przepędzić. Nie wiemy, czyją stronę trzyma. Może służyć bogom. Nie powinien, bo jest opiekunem lasu, w którym oni tylko przebywają. Jednak musimy zachować ostrożność.

Usiadł po turecku na swoim śpiworze. Z rozrzewnieniem podziwiałam jego mięśnie, szczerze żałując, że nie mam wyćwiczonego brzucha. Zamiast kaloryfera posiadam tam taką jedną oponkę, w której skład wchodzą wszystkie moje złe dietetyczne wybory, i odrobinę cellulitu.

Trochę lipa.

– Chodźmy spać – zaproponował. – Nie ma co tego teraz roztrząsać.

Posłusznie położyłam się na łóżku i przykryłam kocami. Z radością przytuliłam policzek do poduszki, którą przywiozłam ze swojego mieszkania. Żeby dobrze się wyspać, muszę mieć swoją własną poduszkę.

– Dobranoc, Mieszko.

– Dobranoc.

34.

– Gosia! Gosia! Obudź się! Gosia!

Słowa powoli przebijały się przez szarą mgłę, która otaczała moją głowę. Czułam się, jakby ktoś przyłożył mi do uszu poduszki. Wszystkie dźwięki były stłumione i nierzeczywiste. A może tylko mi się śniły?

– Gosia!

Poczułam plaśnięcie w policzek. Natychmiast otworzyłam oczy zaskoczona bólem.

– Co? – Zachłysnęłam się powietrzem.

Złapałam się dłońmi za policzek, który piekł niemiłosiernie.

– Gosia! Gosia! Nie śpij!

Zamrugałam kilka razy, zastanawiając się, czemu jest tak ciemno. Czyżby ogień w kominku wygasł, kiedy spaliśmy?

– Co się stało?

Rozejrzałam się dookoła. Stałam przed chatką. Za plecami miałam otwarte na oścież drzwi. Siąpił deszcz. Byłam przemoczona. Tak jak stojący przede mną Mieszko. Nic z tego nie rozumiałam.

Trzymał mnie za ramiona i pochylał się nisko, żeby jego twarz znajdowała się na wysokości mojej. Zaciskał mocno usta.

– Gosia!

– Co się stało? – wydusiłam.

– Lunatykowałaś. Wyszłaś z chaty. Obudziło mnie skrzypienie drzwi.

Zadrżałam. Nigdy wcześniej to mi się nie zdarzało. Mieszko wyglądał na rozgniewanego. Deszczówka spływała mi po twarzy i wpadała do oczu. Widziałam go niewyraźnie.

– Jesteś na mnie zły?

– Co? – zdziwił się. – Nie, Gosiu, nie jestem na ciebie zły. Jeśli już, to powinienem złościć się na siebie. O mało mi się nie wymknęłaś.

Pogłaskał mnie czule po policzku, w który chyba, o ile dobrze pamiętam, przed chwilą uderzył.

– Wracajmy do środka.

Objął mnie ramieniem i poprowadził z powrotem do chaty. Ogień w kominku strzelał wesoło, pożerając suche drwa. Mieszko posadził mnie na ławie i usiadł tuż obok.

– Cała drżysz. Jak się czujesz?

– Dziwnie – przyznałam.

Szybko zamrugałam kilka razy. Niewyraźne widzenie, które przypisywałam początkowo wpadającej do oczu wodzie, nie poprawiło się w suchej izbie. To były chyba resztki dziwnego snu, który nie chciał mnie opuścić. Potarłam oczy kłykciami.

– Przepraszam – powiedział Mieszko. – Musiałem cię uderzyć. Nie chciałaś się obudzić. Nie powinno być śladu.

– Nie ma sprawy. Ja ci kiedyś przywaliłam łopatką w głowę.

– I w brzuch.

– I w brzuch – przytaknęłam.

Uśmiechnął się półgębkiem na to wspomnienie. Ja, myśląc o tamtej nocy, czułam tylko zażenowanie. Miło, że nie miał mi tego za złe.

Ukradkiem mocno uszczypnęłam się w ramię. Do oczu napłynęły mi łzy bólu. Jeszcze raz zamrugałam. Teraz widziałam już normalnie. Postanowiłam nie wspominać o tym Mieszkowi. Nie chciałam go niepotrzebnie martwić.

Rozplotłam warkocz i wzburzyłam włosy, żeby szybciej wyschły.

– Pamiętasz coś? – zapytał.

– Nie. Wiem, że położyłam się spać, a potem mnie walnąłeś.

– Przepraszam.

– Naprawdę nie szkodzi. Póki mam wszystkie zęby, to jest okej. Zdecydowanie wolę to od ugryzienia wąpierza.

Sięgnął ręką do mojego policzka i ponownie pogłaskał go delikatnie. Poczułam, jak moje serce zaczyna szaleńczo obijać się o żebra.

– Nie boli?

– Nie – wydusiłam.

Na końcu języka miałam stwierdzenie, że na pewno szybciej by się zagoiło, gdyby pocałował to miejsce. Niestety, a może na szczęście, nie jestem flirciarą.

Cisza się przedłużała. On ciągle trzymał dłoń przy mojej twarzy i wpatrywał się we mnie. Czułam, jak zaczyna mi brakować tlenu.

Przyznaję – nie wytrzymałam napięcia. Może gdybym poczekała jeszcze chwilę, to coś by się stało? Jednak nie poczekałam. Musiałam zaczerpnąć tchu.

– To co teraz? – zapytałam i nabrałam powietrza.

Mieszko odsunął się ode mnie zmieszany. Jego też zaskoczyło, że zamarł na tak długą chwilę. Wstał.

– Idziemy spać.

Ściągnęłam ubłocone i przemoczone skarpetki i włożyłam czyste. Na szczęście moja piżama dość szybko przeschła przy ogniu i nie musiałam się przebierać.

– A co, jeśli wąpierz znowu wywabi mnie z chaty? A tak w ogóle, to jak wyszłam? Przecież zamknąłeś drzwi.

– Otworzyłaś sobie skobel.

– Och...

– Położę się pod drzwiami. Jeśli będziesz chciała wyjść, będziesz musiała na mnie nadepnąć. Będzie dobrze, nie martw się. Drugi raz już mi nie uciekniesz.

Myślałam, że nie zasnę, ale gdy tylko położyłam głowę na poduszce, moja świadomość się wyłączyła. Chyba nawet nie zdążyłam przykryć się kocem.

To nie był normalny sen. To był koszmar. Widziałam przed sobą kocie zwężone oczy i słyszałam mrożący krew w żyłach szept: „Chodź do mnie, moja słodka, chcę cię posmakować".

Ostry ból w lewym policzku sprawił, że otworzyłam oczy. Zamrugałam. Znowu stałam na dworze, w deszczu. Przed sobą miałam zirytowanego Mieszka.

– Gosia? – zapytał ostro.

– Znowu? – jęknęłam.

Rozejrzałam się. Dookoła nas rosły drzewa. Nigdzie nie było widać drewnianej chatki. Musiałam odejść całkiem daleko, zanim mnie dogonił. Pomasowałam policzek.

– Przeszłam po tobie? – zapytałam.

– Wyskoczyłaś oknem.

Poczułam, jak krew odpływa mi z twarzy.

– Serio?

– Tak. Na szczęście obudził mnie przeciąg. Długo nie mogłem cię znaleźć. Dość szybko biegłaś.

– Przepraszam.

– To nie ty. To wąpierz. – Mięsień na jego szczęce kurczył się mocno, jakby Mieszko ze złości zaciskał zęby.

Przygarnął mnie do siebie i przytulił. Oparł brodę na czubku mojej głowy. Nie wiedziałam, co począć z rękami. W końcu niezdarnie objęłam go w pasie.

– Trzeba wymyślić coś innego – powiedział.

Z żalem musiałam go puścić, kiedy się odsunął. Wziął mnie za rękę i zaczął prowadzić pomiędzy drzewami. Syknęłam, kiedy stanęłam na jakiejś gałązce. W przeciwieństwie do Mieszka, który przed wyjściem włożył buty, byłam na bosaka. Moje skarpetki znowu przemokły. W tym tempie szybko wszystkie pobrudzę.

Mieszko odwrócił się do mnie zaalarmowany syknięciem.

– Stanęłam na czymś – wyjaśniłam niechętnie.

Nic nie powiedział. Wziął mnie na ręce niczym najszlachetniejszy rycerz z filmów.

Prawdę mówiąc, to noszenie nie jest jednak aż tak przyjemne. Po chwili jego ramię boleśnie zaczęło mi się wrzynać w plecy. Ale mogłam go objąć za szyję i bezczelnie gapić się na pochmurny profil.

Odwrócił się do mnie.

– Coś nie tak?

– Nie, nie – zaprzeczyłam szybko.

No, może nie do końca tak bezkarnie mogę pożerać go wzrokiem.

Podczas gdy ja znowu suszyłam włosy i zmieniałam skarpetki, Mieszko zdejmował z okien klamki. Nie miał śrubokrętu, więc po prostu je połamał. Z drzwiami nie poszło mu tak łatwo.

– Będę z tobą spał – powiedział wściekły.

– Co? – Z wrażenia aż się potknęłam, idąc do łóżka.

– Nie ma wyboru. Inaczej mogę znowu nie poczuć, że wstajesz. Tylko dzisiaj. Jutro zabezpieczę odpowiednio drzwi i okna. Teraz wolałbym mieć jednak pewność, że znów się nie wymkniesz.

– Eee... OK.

– Musimy się zastanowić, jak powstrzymać cię przed wstawaniem. Moglibyśmy przywiązywać cię do łóżka, ale to trochę barbarzyńskie. – Skrzywił się z niesmakiem. – Porozmawiamy o tym rano. Teraz chodźmy wreszcie spać.

O bogowie! Sława byłaby ze mnie dumna. Praktycznie bez żadnego wysiłku udało mi się zaciągnąć faceta do łóżka. Wystarczyło go dwa razy obudzić i zmusić do wyjścia na deszcz. Szkoda tylko, że proponując mi leżenie pod jedną kołdrą, jest taki zirytowany.

Położyłam się od ściany i przytuliłam do niej, żeby zająć jak najmniej miejsca, a najlepiej udać, że w ogóle mnie tu nie ma. Gdy usiadł, łóżko zatrzeszczało i ugięło się pod nim. No cóż. W końcu Mieszko to prawie dwa metry perfekcyjnie wykształconych mięśni. Musi być ciężki.

Położył się obok mnie i odkręcił w moją stronę. Nie mieliśmy większego wyboru. To nie było szerokie, podwójne łóżko. Musieliśmy się dotknąć. Poczułam jego ciepło na plecach i pośladkach. Skamieniałam.

– Teraz mi nie uciekniesz.

– Nie zamierzam – mruknęłam.

Zaśmiał się cicho pod nosem. Objął mnie ramieniem, przyciągając do siebie. Sapnęłam zawstydzona i zaskoczona tym, jak ciężkie jest jego łapsko. Zrobiło mi się strasznie gorąco, na moje policzki wypełzły rumieńce. Mieszko emitował bardzo dużo ciepła. Ucieszyłam się, że leżę do niego tyłem. Przynajmniej nie mógł zobaczyć mojej twarzy.

Pomyśleć, że pierwszy facet, z którym wylądowałam w łóżku, zamierza po prostu spać obok mnie.

Niemniej jest władcą. Nie zapominajmy o fakcie, że wylądowałam w łóżku z władcą. I to na dodatek z tym najsłynniejszym. Uważam, że należą mi się za to jakieś dodatkowe punkty, nawet jeśli tylko leżymy obok siebie.

– Ładnie pachniesz. Co to za zapach?

Zaczęłam gorączkowo się zastanawiać, którym szamponem umyłam dzisiaj włosy.

– Lipa. Kwiat lipy. Mam szampon o tym zapachu – wyjaśniłam.

– Podoba mi się.

Zaśmiałam się w duchu. Szampon o tej woni kupiłam przypadkiem. Spodobała mi się naklejka na butelce. Najwyraźniej jednak dobrze trafiłam. Lipa to święte drzewo kobiet. Drzewo będące symbolem kobiecej płodności, łagodności i wdzięku.

Nie sądziłam, że jej rzekomo magiczna moc tak szybko podziała.

– Śpij, Gosiu – szepnął.

Poczułam na szyi jego oddech. Mieszko zasnął niemal od razu. Po chwili usłyszałam, jak równo oddycha. W którymś momencie poruszył się i zarzucił nogę na moje łydki. Była jeszcze cięższa niż ramię. Następnie mruknął coś przez sen i przytulił mnie do piersi jak pluszową maskotkę.

Unieruchomiona w ten sposób, nie miałam najmniejszej szansy uciec niepostrzeżenie. Wydaje mi się, że wyskoczenie oknem było nieporównanie łatwiejsze od wysunięcia się spod tego mężczyzny.

Oczywiście nie usnęłam. Przez całą noc leżałam sztywno, żeby go nie obudzić, zawstydzona, że przytulanie się sprawia mi aż tyle radości. Najwyraźniej podniecenie spowodowane dotykaniem Mieszka działało silniej niż halucynogenne sny zesłane przez upira.

Kto by pomyślał!

35.

Ziewnęłam ukradkiem, żeby Mieszko nie zauważył. Gdy rano zapytał, jak spałam i czy mi nie przeszkadzał, skłamałam, że nie mam żadnych zastrzeżeń i że wyspałam się jak nigdy dotąd.

To było kłamstwo szyte bardzo grubymi nićmi. Na szczęście zdołałam złapać kilka godzin snu nad ranem, gdy przewrócił się na plecy i uwolnił moje nogi, ratując je przed niedokrwieniem.

Rozkoszne było to, że przez sen wsunął mi ramię pod plecy. Gdy sam położył się na wznak, przyciągnął mnie do siebie, dzięki czemu mogłam trzymać głowę na jego ramieniu jak na poduszce. Jednak mimo że było mi wygodnie, i tak miałam problemy z zaśnięciem. Za dużo emocji.

Z samego rana ruszyliśmy na najbliższy cmentarz znajdujący się w Bielinach. Był na nim tylko jeden świeży grób, należący do leciwej kobiety. Mogliśmy raczej przyjąć, że to nie jest prześladujący mnie upir.

– A jak starych grobów powinniśmy szukać? – zapytałam, gdy przeszliśmy ogrodzony teren wzdłuż i wszerz.

– Właściwie to nie wiem – odparł. – Wydaje mi się, że grób twojego wąpierza nie może być stary. Ale nie słyszałem, żeby w okolicy zdarzały się ostatnio zaginięcia. Czy do szeptuchy zgłaszał się ktoś z niedokrwistością?

– Nie. I to nie jest mój wąpierz – zaperzyłam się.

– W takim razie albo wąpierz jest wyjątkowo sprytny i bardzo mało je, albo całkiem nowy.

Przypomniałam sobie ekstazę, w jaką wpadł, gdy wysysał ze mnie krew. Nie byłam przekonana, czy zdołałby się powstrzymać przed zabiciem mnie, gdyby nie fakt, że będę potrzebna Welesowi w czerwcu.

– Chyba nie jest sprytny – stwierdziłam. – Gdyby mógł, toby mnie wyssał.

– W takim razie szukajmy grobów młodych mężczyzn z ostatniego roku albo dwóch. Starsze wąpierze potrafią już powstrzymać swoje chucie.

Okazało się, że zadanie wcale nie jest łatwe. W okolicy było kilkanaście cmentarzy, które powinniśmy gruntownie przeszukać. Większość z nich była całkiem spora. Pierwszego dnia zdążyliśmy przejść się tylko po trzech. Na pierwszym nie było grobów młodych mężczyzn, jednak na pozostałych dwóch leżało kilku facetów, którzy mogli odpowiadać rysopisowi mojego wąpierza. Zapowiadały się żmudne poszukiwania.

Kolejne dni, a potem tygodnie spędziliśmy na spacerach po okolicznych cmentarzach. Mieszko całkowicie zaniedbał swoje nauki u wróża, jednak ten zdawał się nawet nie zauważyć nieobecności ucznia. Codziennie, gdy wpadaliśmy do jego wynajętego mieszkania, żebym mogła wziąć prysznic, mijaliśmy zaniedbaną chatynkę guślarza. Kilka razy nawet go przywitaliśmy. Zwykle siedział kompletnie zawiany na krzywej ławce w obejściu i machał nam przyjaźnie.

Marny z niego nauczyciel. Ja poważnie bym się zaniepokoiła, gdyby mój uczeń przestał do mnie przychodzić.

Na szczęście szeptucha, znacznie bardziej rozgarnięta od Mszczuja, również nie przejęła się moją absencją. W końcu sama doradziła mi, żebym wyjechała na małe wakacje i pozwiedzała trochę okolicę. Może nie podejrzewała, że urlop będzie aż tak długi, ale tylko raz zadzwoniła, by zapytać, jak się czuję.

Nawet nie skłamałam, mówiąc, że czuję się świetnie. Siedziałam akurat na łące przed domem i patrzyłam, jak Mieszko bez koszuli rąbie drwa do kominka. Kto, patrząc na to, nie czułby się świetnie?

Baba Jaga zapewne nawet w najśmielszych snach nie podejrzewała, że spędzam wczasy w letniej chatce bez kanalizacji, mając w pakiecie wycieczki fakultatywne po cmentarzach z najseksowniejszym przewodnikiem w cenie.

Za to powiedziała mi, że zasięgnęła języka u innych szeptuch i poszerzyła swoją wiedzę z zakresu demonologii. Ustaliłyśmy, że będę musiała się wszystkiego nauczyć, gdy wrócę ze zwiedzania okolicznych atrakcji turystycznych.

Przez zdecydowaną większość czasu Mieszko był wobec mnie bardzo opiekuńczy. Cierpliwie znosił moje histerie, kiedy upierałam się, że muszę wziąć prysznic w cywilizowanych warunkach (za każdym razem myłam włosy szamponem z kwiatów lipy, rzecz jasna), a w nocy pocieszał mnie, gdy wąpierz śpiewał mi we śnie swoje opętańcze pieśni. Nawet pomagał mi każdego wieczoru sprawdzić, czy podczas spaceru po lesie nie złapałam kleszcza.

Zabił okna deskami i zamontował w drzwiach solidny zamek, do którego tylko on miał klucz. Teoretycznie powinno powstrzymać mnie to przed ucieczką.

Nie powstrzymało na długo. Pierwszej nocy nie zdołałam się uwolnić. Jednak kolejnej już tak. Wąpierz poprowadził mnie tak, by udało mi się wykraść klucz. Na szczęście dźwięk otwieranego zamka obudził mojego opiekuna.

W związku z tym następnej nocy wpadł na inny pomysł. Zawiązał mi na nadgarstku na supeł długi sznurek. Jego drugi koniec przywiązał do swojej ręki. Mieliśmy nadzieję, że w ten sposób obudzę go, wstając, nawet wtedy, gdy nie będziemy leżeć obok siebie. To też nie zdało egzaminu. Pierwszy supeł rozwiązałam. Drugi, solidniejszy, przegryzłam (fu...).

Wróciliśmy do wspólnego spania na wąskim łóżku. Przynajmniej wtedy nie mogłam się bezszelestnie wymknąć. Każde moje poruszenie stawiało Mieszka na nogi. Którejś nocy, gdy był już bardzo niewyspany, zerwał się i złapał siekierę, zanim zdążyłam ziewnąć.

Osobiście nie narzekałam. Bardzo mi się podobało, że mogę się do niego co noc bezkarnie przytulać.

On nie znosił tego aż tak dobrze. Niewyspanie wyraźnie mu nie służyło. Mam wrażenie, że każdy dzień spędzony na poszukiwaniach coraz bardziej go rozdrażniał. Bądź byłam to ja i moja kleszczowa fobia, która osiągnęła apogeum, kiedy pewnego dnia faktycznie jedna z tych małych kreatur mnie ugryzła.

Przysięgam, że najbliższy miesiąc będę czujnie się obserwować w poszukiwaniu rumienia wędrującego, oznaczającego zakażenie boreliozą. A potem zaaplikuję sobie końską dawkę antybiotyku.

Łudziłam się, że kiedy co noc będziemy tak leżeć obok siebie, do czegoś pomiędzy nami dojdzie. Niestety spotkało mnie gorzkie rozczarowanie.

Zupełnie jakby Mieszko uznał, że jestem nietykalna.

W końcu zwiedziliśmy wszystkie cmentarze i ustaliliśmy, w jakiej kolejności będziemy je przeszukiwać. Rozpoczęliśmy drugą fazę naszego polowania. Myślałam, że wytypowanie odpowiedniego miejsca wiecznego spoczynku w dzień jest męczące. Nawet nie zdawałam sobie sprawy, jak trudne jest rozkopanie starego grobu bądź przesunięcie kamiennej płyty nagrobnej.

Mieszko uważał, że nie wystarczy sprawdzić, który grób jest już rozkopany. Był przekonany, że musimy odsłonić każdą trumnę, by zobaczyć, czy spoczywający w niej nieboszczyk nie wygląda podejrzanie.

Kolejne nieprzespane noce mijały nam na grzebaniu się w ziemi. Bez większego efektu.

Niestety nie mogliśmy rozkopywać interesujących nas mogił w dzień. Musieliśmy poczekać do nocy, kiedy mieliśmy pewność, że nikt nas nie zobaczy, choć z drugiej strony upir mógł wtedy obudzić się do życia. Istniało niebezpieczeństwo, że go spotkamy. Jedyny plus był taki, że gdy nie spałam, nie mogłam zostać opleciona czarem wąpierza.

To była już kolejna noc, gdy szukaliśmy grobu.

Mieszko miał w plecaku większość potrzebnych sprzętów. Wręczył mi łopatę. Najwyraźniej zakładał, że za jej pomocą nie powinnam zrobić sobie krzywdy. Nic bardziej mylnego. Chcąc mu pokazać, że dam sobie radę, wesoło zarzuciłam ją na ramię. Rzecz jasna łyżką do góry. Zacnych rozmiarów siniak dość długo będzie zdobił środek mojego czoła.

– Jak to dzisiaj zrobimy? – zapytałam. – Będziemy rozkopywać wszystkie groby?

– Najpierw sprawdźmy, czy któryś z nich już nie jest rozkopany. Zapadł zmrok. Może wąpierz wyruszył na łowy. To by nam bardzo ułatwiło zadanie.

Wyciągnęłam z kieszeni kartkę, na której zapisałam interesujące nas numery mogił. Poświeciłam latarką, żeby zobaczyć, co napisałam.

– Poczekaj. Musimy najpierw iść rzędem dwunastym, a potem skręcić w prawo. W ten sposób nie nadłożymy drogi.

Zauważyłam, że Mieszko przygląda mi się z tym swoim krzywym uśmiechem.

– Co? – zapytałam.

– Nic. Po prostu kogoś mi przypominasz.

– Kogo?

– Kogoś, kogo znałem bardzo dawno temu.

Metalowa brama prowadząca na teren cmentarza była zamknięta na kłódkę. Mieszko przerzucił przez ogrodzenie plecak, a następnie ukucnął i ułożył dłonie w kołyskę.

– Podsadzę cię.

– A co zrobimy, jeśli ktoś nas nakryje? – zapytałam.

Ta możliwość praktycznie paraliżowała mnie przez ostatni tydzień, kiedy włamywaliśmy się na cmentarze. Bogowie! Co by ludzie pomyśleli, gdyby nakryto nas na rozkopywaniu grobów. Taki wstyd! I zapewne sprawa karna...

Wsunęłam stopę w jego dłonie i złapałam za kraty. Mieszko bez wysiłku podsadził mnie i prawie przepchnął na drugą stronę. Przysięgłabym, że przez jakąś setną sekundy jego dłoń znalazła się na moim pośladku.

– Hej! – zareagowałam zaskoczona.

– Jeśli ktoś nas nakryje, powiemy prawdę – oświadczył niczym niezrażony.

Przerzuciłam nogi przez ogrodzenie i zeskoczyłam. Tuż obok mnie, zwinnie niczym kot, opadł na ziemię Mieszko.

– Chcesz wyznać prawdę? O tym, że polujemy na wąpierza?

– Powiemy, że ja jestem na naukach u Mszczuja, a ty u Baby Jagi w Bielinach i że na wszelki wypadek sprawdzamy okoliczne cmentarze w poszukiwaniu upirów. Następnie poprosimy o dyskrecję dla dobra naszej misji.

– I myślisz, że ktoś na to pójdzie?

– Na wsi, w przeciwieństwie do mieszkańców miast, ludzie są przesądni. – Wziął mnie za rękę i pociągnął w ciemność pomiędzy grobami.

– To czemu od razu nie oświadczymy wszystkim, że polujemy na wąpierza? Może pomogliby nam szukać.

– Wąpierz mógłby się dowiedzieć od jednej ze swoich ofiar i zniknąć.

Hm... całkiem logiczne wytłumaczenie.

– Gosiu, jeśli nie chcesz mówić prawdy, zawsze możemy powiedzieć ewentualnym strażnikom cmentarza, że wybraliśmy się na schadzkę.

Poczerwieniałam. Na szczęście w tych ciemnościach nie mógł tego zobaczyć.

– No nie wiem...

On oczywiście zaczął się śmiać, słysząc moje zakłopotanie. Od początku sobie ze mnie żartował.

Szybkim krokiem przemierzyliśmy cały cmentarz. Żaden z interesujących nas grobów nie był rozkopany. W przeciwieństwie do Mieszka byłam zawiedziona.

– Co teraz? – zapytałam. – Kopiemy?

– Kopiemy... – Westchnął ciężko.

Praca była żmudna. Najtrudniejsze okazało się przesuwanie kamiennych płyt. Sama nigdy nie dałabym rady. Na szczęście Mieszko dysponował odpowiednią siłą.

Po rozkopaniu szóstego, ostatniego miejsca pochówku, które było według nas na tym cmentarzu podejrzane, usiadł ciężko na drewnianej ławce.

– Nie jestem pewien, czy dobrze robimy – powiedział. – Może powinniśmy najpierw sprawdzić wszystkie cmentarze po zmroku, żeby zobaczyć, czy któryś grób nie jest rozkopany?

Usiadłam obok niego.

– A nie lepiej sprawdzić raz a porządnie?

– Zostało nam jeszcze pięć cmentarzy. Zakładając, że średnio na odwiedzenie jednego schodzi nam cała noc, przed nami pracowity tydzień.

– Może będziemy mieć szczęście i następny będzie tym, którego szukamy?

Zaśmiał się z mojego entuzjazmu.

– Wracamy?

– Tak. – Ziewnęłam. – Jestem padnięta. Chętnie poszłabym już spać.

Nagle, gdzieś za naszymi plecami, rozległ się cichy szelest. Oboje zerwaliśmy się na równe nogi. Mieszko zasłonił mnie swoim ciałem. Wczepiłam się palcami w jego koszulę, sparaliżowana strachem. Nie chciałam, żeby wąpierz znowu mnie zaatakował. Mężczyzna syknął w ciemność:

– Pokaż się.

Odpowiedziała mu cisza. Szelest już się nie powtórzył. Dłuższą chwilę staliśmy w bezruchu.

– To chyba nic takiego. – Mieszko rozluźnił się.

Puściłam jego koszulę i odetchnęłam z ulgą. Bałam się, że to wąpierz po mnie przyszedł. Przez niewyspanie oboje mieliśmy nerwy napięte jak postronki. Przydałby się nam porządny odpoczynek.

– Wracajmy – zarządził Mieszko. – Nie ma sensu tkwić tu dłużej. To nie jest właściwy cmentarz. Nie wiem jak ty, ale ja po tym kopaniu w ziemi mam ochotę na kąpiel w jeziorze za chatą.

– Zbliża się Stado. Myślisz, że kąpanie się nocą w dzikich jeziorkach to dobry pomysł? – zapytałam.

Mieszko pomógł mi przedostać się przez ogrodzenie. Ponownie przypadkiem mnie dotknął.

– To już? – zdziwił się.

– Za kilka dni Zielone Świątki – potwierdziłam.

– Myślisz, że zaatakują mnie rusałki?

– Nie wiem, może. Jeszcze kilka tygodni temu wyśmiałabym cię, gdybyś mi powiedział, że będzie polował na mnie wąpierz. Teraz jestem w stanie uwierzyć w boginki, które topią przystojnych mężczyzn podczas Rusałczego Tygodnia.

– Hm. Uważasz, że jestem wystarczająco przystojny, żeby jakaś rusałka się skusiła?

– Nie podpuścisz mnie.

Westchnęłam w duchu. Stado, tak jak Jare Święto, było mi kompletnie obce. Jako mieszkanka nowoczesnej Warszawy nie obchodziłam go tak, jak robiono to na wsiach.

Z tego, co wiedziałam, my, Słowianie, w przeciwieństwie do większości współczesnych kultur, obchodziliśmy dwa święta zmarłych. Jedno na jesieni, tak zwane Zaduszki albo Dziady, a drugie na wiosnę, czyli Stado bądź jak kto woli, Zielone Świątki, które wchodziły w skład obchodów trwających siedem dni, czyli Rusałczego Tygodnia.

Podczas wiosennych rytuałów rozpalano na wzgórzach tradycyjne ogniska i oddawano się szalonej zabawie na cmentarzach, by przodkowie mogli świętować razem z żyjącymi. Domy należało przyozdobić kwiatami, tatarakiem i odstraszającymi złe moce brzozowymi witkami. Jak mówią legendy, podczas tygodnia szaleńczych zabaw z duchami dochodziło do orgii i pijaństwa.

Po głębszym zastanowieniu to każde nasze święto wedle opowieści powinno kończyć się orgią i pijaństwem. Aż mi wstyd za przodków.

Zgodnie z tradycjami przez całą zimę, aż do Nocy Kupały, nie wolno było kąpać się w rzekach czy jeziorach, gdyż groziło to śmiercią z rąk boginek. Według mnie osoby kąpiące się zimą w jeziorach umierały raczej na zapalenie płuc niż na chucie niemożliwe do spełnienia, które nasyłały na nieszczęśników rozchichotane rusałki, ale co ja się tam znam.

Rusałczy Tydzień był najniebezpieczniejszym okresem w całym roku.

– Czemu tak przycichłaś? – zapytał Mieszko, gdy wysiedliśmy z samochodu tuż przy ścianie starego lasu.

Przed nami był jeszcze kawałek piechotą do naszej chatki.

– A, tak jakoś. – Wzruszyłam ramionami. – Myślę o Zielonych Świątkach.

– A o czymś konkretnie?

– O obchodach, zabobonach.

– Chcesz mi teraz powiedzieć, że nie powinienem kąpać się w jeziorze, bo zostanę porwany przez rusałki?

– No wiesz... skoro wąpierze istnieją...

– Zapewniam cię, że nic się nie stanie. Jest ciepła noc, wprost stworzona do kąpieli w jeziorze, a ja jestem cały umorusany ziemią. Muszę się umyć. Nie będę z tym czekał do jutrzejszego prysznica. Chyba nie chcesz, żebym w takim stanie poszedł z tobą do łóżka?

Na końcu języka miałam odpowiedź, ale przez ostatnie dni Mieszko udowodnił, że flirt na niego nie działa.

Burknęłam tylko coś niewyraźnie.

Za to on był w doskonałym nastroju. To całe grzebanie się w ziemi doskonale mu zrobiło. Kto by się spodziewał?

W końcu dotarliśmy do domku. Mieszko niedbale rzucił na ziemię plecak i narzędzia. Następnie ściągnął przez głowę koszulę, która także bezceremonialnie powędrowała na trawę.

– Kto ostatni w jeziorze, ten jutro rąbie drwa! – krzyknął.

36.

Była pełnia. Mieszkając w tej głuszy przez ostatnie dni, przyzwyczaiłam się już do ciemności, którą rozświetla nocą tylko biały satelita i gwiazdy. W związku z tym doskonale widziałam Mieszka, który po zdjęciu z siebie koszuli równie szybko pozbył się butów, spodni, skarpetek, a także na samym końcu bokserek...

Oczywiście tak mnie tym zaskoczył, że nie ruszyłam się z miejsca.

Mieszko, świecąc gołymi pośladkami, przebiegł przez łąkę i wskoczył do jeziorka. Przeszedł na środek, gdzie dno opadało głębiej. Zanurzył się z głową i zawył radośnie, rozchlapując wodę, gdy wychynął na powierzchnię.

– Ha! W takie noce czuję, że żyję – krzyknął. – Zupełnie jak przed wiekami!

Nieśmiało stanęłam na brzegu. Przestąpiłam z nogi na nogę.

– Przypomniało ci się, jak byłeś Dagome? Zanim zostałeś władcą i kazano ci się kąpać w złotych wannach? – spytałam, zerkając tęsknie na jeziorko.

W świetle księżyca nieruchoma tafla zachęcała do kąpieli. Zapraszała, żeby przez chwilę zanurzyć się w jej czystych falach. Woda chyba nie była lodowata. Mój towarzysz nie wyglądał na zmarzniętego.

– Za moich czasów nie było złotych wanien. Jednak masz trochę racji. Teraz czuję się bardziej jak Dagome niż jak Mieszko. Kiedy byłem zwykłym wojownikiem, często kąpałem się nocami w jeziorach i rzekach. Potem nie było to już dobrze widziane.

– A czemu właściwie przyjąłeś imię Mieszko? Nie mogłeś zostać Dagobertem?

– Po tym jak Siemomysł mnie usynowił, musiałem przyjąć nowe imię. Moje było obce. Stając się Mieszkiem, łatwiej zostałem zaakceptowany przez poddanych.

Zgodnie z opowieściami w żyłach naszego najsłynniejszego władcy płynęła krew mężnych wojowników z Północy, wikingów. Słowianom mogło się nie podobać, że ich przywódcą ma zostać cudzoziemiec.

– A czemu teraz nie używasz imienia Dagome? Możesz chyba do niego wrócić.

– Bardzo bym chciał, ale mało kto nosi to imię. Wyróżniałbym się.

– Jeśli chcesz, to ja mogę się tak do ciebie zwracać.

– Nie musisz, ale to miło z twojej strony. Nie wchodzisz? Jeśli się pospieszysz, rozważę rąbanie drwa za ciebie.

– Ja... to znaczy...

Zaśmiał się z mojego zmieszania.

– Nie gryzę. Nie wstydź się. Woda jest całkiem ciepła – kusił.

– Okej, ale odwróć się, jak będę się rozbierać. I nie podglądaj. – Pogroziłam mu palcem.

Sama nie wiem, czemu to zrobiłam. Dlaczego zaczęłam zrzucać z siebie ubranie. Dlaczego mu uległam.

Nie musiałam zdejmować bielizny. Jednak uznałam, że pozostanie w niej byłoby nie fair wobec Mieszka. Poza tym nigdy nie kąpałam się nago w jeziorze. Było w tym coś podniecającego.

– Mogę już się odwrócić? – zapytał.

Weszłam szybko do wody: chłodnej, ale w przyjemny sposób. Opłukałam twarz w nadziei, że dzięki temu rumieńce znikną z moich policzków.

– Chwileczkę.

Zanurzyłam się głębiej.

– I jak woda?

– Przyjemna. – Musiałam to przyznać. – Już możesz się odwrócić.

Podpłynął do mnie i stanął naprzeciwko na kamienistym dnie. Byliśmy w takim miejscu jeziora, że mnie woda sięgała do ramion, a jemu do połowy klatki piersiowej. Uśmiechał się szeroko.

– I jak? Ja nie widzę żadnych rusałek, które mogłyby nas utopić.

– No może. – Rozejrzałam się czujnie. – Ale wiesz, jest pełnia. One podobno wyłażą wtedy ze swoich legowisk i tańczą na brzegach. Ja co prawda nie wierzę w takie rzeczy, ale jakby co, to nie mam piołunu, który mógłbyś sobie wsadzić w kieszeń, żeby je odpędzić.

– A ja nie mam na sobie niczego z kieszeniami – odparł wesoło.

Gdy wróciłam do niego spojrzeniem, zauważyłam, że bacznie mi się przygląda. Drugą rzeczą, którą dostrzegłam, było to, że krystalicznie czysta woda niczego nie zasłania. Objęłam się ramionami.

– Mieszko! – syknęłam z naganą. – Oczy mam wyżej!

Specjalnie na naszą nocną wycieczkę na cmentarz spięłam włosy w wysoki kok, z którego po kilku godzinach zaczęły wysuwać się krótsze kosmyki. Sięgnął ręką i odgarnął mi mokre włosy z twarzy.

– Ty jesteś jedyną rusałką w okolicy – powiedział.

Nagle cofnął dłoń, jakby moja skóra go oparzyła, i odsunął się ode mnie.

– Nie powinienem. Przepraszam.

Ja pewnie też nie powinnam. Ba! Zdecydowanie nie powinnam. Po prostu się nad tym nie zastanowiłam. W ogóle. Chociaż raz nie pomyślałam i nie przeanalizowałam dogłębnie tego, co zamierzam.

I wcale nie wyszło mi to na złe.

– Dagome – szepnęłam.

Przysunęłam się do niego. Objęłam jego twarz dłońmi, stanęłam na palcach i pocałowałam go prosto w usta. Poczułam, jak jego dłonie obejmują mnie w talii. Przyciągnął mnie do siebie, jakby się obawiał, że mu ucieknę.

Rozchyliłam usta. Całowaliśmy się coraz gwałtowniej. Jedną ręką objęłam go za szyję, a drugą złapałam za włosy na karku. Przytulił mnie. Aż jęknęłam, gdy poczułam dotyk jego skóry na swoich nagich piersiach.

Uniósł mnie delikatnie ponad wodę. Jego dłoń zacisnęła się na moim pośladku. Objęłam go w biodrach nogami. Tak bardzo go pragnęłam. Chciałam się z nim kochać. Teraz. Natychmiast! Zginę, jeśli tego nie zrobimy. Spłonę. Czułam, że on też jest na skraju wytrzymałości.

Nagle odsunął głowę. Otworzyłam oczy. Brakowało mi powietrza i kręciło mi się w głowie. Miałam wrażenie, że zaraz zemdleję od nadmiaru emocji albo zacznę krzyczeć z tęsknoty za jego pocałunkami.

– Gosiu – szepnął.

Zaczerwieniłam się gwałtownie. Moje policzki pałały żarem. Rzuciłam się na niego.

O bogowie!

– Przepraszam – powiedziałam.

Wciąż nie wypuszczał mnie z objęć.

– To ja cię przepraszam. Gosiu, nie powinniśmy. Nie chcę cię skrzywdzić – stwierdził ponurym głosem. – Nie jestem dla ciebie odpowiednim mężczyzną.

– To ja powinnam zdecydować, kto jest dla mnie odpowiedni – odparłam dumnie, mało chwalebnie chwytając się brzytwy.

– Gosiu – usłyszałam w jego głosie smutek. – Jesteś wspaniałą kobietą. Chcę, żebyś wiedziała, że gdybyśmy poznali się w innych okolicznościach, nie wahałbym się nawet chwili.

Puściłam go i odepchnęłam od siebie. Poczułam wstyd. Objęłam się rękami, żeby nie widział przez czystą wodę moich piersi.

– Nie rozumiem. – Pokręciłam głową. – Co jest ze mną nie tak?

– Nic. Gosiu. Nic nie jest z tobą nie tak. Jesteś wspaniałą kobietą. Bogowie są świadkami, że przez ostatnie noce ciężko mi było utrzymać ręce z dala od ciebie. Spodobałaś mi się pierwszego dnia, kiedy się spotkaliśmy. – Oparł mi dłonie na ramionach i spojrzał głęboko w oczy. – Ale to nie ma najmniejszego sensu. Zrozum.

Szczerze mówiąc, to nie rozumiałam. Było mi za to strasznie wstyd.

– Przepraszam cię. Nie powinienem był proponować ci tej kąpieli. Nie wiem, co we mnie wstąpiło. To chyba przez tę naszą rozmowę. Poczułem, że mogę być dawnym sobą.

– Przecież...

– Nie mogę – przerwał mi. – Posłuchaj. Mam ponad tysiąc lat. Jestem zmęczony. Przeżyłem wszystkie moje żony, dzieci, wnuki, prawnuki i ich potomków. Przez te lata wielokrotnie się zakochiwałem. To nigdy nie przyniosło niczego poza żalem i smutkiem.

– Ale...

– Nie możemy być razem. Zamierzam umrzeć. Podjąłem tę decyzję świadomie. Nie chcę, żebyś cierpiała.

– Przecież nie chcę wychodzić za ciebie za mąż – prychnęłam. – Chcę ciebie. Teraz, tutaj. Nie skrzywdzisz mnie.

– Nie mam ci nic do zaoferowania. – Pokręcił głową i odsunął się o krok. – Gosiu, zrozum. To nie ma najmniejszego sensu.

Dla mnie miało. Czułam się odtrącona, niechciana.

– Daj mi siebie. Dzisiaj. Bądź moim Dagome.

Ponownie przyciągnął mnie do siebie. Oparł brodę na czubku mojej głowy i opiekuńczo objął ramionami.

– Nie będę cię narażał. Nie możemy być razem, zrozum.

Narażał? „Niby na co?" – miałam ochotę to wykrzyczeć. Czułam, że nie mówi mi całej prawdy.

– Nic od ciebie nie chcę – skłamałam. – Nie możesz po prostu być Dagome, wróżem, a ja Gosią, szeptuchą?

Zaśmiał się. Podobnie jak ja wiedział, że te dwie osoby często łączy coś więcej niż obowiązki. Pewnie niechęć Baby Jagi do Mszczuja jest spowodowana nie tylko jego brakiem zamiłowania do higieny. Już od dawna czułam, że kiedyś było coś między nimi.

– To wręcz nasza powinność, żebyśmy byli... w dobrych stosunkach – kusiłam dalej.

Całe szczęście, że nie widział mojej twarzy. Bogowie! Starałam się uwieść mężczyznę i na dodatek władcę. Było mi bardzo, bardzo wstyd.

Sięgnął do mojej brody i uniósł tak, żebym na niego spojrzała. Pocałował mnie delikatnie w usta. Ten pocałunek nie był namiętny. Był delikatny, słodki, pełen uczucia.

– Chciałbym być twoim Dagome... Sprawiłaś, że poczułem się znowu żywy – wyznał. – Od dziesiątków lat nie czułem się tak jak przez ostatnie dni. Dziękuję ci.

– No cóż... nie ma za co.

– Nie martw się. Będę silny za nas oboje.

Skrzywiłam się, na co on się zaśmiał.

– Chcę, żebyś wiedziała, że naprawdę żałuję, iż nie spotkaliśmy się w innych okolicznościach.

– Zapamiętam – mruknęłam ponuro.

– Wracajmy do domu – zaproponował. – Powinniśmy się wyspać.

Wziął mnie za rękę i zaczął prowadzić w stronę brzegu. W którymś momencie puścił moją dłoń.

– Wyjdę pierwszy, żebyś mogła się spokojnie ubrać.

Następnie praktycznie wybiegł na brzeg, złapał swoje ubranie i zniknął na ścieżce prowadzącej do chatki. No cóż... przynajmniej miałam dobry widok na jego zgrabne pośladki.

Stanęłam nagusieńka jak mnie bogowie stworzyli na brzegu i sięgnęłam po koszulkę i majtki, które na niej położyłam. Potrząsnęłam materiałem, żeby otrzepać go z robactwa, gdyby takowe się tam znalazło.

Okej. Próbowałam. Nie mogę sobie już nic zarzucić. Zakochałam się i próbowałam walczyć o miłość albo chociażby jej namiastkę. Nie udało się. Zresztą może nie powinnam się przejmować? Przecież najprawdopodobniej niebawem zostanę zamordowana z zimną krwią przez bogów i ich sługusów. Nawet bym się nie nacieszyła tym płomiennym romansem...

Ciągle jednak było mi wstyd. Czułam, że moje policzki płoną. Niepotrzebnie się wygłupiłam. Nie wiem, co bardziej mnie teraz żenowało. To, że się na niego rzuciłam, czy to, że później tak się napraszałam?

Głupia! Jestem głupia!

Byłam tak pogrążona w rozmyślaniach i zajęta wkładaniem majtek, że nie zwróciłam uwagi na chlupot za plecami.

Westchnęłam ciężko i zapatrzyłam się na korony drzew, pomiędzy którymi czerń zastępował powoli róż poranka. Świtało. Przymknęłam oczy, czekając, aż promienie słońca miną listowie i dosięgną mojej twarzy. Byłam bardzo zmęczona.

Marzyłam tylko o tym, żeby położyć się na niewygodnym łóżku i bezpiecznie zasnąć.

Chlupot stawał się coraz głośniejszy, ale wciąż nie budził mojego niepokoju.

Zareagowałam dopiero wtedy, gdy zimna, oślizgła dłoń o bardzo długich palcach zakończonych czarnymi paznokciami złapała mnie za łydkę.

Wrzasnęłam przeraźliwie i odwróciłam się.

W płytkiej wodzie jeziora leżało wychudzone, gołe stworzenie. Pełzło po kamieniach w moją stronę. Miało pokrytą śluzem bladą skórę o niezdrowym, zielonkawym odcieniu, pomarszczoną, jakby zbyt długo moczyło się w wodzie. Czarne włosy pokryte tą samą kleistą substancją przywierały ciasno do czaszki. Na biodrach stwór nosił przepaskę wykonaną z liści tataraku.

Szarpnęłam nogą, ale palce jeszcze mocniej zacisnęły się na mojej łydce. Czarne paznokcie wbiły się w skórę, przebijając ją w kilku miejscach. Ponownie wrzasnęłam.

– Gosia! – usłyszałam krzyk Mieszka.

Biegł mi na ratunek.

Z głośno bijącym ze strachu sercem przyjrzałam się makabrycznemu potworowi. Utopiec, bo niewątpliwie był wodnym demonem należącym do tego gatunku, bardzo mi kogoś przypominał.

– Pan Darek? – wyjąkałam.

37.

– STÓJ! – wrzasnęłam, gdy nadbiegł Mieszko z siekierą, którą zamachnął się, żeby odciąć utopcowi rękę.

Zamarł z uniesioną do góry bronią, a wodny demon zaskrzeczał przeraźliwie i odskoczył przerażony. Wczołgał się szybko do jeziora i usiadł na dnie. Ponad powierzchnię wystawały jego kościste kolana i kurza klatka piersiowa. Zasłonił twarz chudymi, drżącymi rękami. Zaczął szlochać, wykrzywiając szare usta w podkówkę. Wzdrygnęłam się, gdy zobaczyłam jego żółte, ostro zakończone zęby. Stwór zamknął oczy, jakby dzięki temu miał stać się dla nas niewidzialny.

Przedstawiał obraz nędzy i rozpaczy.

– To utopiec – warknął Mieszko. – Służy bogom. Powinniśmy go zabić.

Złapał mnie za rękę i odciągnął za siebie. Uczepiłam się rękawa jego koszuli, uniemożliwiając mu złapanie obiema dłońmi trzonka siekiery.

– To mój hydraulik!

Po tych słowach zapadła cisza. Nawet utopiec przestał pojękiwać. Teraz płakał bezgłośnie.

– To twój hydraulik? – wycedził Mieszko.

– No tak jakby... to pan Darek – szepnęłam teatralnie. – Jakiś czas temu naprawiał mi pralkę w Kielcach.

Utopiec jakby czekał na ten moment. Zerwał się na równe nogi, wzniecając fontannę wody. Wyrzucił do góry ramiona i uśmiechnął się szeroko.

– Tak! Tak! Dobrze, że mnie sobie pani przypomina! To ja! Pamiętam tę pralkę doskonale. Całkiem nowy model. Piękny, czysty bęben. Zupełnie bez kamienia. Problemem były majtki, które wkręciło do odpływu...

– Tak, tak, tak. Odwalił pan kawał świetnej roboty! – usiłowałam mu przerwać, żeby nie narobił mi wstydu.

– To były takie bardzo ładne majtki z koronki – mówił dalej. – To się chyba w dzisiejszych czasach nazywa stringi, o ile się nie mylę.

No i za późno. Wstyd już jest.

– To nie były moje majtki, tylko mojej współlokatorki – wyjaśniłam szybko.

Mieszko nie opuszczał siekiery. Był gotów do ataku.

– Jak on się nazywa? – zapytał.

– Pan... eee... Darek.

– Tak się nazywał ostatni mieszkaniec wsi, który utopił się w Bieliniance.

– Tak! Tak! To byłem ja – wykrzyknął stwór i niefrasobliwie machnął ręką, jakby jego śmierć była jakąś błahostką, którą nie warto zawracać sobie głowy. – Wiedzą państwo, wracałem do domu po pracy. Praca hydraulika jest bardzo ciężka. Bardzo. Zaręczam! Żeby człowiekowi było lżej, trzeba se od czasu do czasu trochę chlapnąć.

Jego klatką piersiową wstrząsnął atak charczącego śmiechu, który przerodził się w mokry kaszel. Stwór splunął flegmą do jeziora.

– Tak na zdrowie, rozumiecie państwo – kontynuował niezrażony. – No i jakoś tak ciemno było, kiedy wracałem. Chyba się przewróciłem. Przyznam szczerze, że nie pamiętam. Ale nie szkodzi.

– A jakim cudem jest pan utopcem? – zapytałam grzecznie.

– Nie rozmawiaj z nim – syknął Mieszko. – To jakiś podstęp. Przysłali go bogowie. Na pewno chce cię skrzywdzić.

– O nie, nie, nie, nie, nie, nie, nie, nie, nie! – powtarzał pan Darek, jakby się zaciął.

Mieszko wszedł do wody. Niższy od niego o co najmniej pół metra utopiec skamieniał na ten widok. Wydawał się niezdolny do ucieczki. Oczy zalśniły mu jak u kota, gdy wytrzeszczył je na widok siekiery, której ostrze zbliżyło się do jego wystającej, drgającej nerwowo grdyki.

– Tak, tak, tak, tak, tak, tak. – Szybko zmienił zeznania. – Przysłał mnie Świętowit.

– Po co? – warknął Mieszko.

Złapał utopca za tłuste kłaki na głowie i wyciągnął na brzeg, nie zważając na jego jęki i protesty. Szarpnął go na tyle mocno, że w dłoni został mu kłąb czarnych, mazistych włosów. Z obrzydzeniem odrzucił go w trawę i kopnął stwora, który potoczył się po brzegu. Cofnęłam się zaskoczona nienawiścią, którą Mieszko żywił do biednego pana Darka.

Oparł stopę na jego chudej klatce piersiowej i zamachnął się siekierą.

– Nie rób tego – szepnęłam wstrząśnięta.

Spojrzał na mnie. Jego zimne, niebieskie tęczówki strzelały stalowymi iskrami. Zupełnie nie przypominał mężczyzny, z którym przed chwilą całowałam się w jeziorze.

– To demon. Nie powinnaś mu współczuć – wycedził. – Gdyby był dobrym człowiekiem, nie stałby się utopcem. Nie zasługuje na życie.

– Nie tobie to oceniać. – Położyłam dłoń na jego ramieniu.

– A komu? – prychnął. – Bogom? To oni stworzyli go dla swojej uciechy.

Stwór zaczął łkać. Ponownie zasłonił dłońmi oczy, mając chyba nadzieję, że dzięki temu znikniemy jak zły sen. Najwyraźniej nie spodziewał się, że jeszcze kiedykolwiek w swoim życiu po śmierci będzie się tak bał.

– Demonami stają się źli ludzie – warknął Mieszko i mocniej naparł na jego klatkę piersiową. – Dobrzy trafiają do Nawi.

– Świętowit. Świętowit jest moim stwórcą – pisnął utopiec, odejmując dłonie od twarzy. – Kazał mi cię śledzić.

Podeszłam bliżej.

– Mów dalej – powiedziałam.

– Ma dla ciebie propozycję nie do odrzucenia. Jeśli oddasz mu kwiat, obiecuje, że cię oszczędzi.

Zaśmiałam się głucho.

– On może tak, ale na pewno nie Weles.

– Czy... Weles złożył ci już swoją ofertę? – zapytał pan Darek.

– Trudno to nazwać ofertą...

– Świętowit obiecuje darować ci życie.

– A uratuje mnie przed gniewem Welesa?

Mieszko rzucił mi szybkie spojrzenie. Nie podobały mu się te negocjacje.

– Udaj się na spotkanie z moim panem. Ukaże ci się, gdy przybędziesz pod święte drzewo. Musisz przyjść do świętego dębu. Porozmawiaj z nim. – Na twarzy pana Darka pojawił się szeroki uśmiech.

Mój towarzysz warknął pod nosem przekleństwo i mocniej nacisnął nogą pierś szarego stwora. Ten zapiszczał z bólu. Mieszko był masywnym mężczyzną. Prześwitujące przez półprzezroczystą skórę utopca żebra nie wyglądały na najmocniejsze. Zdawało się, że w każdej chwili mogą pęknąć jak zapałki.

– Leszy służy Świętowitowi – powiedziałam, przypominając sobie dębową gałązkę, którą znalazłam koło stawu. – Musiał mu powiedzieć, że tu jesteśmy.

– To miejsce nie jest już bezpieczne – zgodził się Mieszko.

– Co teraz?

– Musimy stąd odejść.

– A co z nim? – Wskazałam na utopca.

– Powinniśmy go zabić.

– Przecież nie zrobił nam krzywdy – zaprotestowałam.

– Na pewno zamierzał.

Bez żadnego ostrzeżenia Mieszko zamachnął się siekierą i wbił ją w ziemię tuż przy policzku utopca. Stwór zaczął piszczeć i wić się pod jego stopą. Nie mógł się jednak uwolnić. Bliskość żelaza sprawiła, że jego twarz zaczęła dymić. Patrzyłam zafascynowana, jak na skórze pojawiają się szaroróżowe pęcherze wypełnione żółtą ropą. Najwyraźniej siekiera go parzyła.

– Mów! – wrzasnął Mieszko. – Bo następnym razem odrąbię ci głowę!

– Nie, nie, nie!

– Mów!

– Ja...

– Mów!!!

– Miałem rozkaz ją zabić, jeżeli nie pójdzie ze mną pod święte drzewo – załkał. – Miałem ją utopić. Wtedy nikt nie dostałby kwiatu. Równowaga zostałaby zachowana.

– Widzisz? – Mieszko spojrzał na mnie ponuro. – Bogowie wcale nie są miłosierni, oni nie chcą rozmawiać. Nieważne, czyją stronę wybierzesz, i tak cię zabiją.

Zrozumiałam, co chciał mi udowodnić. Poza nim najwyraźniej nie miałam żadnych sprzymierzeńców. Wszyscy chcieli kwiatu bądź mojej głowy. Widać bogom nie przeszkadza, że na następny kwiat będą musieli czekać kolejne tysiąclecie. Najważniejsze to zachować *status quo*.

– Powinniśmy go zabić.

– Nie. – Pokręciłam głową.

– Gosiu...

– Jego śmierć nic nam nie da.

– On nie miałby podobnych rozterek przed utopieniem ciebie.

Wzięłam Mieszka za rękę.

– Świętowit nie puści mu tego płazem, jeśli jest tak bezwzględny, jak twierdzisz. My nie musimy go karać – powiedziałam. – Zostaw go. Opuśćmy to miejsce. Już nie jest tu bezpiecznie.

Utopcem targały spazmy. Mieszko wyrwał z ziemi siekierę i cofnął się powoli. Pan Darek tylko czekał na ten moment. Wycofał się rakiem w kierunku wody, cały czas nie spuszczając nas z oczu. Dotknął bolącego policzka i rozsmarował po nim kleistą substancję ze swoich włosów.

– Dziękuję ci, szeptucho – powiedział. – Dziękuję. Obiecuję, że nigdy ci tego nie zapomnę.

Skrzywiłam się w duchu. Nie wiedziałam, czy słusznie postąpiliśmy. Pan Darek był demonem wodnym, więc chyba nie powinnam traktować go jak człowieka.

Zaczęłam się zastanawiać, czy Baba Jaga podjęłaby taką samą decyzję jak ja. Sympatyzowała z większością nadnaturalnych stworzeń. Chyba że na jej ciepłe słowa i talerzyk mleka mogły liczyć tylko nieszkodliwe ubożęta.

Najwyższy czas, by zwrócić się do niej po pomoc.

Wstał świt. W koronach drzew rozśpiewały się przebudzone ze snu ptaki. Różowe promienie oświetliły bladą skórę utopca, która teraz wydawała się jeszcze bardziej przezroczysta. Prześwitywała przez nią siateczka pulsujących miarowo niebieskich żyłek.

Utopiec wszedł do wody, która zaczęła wrzeć. Na jej powierzchni pojawiły się pękające z sykiem bąble. Wzburzona tafla mieniła się w słońcu. Stwór stanął w miejscu, gdzie woda sięgała mu do połowy ud.

– Idź do Świętowita – powiedział na odchodne. – Może zdoła cię ocalić. – Wskazał na Mieszka długim paluchem. – On na pewno nie zdoła. Nie przynosi szczęścia kobietom, które powinien chronić.

Jak na zwolnionym filmie zaczął się zanurzać, jakby dno uciekało mu spod nóg i wciągało coraz głębiej. Patrzył przy tym prosto na mnie.

Gdy zniknął pod powierzchnią, woda się uspokoiła. Po chwili nie było na niej nawet jednej zmarszczki.

Podeszłam do Mieszka i złapałam go za rękę, w której ciągle ściskał trzonek siekiery. Poczułam, jak napięte mięśnie rozluźniają się pod moim dotykiem.

– Chyba wąpierz nie jest moim jedynym problemem – powiedziałam.

– Teraz już nie – przyznał.

– Powinniśmy pójść do szeptuchy. To zaczyna nas przerastać.

– Jeśli tak uważasz – zaperzył się.

Poczułam, że jego mięśnie znowu się napinają. Czasami przypominał mi wściekłe zwierzę, które tylko czeka, by rzucić się do ataku. Budził się w nim wtedy opętany żądzą walki Dagome.

– Może będzie wiedziała coś, z czego my nie zdajemy sobie sprawy – usiłowałam go udobruchać. – Nie jest wróżem, ale chyba częściej rozmawia z bogami niż on. Może Swarożyc coś jej powiedział.

Mieszko potarł twarz i westchnął ciężko. Dopiero teraz zauważyłam szare cienie pod jego oczami. Był chyba jeszcze bardziej zmęczony niż ja. W sumie miał do tego prawo. To on rozkopywał groby przez kilka ostatnich nocy.

Powoli ruszyliśmy w stronę chatki. Marzyłam tylko o tym, by na chwilę przytulić się do poduszki i zasnąć.

– Nie ufam jej – rzucił Mieszko.

– Rozumiem, ale nie jestem pewna, czy mamy jakiś wybór – powiedziałam ugodowo. – Tu nie jesteśmy już bezpieczni.

– A myślisz, że będziemy u Baby Jagi?

– Nie wiem. Wydaje mi się, że jej dom jest całkiem nieźle zabezpieczony przed niechcianymi gośćmi.

Przed oczami stanął mi biały pokój, do którego nie miały wstępu ubożęta. Sugerował, że szeptucha zna się na rzeczy.

– Jak uważasz.

– Będzie dobrze – usiłowałam go niezdarnie pocieszyć. – Damy radę.

W odpowiedzi posłał mi krzywy, mało przekonujący uśmiech.

– Po południu pojedziemy do szeptuchy – zakomenderowałam. – Może podpowie nam jakiś sposób na szybsze odszukanie wąpierza.

– Nie wiem, czy cię nie zdradzi – wyznał. – Rozmawia z bogami.

Istniało takie prawdopodobieństwo, ale nie chciałam o tym myśleć. Do tej pory była dla mnie oparciem. Na dodatek ostrzegała mnie przed Mieszkiem. Zerknęłam na niego. Nie ufali sobie wzajemnie.

A komu ja powinnam zaufać?

Zastanawiało mnie, co miał na myśli utopiec, gdy wspomniał, że Mieszko nie przynosi szczęścia kobietom, które powinien chronić. Postanowiłam, że zapytam go o to, gdy trochę odpoczniemy i będzie w lepszym nastroju do zwierzeń.

Jeszcze raz zerknęłam przez ramię na jeziorko. Już nigdy więcej się w nim nie wykąpię. Ba! Nigdy nawet nie zamoczę w nim rąk. Aż mną wstrząsnęło, gdy wyobraziłam sobie pokryte wstrętną mazią włosy wodnego demona. Zanurzył się z tym paskudztwem w wodzie. Na pewno skaził jezioro.

– Czegoś nie zrozumiałem. Mówiłaś, że utopiec to hydraulik?

– Tak, jakiś czas temu popsuła się nam pralka w Kielcach. Sława wezwała hydraulika. Pojawił się ten gość.

– I nie zdziwiło cię...?

– Wtedy tak nie wyglądał. – Pokręciłam głową. – Miał skórę normalnego koloru. Zachowywał się normalnie. Na dodatek naprawił naszą pralkę. Nie sądziłam, że Świętowit podeśle mi fałszywego hydraulika...

Wzdrygnęłam się. Szeptucha miała rację. Byłam otoczona przez obserwujące mnie po cichu boskie sługi.

38.

Czarne płótno pokryte było czerwonymi bohomazami. Na pierwszy rzut oka wydawało się, że smugi rozbryźniętej farby są zupełnie przypadkowe. Jednak im dłużej się im przyglądałam, tym bardziej utwierdzałam się w przekonaniu, że przypadek nie miał nic wspólnego z powstaniem tej wróżby.

Kompletnie nie znam się na wróżbach, zawsze uważałam je za oszustwo mające na celu tylko napchanie portfeli wróży i kapłanów, więc puściłam mimo uszu wytłumaczenie Baby Jagi i rzekome przesłanie płótna.

Jednak nie byłam już niczego pewna.

Od początku wiedziałam, że w obrazie jest coś złowieszczego, ale teraz nie potrafiłam oderwać od niego wzroku. Mówił do mnie. Szeptał cicho do mojej podświadomości. Czułam, że gdybym tylko poświęciła mu odrobinę więcej czasu, powiedziałby mi wszystko.

Wyciągnęłam rękę, chcąc dotknąć grubej warstwy krwistoczerwonej farby.

– Gosia? – dobiegł mnie głos szeptuchy. – Chodź do kuchni. Co ty tam robisz?

– Idę – odkrzyknęłam.

Cofnęłam dłoń zawstydzona własnym zachowaniem. Pokręciłam głową, usiłując przegnać uczucie zagrożenia. To tylko obraz. Nie może mi nic zrobić.

Gdy odwróciłam się do niego tyłem, poczułam, jak po plecach przebiega mi zimny dreszcz. Nie wiedziałam, jak Baba Jaga może trzymać to płótno u siebie w domu. Ja bym się go od razu pozbyła.

Usiadłam przy kuchennym stole. Na podłodze przy ścianie leżały rzeczy, które zabraliśmy z chatki w lesie. Cały sprzęt potrzebny według nas do odkopania i unieszkodliwienia wąpierza.

Szeptucha postawiła przede mną z głośnym stukiem kubek pełen ziołowego naparu. W każdym jej geście i ruchu było widać nieskrywaną pretensję. Przetarła czysty blat stołu kraciastą ścierką, żeby móc czymś zająć ręce.

– W głowie mi się nie mieści, że nie zwróciliście się z tym do mnie na samym początku – warknęła.

W odpowiedzi wzruszyłam ramionami. Nie spodobała się jej moja reakcja.

– Przecież bym ci pomogła!

– Przepraszam – powiedziałam. – Myślałam, że zdołamy załatwić to szybko i...

– Nie ufam ci – przerwał mi Mieszko, zwracając się do szeptuchy.

– Co? – Staruszka wytrzeszczyła na niego oczy.

– Rozmawiasz ze Swarożycem. Najwyraźniej słuchasz bogów. Miałaś Gosię pod swoją opieką parę miesięcy, a w tym czasie nie nauczyłaś jej niczego, co mogłoby uratować jej życie. Została zaatakowana i zahipnotyzowana przez wąpierza. Gdyby go rozpoznała, nie pozwoliłaby mu do siebie podejść.

– Jak śmiesz! – warknęła.

– To twoja wina. Jest u ciebie na naukach. Powinnaś zapewnić jej bezpieczeństwo.

– Nie masz o niczym pojęcia.

Mierzyli się złowrogimi spojrzeniami. Siorbnęłam śmierdzących ziółek na uspokojenie, które to nie ja powinnam teraz pić. Były obrzydliwe. Postanowiłam, że więcej ich nie tknę.

– Skoro to nieprawda, czemu się nie bronisz? – nie ustępował Mieszko.

– Bo jestem ponad to – prychnęła szeptucha. – Nie będę strzępić języka na darmo. Ty nie zmienisz swojego myślenia. Dla ciebie jest tylko czarne i białe.

– Czyżbyś żyła w szarości? – zadrwił.

– Skoro uważasz, że jesteś taki mądry, to czemu przyszedłeś do mnie po pomoc?

– To nie ja chciałem twojej pomocy i dobrze o tym wiesz.

– Och, a to nie ja mam uwarzyć dla ciebie napój z kwiatu paproci? Myślisz, że to zrobię, jeśli będziesz mnie oczerniał?

– Nie potrzebuję twojej pomocy. Nie jesteś jedyną szeptuchą na tym świecie.

– Dość! – krzyknęłam i huknęłam kubkiem w blat.

Zaskoczeni odwrócili się w moją stronę. Chyba zdążyli już zapomnieć, że siedzę obok.

– Nie jest ważne, czy wy sobie ufacie. Ważne jest, że ja wam ufam. To powinno wam w zupełności wystarczyć.

Niezadowolona Baba Jaga usiadła obok nas. Na jej kolanach od razu pojawił się czarny kot z naderwanym uchem. Wbił we mnie spojrzenie żółtych ślepi i zamruczał donośnie, kiedy właścicielka podrapała go po głowie. Swoim terkotaniem zdołał rozluźnić atmosferę.

– Babo Jago, przyszłam do ciebie po pomoc.

– Przecież wiesz, że możesz na mnie liczyć. Po prostu dziwię się, że nie przyszłaś wcześniej.

– On uratował mnie przed wąpierzem. Obiecał mi pomoc. Myślałam, że sami sobie poradzimy. Myliłam się.

Mieszko mruknął coś pod nosem. Najwyraźniej się ze mną nie zgadzał. Typowy facet, który nigdy nie prosi o pomoc.

– Mam wrażenie, że wszyscy bogowie się na mnie uwzięli. Weles nasłał wąpierza, który ma dopilnować, żebym oddała mu kwiat, a wczoraj zaatakował mnie utopiec, sługa Świętowita.

– Utopiec? – zdziwiła się.

– Tak, pan Darek.

– Pan Dareczek?

– Tak... pan Darek, hydraulik.

– No proszę, proszę. Jaki ten świat mały! Tak podejrzewałam, że biedak zostanie demonem po tym, jak utopił się w Bieliniance – westchnęła. – Był nieszczęśliwy za życia i taki niestety pozostał po śmierci.

– Mieszko obiecał mi pomóc zabić wąpierza – kontynuowałam. – Wczoraj chciał jeszcze zamordować utopca, ale mu nie pozwoliłam. Nie wiem, czy dobrze zrobiłam...

Szeptucha zasępiła się. Upiła łyk bardzo śmierdzących ziółek. Mieszko najwyraźniej z nich zrezygnował, gdy tylko dotarła do niego ta odstręczająca woń. Ja niestety ich spróbowałam, przez co czułam teraz na języku gorzki smak.

– To bardzo trudna sytuacja. Osobiście nie jestem zwolenniczką zabijania demonów i boginek. To byli kiedyś nasi przodkowie, sąsiedzi, mieszkańcy tych samych miast. Ludzie tacy jak my – wyznała Baba Jaga. – Gdy byłam w twoim wieku, sama otarłam się o śmierć. Gdyby bogowie mieli taką zachciankę, mogłabym powrócić.

Potrząsnęła ręką nad podłogą, jakby niechciane wspomnienie uczepiło się jej rękawa.

– Gosiu, musisz zrozumieć, że demony i boginki nie powstają ze szczęśliwych ludzi, którzy umierają w naturalny sposób. Bogowie przygarniają do siebie dusze topielców, samobójców, wisielców, porońców, kobiet zmarłych w połogu czy tuż przed ślubem. Mówiąc krótko: wszystkich, którzy umarli gwałtowną śmiercią.

– Mówiłem – mruknął Mieszko.

– Chodzi ci o to, że powinnam współczuć wąpierzowi? – Zignorowałam kompletnie jego komentarz.

Zamyśliła się i skrzywiła z niesmakiem.

– Nie. Wąpierze to akurat wyjątkowo wredne kreatury. Niemniej przestrzegałabym cię przed zabijaniem utopców, rusałek czy południc, jeśli nie stanowią dla ciebie bezpośredniego zagrożenia.

– Wąpierz bez dwóch zdań stanowi dla niej zagrożenie – warknął Mieszko.

– W związku z tym powinniśmy pozbyć się tego konkretnego upira. Cieszę się jednak, że nie zamordowałeś mojego byłego sąsiada, pana Dareczka. Jak już mówiłam, to był miły, chociaż nieszczęśliwy człowiek.

Mieszko wzruszył ramionami. On i tak wiedział swoje. Słowa szeptuchy nie mogły zmienić jego światopoglądu. Przez te kilkanaście dni, które razem spędziliśmy, zdążyłam się już dowiedzieć, że nienawidzi istot nadprzyrodzonych. Było to odrobinę dziwne, biorąc pod uwagę, że sam jest nieśmiertelny.

– A wracając do wąpierza. Wydaje mi się, że mogę pomóc wam go pokonać.

– Wiesz, gdzie znajduje się jego grób? – zapytałam z nadzieją.

– Hm... nie.

No cóż. Zostało jeszcze kilka cmentarzy do sprawdzenia. Może w trójkę pójdzie nam szybciej.

– Nie zgłosił się też do mnie ostatnio nikt z niedokrwistością ani koszmarami nocnymi czy niedawno zdiagnozowanym lunatykowaniem. Nawet do głowy by mi nie przyszło, że w okolicy mógłby grasować wąpierz. Bardzo dobrze się kamufluje!

– A czy potrafisz obronić Gosię przed innymi potworami? – zapytał Mieszko. – Ja nie potrafię jej upilnować. Wystarczy, że na chwilę spuszczę ją z oka, a zaczyna głaskać niedźwiedzia, kompana leszego albo taplać się w błocie z utopcem.

– Rozmawiałaś z leszym?! – W głosie szeptuchy zabrzmiał strach.

Zdziwiłam się. Jeszcze nigdy nie widziałam jej w takim stanie. Najwyraźniej opiekuńczy duch lasu wprawiał ją w przerażenie.

– W zasadzie to ja mówiłam, a on słuchał – odparłam. – Dziwny jest. Mimo wszystko nie wydawało mi się, żeby chciał zrobić mi krzywdę. Po prostu spotkałam go w lesie. Zapewniłam go, że nie kłusuję, a on zniknął.

– Kiedy następnym razem go zobaczysz, musisz uciekać. Natychmiast! – powiedziała. – To właśnie przez leszego kilkadziesiąt lat temu o mało nie umarłam.

W jej głosie brzmiała gorycz i co mnie zdziwiło najbardziej, nienawiść. Szeptucha wydawała mi się osobą odrobinę zgorzkniałą i cyniczną, ale w głębi duszy dobrą. Sądziłam, że nie jest zdolna do nienawiści. Zwłaszcza że przed chwilą twierdziła, iż powinniśmy okazywać łaskę i zrozumienie upirom.

Najwyraźniej jej miłosierdzie miało pewne granice.

– Jak to? – usiłowałam pociągnąć ją za język.

– Byłam młoda i głupia, tak jak ty teraz.

Dzięki. Naprawdę dziękuję, szeptucho. Uwielbiam takie komplementy...

– Byłam dumna. Zbyt dumna. Szczyciłam się swoją wiedzą i zdolnościami zielarskimi. Uważałam, że skoro jestem szeptuchą, to cały świat powinien padać mi do stóp. Leszy udowodnił mi, że las, z którego dóbr korzystam, nie jest moją własnością.

Odpięła cztery górne guziki koszuli i pokazała nam długą, brzydką bliznę pod lewym obojczykiem, która znikała pod materiałem rękawa, ciągnąc się najwyraźniej aż do ramienia. Blizna była szeroka i zgrubiała. Naciągała skórę i znajdujące się pod nią mięśnie. Musiała sprawiać kobiecie ból. Baba Jaga na pewno nigdy nie odzyskała pełnej ruchomości w barku.

– Jego niedźwiedź nieźle mnie poturbował, gdy szukałam drogi do Nawi. Nigdy jej nie znalazłam, chociaż wydawało mi się, że jestem blisko.

Wolno zapięła koszulę. Upiła łyk ziółek, zanim wróciła do opowieści. Może chciała dodać sobie odwagi przed zmierzeniem się z bolesnymi wspomnieniami.

– Leszy uświadomił mi, że pewne rzeczy powinny zostać nieodkryte. Nawet przez szeptuchę.

– Gosia znalazła drogę do Wyraju – wtrącił Mieszko. – Zaprowadziła mnie tam. Ja widziałem tylko bagna, ale jej ukazało się drzewo kosmiczne.

– Brama do zaświatów. – Oczy Baby Jagi zalśniły. – Moje dziecko, zaprawdę jesteś widzącą, skoro dotarłaś tak daleko i leszy cię nie zabił.

– Cieszę się... – mruknęłam.

Normalnie zaszczyt mnie kopnął. Ciągle mam siniaka na tyłku...

– Wróćmy do wąpierza – zasugerowałam. – Czyli zgadzasz się, że powinniśmy go zabić?

– Oczywiście, ale obiecaj, że później opowiesz mi o drzewie kosmicznym. Zawsze chciałam je zobaczyć.

– Po śmierci będziesz miała okazję – prychnął Mieszko.

– Nie to co ty – odwarknęła.

– Obiecuję – przerwałam rodzącą się kłótnię. – A co z tym wąpierzem?

– Wąpierze i strzygi to pasożyty. Żyją wyłącznie po to, by mordować ludzi i zwiększać szeregi potworów Welesa.

– To strzygi też istnieją? – jęknęłam.

Cudownie! Jeszcze tylko ich brakowało. Gdy byłam małą dziewczynką i za bardzo rozrabiałam, mama czasem straszyła mnie opowieściami o strzygach, które mogą przylecieć nocą do mojej sypialni pod postacią puszczyka i wypić całą moją krew, jeśli będę niegrzeczna. Nigdy nie mogłam potem usnąć.

Brawo, mamo. Świetna metoda dydaktyczna.

Strzygi do dzisiaj wzbudzały we mnie strach. Zgodnie z legendami mogły się nimi stać kobiety, które posiadały dwa serca albo dwie dusze. Umierała zawsze tylko połowa, że tak powiem, zawartości takiej kobiety. Po śmierci stawała się krwiożerczym potworem wysysającym krew i wyżerającym wnętrzności.

Całe dzieciństwo bałam się, że mam dwa serca i gdy umrę, to zamienię się w strzygę. Przeszło mi dopiero po pierwszym rentgenie klatki piersiowej, na którym dokładnie było widać zarys tylko jednego serca.

Mieszko wstał gwałtownie od stołu i podszedł do okna. Najwyraźniej on też nie przepadał za strzygami. Nie dziwię mu się.

– Tak, strzygi istnieją – potwierdziła szeptucha.

– I są takie straszne jak w bajkach? – wolałam się upewnić.

– Tak.

Świetnie. Po prostu świetnie.

– Skupmy się na wąpierzu – powiedziała Baba Jaga. – Powinniście zostać u mnie. Dookoła domu, kilka centymetrów pod ziemią ciągnie się okrąg z wysypanej przeze mnie przed laty soli. W oknach i futrynach drzwi zamontowałam żeliwne płytki. Praktycznie żaden stwór poza ubożętami, które już tu mieszkają, nie może dostać się do środka.

– Będziesz tu bezpieczna. – Mieszko był zadowolony. – Oczywiście o ile sama stąd nie wyjdziesz. Gosia lunatykuje – poinformował szeptuchę.

– To oczywiste – przyznała. – Wąpierz ją zahipnotyzował. Wzywa ją do siebie.

– Lunatykując, potrafi się skradać, otwierać drzwi i wybijać okna. Trzeba coś z tym zrobić.

– Och, nie wiedziałam, że wąpierze są aż tak skuteczne! – wykrzyknęła. – W takim razie będziemy musieli przywiązywać cię nocą do łóżka – zwróciła się do mnie. – Bardzo mi przykro, skarbie.

– Umie rozwiązać węzły – ostrzegł Mieszko.

– Och... no to zawiążemy na supeł.

– Przegryzie.

Szeptucha posłała mi pełne dezaprobaty spojrzenie, chociaż nie lunatykowałam przecież z własnej woli.

– Będziemy więc musieli ją przykuć. Chyba mam w piwnicy jakiś łańcuch i kłódki. Tak, przykujemy ją do łóżka. Żelaznych łańcuchów przecież nie przegryzie. Przykro mi, dziecko.

– Nie ma sprawy...

Wolałabym raczej sposób, który opatentowaliśmy z Mieszkiem, czyli wspólne spanie, ale wątpię, żeby Babie Jadze się to spodobało. Na wszelki wypadek postanowiłam nawet o tym nie wspominać.

Skrzywiłam się na myśl, że mogłabym przez sen próbować przegryźć łańcuch. Aż mnie zęby zabolały, gdy wyobraziłam sobie zgrzyt metalu.

– Znalezienie grobu wąpierza może nam zająć bardzo dużo czasu – zatroskała się szeptucha.

– Przeszliśmy przez większość cmentarzy w promieniu kilku kilometrów. – Wyciągnęłam z torebki listę potencjalnych celów i podałam ją Babie Jadze. – Zamierzamy odkopać każdy z nich.

Pokazałam jej palcem wszystkie przeszukane cmentarzyska, a następnie wskazałam na te, które czekały na swoją kolej. Miałam także przygotowaną listę grobów. Te najbardziej podejrzane zakreśliłam na czerwono.

– A co z anonimowymi grobami w lesie? – przerwała mi mój mały wykład.

– Eee... co?

– Byłoby miło, gdyby takowe nie istniały, ale nie oszukujmy się. Ludzie giną. Autostopowicze, wędrowcy, turyści potrafią zniknąć bez śladu. Grób tego wąpierza niekoniecznie musi znajdować się na cmentarzu. Zwłaszcza jeśli człowiek, który stał się upirem, zmarł gwałtowną śmiercią. Mógł zostać zabity przez innego demona i uczyniony sługą Welesa.

– Naprawdę? – jęknęłam.

– Weles rekrutuje swoich podwładnych przeważnie w ten sposób.

Cholera jasna! Nawet przez myśl mi to nie przeszło, ale brzmi to aż nazbyt logicznie! Przecież wredny bóg podziemia musi skądś brać nowe potwory. Nie będzie grzecznie czekał, aż ktoś w okolicy popełni samobójstwo. Po prostu zmusi swoje sługi, żeby zabiły jakiegoś biedaka.

Spojrzałam na Mieszka. Mięsień żuchwy na jego policzku zaczął się rytmicznie kurczyć. Widocznie on też na to nie wpadł i teraz pluł sobie w brodę. Nasze wspólne poszukiwania zaczęły przypominać dziecięcą zabawę. Najwyraźniej nie zdawaliśmy sobie sprawy z powagi sytuacji.

– Musimy się pospieszyć – powiedziała Baba Jaga. – Za cztery dni Zielone Świątki.

– Wąpierz będzie wtedy silniejszy. – Mieszko pokiwał głową.

– A w takim wypadku na pewno go nie pokonamy. Znalezienie grobu wąpierza jest praktycznie niemożliwe – oznajmiła Baba Jaga. – Zmarnowaliście wystarczająco dużo czasu na bezowocne poszukiwania. Dlatego już nie będziemy usiłowali go wytropić.

– To co robimy? – spytałam.

– Pozwolimy mu do nas przyjść, a następnie będziemy go śledzić aż do jego leża.

– To znaczy, że będę przynętą? – jęknęłam.

– W rzeczy samej, skarbie. Będziesz dzisiaj w nocy śliczną przynętą. Na pocieszenie mogę cię za to zapewnić, że nie będziemy przykuwać cię do łóżka.

– Super...

39.

Trzęsącymi się rękami wkładałam piżamę. Dłonie drżały mi tak mocno, że miałam problem z zawiązaniem na kokardę ściągacza w spodniach. By oszukać wąpierza, postanowiliśmy zachować wszelkie pozory. Musiałam stawić się na jego wezwanie w nocnej bieliźnie. Inaczej mógłby wyczuć podstęp. Wsunęłam na stopy dwie pary grubych skarpet. Najchętniej położyłabym się spać w adidasach i moim stroju na kleszcze, ale nie mogłam. Mam nadzieję, że kleszcze są mądrzejsze ode mnie i w nocy śpią.

Zgodnie z planem miałam położyć się grzecznie spać i czekać na wezwanie. Szeptucha i Mieszko wypili mnóstwo kawy i jakichś podejrzanych ziółek, które miały przepędzić zmęczenie i dodać im sił. Gdy ruszę na spotkanie z upirem, podążą po cichu moim śladem.

A gdy wąpierz będzie zajęty wysysaniem ze mnie krwi oraz duszy, zaatakują go i – mam nadzieję – unieszkodliwią raz na zawsze. Gdyby uciekł, będziemy śledzić go aż do jego leża, gdzie za dnia dokończymy dzieła.

Taki był plan. Na pierwszy rzut oka wydawał się całkiem dobry. Tylko dlaczego tak przeraźliwie się bałam?

– Gosiu? – usłyszałam zza drzwi głos szeptuchy.

– Proszę.

Wsunęła się do sypialni, trzymając kubek z parującym napojem. Podała mi go. Pachniał silnie rumiankiem i melisą. Najwyraźniej wyglądałam na kogoś, kto potrzebuje uspokojenia. Wyciągnęłam rękę po kubek, ale drżała tak, że nie zdołałabym złapać naczynia. Baba Jaga popchnęła mnie lekko w stronę łóżka i zmusiła, żebym usiadła. Kubek postawiła na nocnej szafce.

– Boję się – wyznałam.

Przerażała mnie wizja bólu, który sprawi mi wąpierz, jeśli znowu mnie ugryzie. Obawiałam się, że może zrobić mi krzywdę, zanim Mieszko i szeptucha przyjdą mi z odsieczą.

– Kochanie, będzie dobrze. – Usiadła obok i pogłaskała moją dłoń.

– Wiem, wiem. – Posłałam jej słaby uśmiech.

– Zaśniesz przy otwartych drzwiach. Cały czas będziemy czekać w gotowości.

Mówiła prawdę. Okazało się, że w piwnicy swojej willi posiada całkiem niezły sprzęt do tropienia i zabijania upirów. Miała w swoich zbiorach między innymi sieć z cienkich żeliwnych kółeczek, mnóstwo pistoletów, noży, toporów i maczet (tak, maczet), a także sporo sprzętu do tortur, którego nie powstydziliby się średniowieczni łowcy czarownic i hiszpańska inkwizycja razem wzięci.

Gdy Mieszko wszedł do jej piwnicy, miał minę zachwyconego dziecka. A na widok średniowiecznego dwuręcznego miecza prawie zaczął podskakiwać z radości.

Ciekawi mnie, kto załatwił jej ten sprzęt. Że też nikt się nie zastanowił, po co szeptusze tyle pistoletów!

Baba Jaga przymknęła za sobą drzwi, by Mieszko nie mógł usłyszeć naszej rozmowy. Usiadła z powrotem na łóżku i szepnęła mi prosto do ucha:

– Muszę z tobą poważnie porozmawiać.

– Słucham.

– Gosiu, możesz uznać to pytanie za niedyskretne, ale powiedz mi, co łączy cię z Mieszkiem. Jesteście kochankami?

Phi. Chciałabym.

– Nie. Po prostu współpracujemy – odparłam sztywno.

Bogowie. Tak na dobrą sprawę to my się chyba nawet nie przyjaźnimy.

– Widzę, że coś ci leży na wątrobie.

Chyba tłusta kolacja, którą mi przygotowałaś – miałam ochotę zripostować, ale się powstrzymałam. Baba Jaga miała rację. Coś mi leżało na wątrobie, a właściwie na sercu. Mimo to nie miałam ochoty się jej zwierzać. Mieszko jej nie ufał, może ja też nie powinnam?

Wzruszyłam tylko ramionami i upiłam łyk ziółek, które mi podała.

Posmutniała.

– Nawet nie zapytałaś, co dałam ci do picia i czy wcześniej umyłam składniki pod bieżącą wodą – westchnęła. – Gosiu, widzę przecież, że coś cię dręczy. Nie zachowujesz się... normalnie jak na ciebie.

Uwielbiam to, że nawet usiłując mnie pocieszyć, szeptucha jest w stanie mi dokopać.

– Po prostu już nie wiem, komu powinnam ufać. Wychodzi na to, że chyba nikomu – mruknęłam. – Czuję się strasznie samotna.

Myślałam, że mnie pocieszy, ale nie... Ona na mnie nakrzyczała, że co ja sobie wyobrażam, że jej nie ufam.

– Mieszko nagadał ci o mnie jakichś głupot? – warknęła.

– Nie, po prostu on ci nie ufa – zaczęłam się jąkać przestraszona jej wybuchem.

– A dlaczego w zasadzie ty mu ufasz? Dlaczego wzięłaś jego słowa za dobrą monetę?

– Bo uratował mnie przed wąpierzem.

– Jesteś pewna? A skąd wiedział, że wąpierz cię atakuje?

– Podobno Swarożyc mu powiedział poprzez ubożęta.

– A teraz przypomnij mi, dlaczego rzekomo Mieszko mi nie ufa?

– Bo rozmawiasz ze Swarożycem poprzez ubożęta – mruknęłam zrezygnowana.

– No właśnie! – potwierdziła z satysfakcją.

– Okej, zrozumiałam. Mogę ufać wam obojgu – skapitulowałam.

– Nie. Gosiu, mam wrażenie, że w ogóle mnie nie słuchasz. Możesz ufać tylko mnie. Jestem twoją nauczycielką, mentorką. Co by była ze mnie za nauczycielka, gdybym świadomie doprowadziła do twojej zguby?! Przecież od razu wyrzucono by mnie ze zgromadzenia. Nie miałabym czego szukać na Łysej Górze do końca moich dni. W społeczności szeptuch wszyscy się znają, a plotki rozchodzą się bardzo szybko. Wierz mi, że nie mogę sobie pozwolić na skandal i hańbę.

– Okej. Rozumiem – starałam się ją udobruchać. – Już zrozumiałam. Jesteś po mojej stronie i nie chcesz mnie zabić.

– Oczywiście, że nie chcę cię zabić! – żachnęła się. – Na pewno cię nie skrzywdzę. Jeśli już, to umrzesz całkowicie przypadkiem. Ja do tego na pewno ręki nie przyłożę. Możesz mi wierzyć, dziecko.

– No dobrze, i?

Sama nie wiedziałam, czy po tym płomiennym oświadczeniu powinnam się cieszyć, czy może raczej płakać.

– Mieszko, tak jak bogowie, chce dostać kwiat, a to znaczy, że nie możemy być pewne tego, co zrobi – kontynuowała. – Ja nie chcę kwiatu. Chcę tylko, żeby nikt nie zabił ani ciebie, ani mnie. Gniew bogów może też skierować się na mnie. W końcu obie jesteśmy szeptuchami.

Szczerze mówiąc, wcale nie zamierzam być szeptuchą. Wydało mi się jednak, że to nie był dobry moment, by o tym wspominać.

– Powiedz mi, co jest między wami. Jak kobieta kobiecie.

– No nic! – warknęłam.

– Czyli coś jest. Powiedz szczerze. Zamknął się z tobą w środku lasu, w chacie. Uwiódł cię? Nie musisz się tego wstydzić. Mieszko jest przystojnym mężczyzną. Na pewno nie było trudno mu ulec. Sama, gdybym miała mniej lat, z chęcią...

– Właśnie o to chodzi, że nie! – przerwałam jej, a moje usta wykrzywiły się w podkówkę.

– Słucham?

– On mnie nie chce! Nawet go pocałowałam, a on nic! Ba! Widział mnie bez ubrania! I nic! Rozumiesz?! Kąpaliśmy się w jeziorze. Nago! A on nic!

W moim głosie wyraźnie było słychać nagromadzoną przez ostatnie dni gorycz.

– Powiedział, że nie chce mi tego robić i że nie możemy być razem. Słyszałaś większy idiotyzm?!

– Och...

– Mogę w każdej chwili umrzeć zagryziona przez wąpierza, a on mi mówi, że nie możemy być razem, bo to bez sensu.

Szeptucha otworzyła usta, ale zaraz je zamknęła. Po chwili powtórzyła ruch. Wyglądała jak śnięta ryba.

– No cóż... to znaczy... przyznam szczerze, że się tego nie spodziewałam. Sądziłam, że cię uwiedzie, byś oddała mu kwiat.

– Ja też tak myślałam! Niestety jest na to najwyraźniej zbyt porządny...

Nie mogła pohamować śmiechu. Po jej policzkach potoczyły się łzy jak groch. Szczery rechot wstrząsał jej brzuchem.

– Oj, moja droga. Nawet nie zdajesz sobie sprawy z tego, jaka jesteś teraz komiczna – zachichotała niczym podlotek.

Posłałam jej pełne niedowierzania spojrzenie. Serio? Serio?! Leżącego się podobno nie kopie.

– No proszę, proszę, to stawia Mieszka w zupełnie nowym świetle – wydusiła w końcu. – Nie spodziewałam się takiego obrotu spraw. Chyba naprawdę cię polubił, skoro nie chce cię skrzywdzić. Nie sądziłam, że jest do tego zdolny. Wydawał się naprawdę zdeterminowany, by dostać ten kwiat paproci.

– Hę?

– Myślałam, że po prostu cię wykorzysta, że nie cofnie się przed niczym.

– Jak widać, nie.

– Spokojnie. Doskonale cię rozumiem. Przecież wystarczy na niego spojrzeć. Dawno nie widziałam tak pociągającego mężczyzny. Pół wsi zaopatruje się u mnie w środki na rozkochanie w sobie ucznia Mszczuja. Nic dziwnego, że straciłaś dla niego głowę. Na dodatek to legendarny władca Polan! A nie mówiłam, że za związek z monarchą są dodatkowe punkty? Nawet Baba Jaga o tym wie.

– A tu takie zdziwienie! Dziękuję, że mi o tym powiedziałaś. Teraz wiem, że mogę mu zaufać. To człowiek honoru.

– Hę?

– Śpij dobrze. – Wyrwała mi kubek z dłoni. – Do zobaczenia nad truchłem wąpierza.

Wyszła z pokoju, zostawiając mnie samą ze zbyt dużą liczbą pytań kołatających się po głowie. Najwyraźniej jestem niewdzięczna. Powinnam się cieszyć, że Mieszko mnie nie chce, bo świadczy to jedynie o jego uczciwości i szlachetności.

W takim razie jak o mnie świadczy to, że próbowałam go uwieść?

Hm...

Szeptucha wsunęła z powrotem głowę do pokoju.

– Aha, chciałam ci tylko powiedzieć, że umyłam wszystkie zioła pod bieżącą wodą. Możesz spokojnie wypić napar.

– Dzięki.

Poczułam, że usypiająca mikstura szeptuchy zaczyna działać. Normalnie nie zasnęłabym, gorączkowo roztrząsając jej słowa, jednak działanie ziół było silniejsze od mojej psychozy. Zdążyłam jeszcze tylko szybko przeliczyć liczbę kobiet i mężczyzn w Bielinach. Kobiet było mniej. A skoro ponad połowa wsi stara się uwieść Mieszka, to...

Upadłam na łóżko.

40.

Otworzyłam oczy i od razu tego pożałowałam.

Zobaczyłam przed sobą dziwne ślepia wąpierza. Jego podłużne źrenice były rozszerzone. Zdawały się mnie pochłaniać, wciągać do swojego mrocznego wnętrza. Zaczęło ogarniać mnie szaleństwo. Miałam wrażenie, że las dookoła nas zaczyna wirować. Chciałam rzucić się do ucieczki, ale nie mogłam. Byłam jak sparaliżowana. Nie mogłam się ruszyć.

Krzyknęłam spanikowana.

– No, no, no! – Wąpierz pogroził mi palcem. – Niegrzeczna niewolnica. Nie krzycz. Zakazuję ci.

Jego źrenice zwęziły się i ponownie rozszerzyły. A ja już nie mogłam krzyczeć. Jakbym straciła głos. Chociaż otwierałam usta, nie wydobywał się z nich żaden dźwięk.

Rozglądałam się gorączkowo, ale nigdzie nie widziałam szeptuchy ani Mieszka. Znajdowałam się w głębi lasu. Stałam na brzegu wąskiego strumyka. Woda szemrała cicho, obmywając porośnięte mchem kamienie.

Poznałam to miejsce. Znajdowaliśmy się bardzo głęboko w puszczy. Byłam przekonana, że już tu kiedyś dotarłam. Łatwo zgubić się w lesie, bo na pierwszy rzut oka wszystkie drzewa wyglądają tak samo. Jednak dobrze kojarzyłam to miejsce. Byłam tu dwukrotnie. Najpierw sama, gdy zbierałam pęki sosny, a potem z Mieszkiem, gdy szukaliśmy porzuconej drabiny.

Gdzieś niedaleko powinno znajdować się wejście do Nawi. Dlaczego wąpierz przywiódł mnie akurat tutaj? Zaczęłam bać się jeszcze bardziej. Czyżbym miała spotkać dzisiaj Welesa, który zasiada na tronie pod kosmicznym drzewem?

– Długo się nie widzieliśmy – wycedził. – Myślałaś, że zdołasz się przede mną ukryć? Myślałaś, że jesteś taka sprytna?

Zachichotał. Zadrżałam.

– Spotka cię za to kara. Nauczę cię, że w nocy powinnaś spać, żebyśmy mogli swobodnie się spotykać. Przecież nie chciałabyś mnie zaniedbać. Jestem głodny.

Upir zaczął krążyć dookoła mnie, delektując się moim strachem. Przymknął z rozkoszy oczy i wdychał mój zapach. Poczułam, jak jego długie palce przeczesują mi włosy. Ogarnęło mnie obrzydzenie, wypierając strach.

Musiał to wyczuć, bo złapał garść moich włosów na karku i pociągnął brutalnie.

Byłam sparaliżowana. Moja szyja wygięła się boleśnie, gdy reszta ciała tkwiła bez ruchu. Pod powiekami zobaczyłam gwiazdy bólu. Jeszcze kilka centymetrów i złamałby mi kark niczym wysuszoną gałązkę. Moje serce znowu zaczęło bić szybciej.

– Teraz lepiej – syknął mi prosto do ucha. – Masz się bać.

Poczułam jego oddech na szyi. Znalazł okolicę, w której tętnica szyjna szaleńczo pulsowała pod skórą. Z lubością przeciągnął po tym miejscu szorstkim językiem.

Zadrżał ogarnięty żądzą.

– Chciałbym rozszarpać ci teraz gardło! – syknął. – Krew wyglądałaby pięknie na twojej skórze.

Ciągle trzymał mnie za włosy na karku. Wykręcił mi głowę w swoją stronę, żebym mogła spojrzeć mu w oczy.

– Gdzie byłaś przez ostatnie tygodnie? – zapytał.

Nic nie odpowiedziałam, postanowiłam milczeć, żeby nie zdradzić przyjaciół.

– Odpowiedz, gdzie byłaś.

Poczułam, że moje usta się poruszają. Nie! Nie mogę mu nic powiedzieć!

– W chatce, w lesie – wydusiłam.

– Czemu nie spałaś?

– Szukałam twojego grobu.

Drgnął zaskoczony. Najwyraźniej w ogóle się tego nie spodziewał.

– Znalazłaś go?

– Nie.

Uspokoił się. Mocniej zacisnął dłoń na pasmie moich włosów. Szarpnął, by zadać mi ból. Poczułam, jak po policzkach płyną mi łzy.

Gdzie jest Mieszko?

Otaczały nas ciche drzewa, których korony niknęły w ciemnościach. Poza szmerem ruczaju nie było słychać żadnych innych dźwięków. Nocne zwierzęta milczały. Nawet wiatr zamarł w oczekiwaniu na rozwój wypadków.

– Nie podoba mi się to – warknął wąpierz. – Ty mi się nie podobasz. Takim bezczelnym dziewczynom należy od razu łamać karki.

Zadrżałam przestraszona tą perspektywą.

– Chcesz, żebym cię zabił? Powiedz to.

– Chcę, żebyś mnie zabił.

– Poproś ładnie.

– Proszę, zabij mnie. – Nie mogłam uwierzyć, że te słowa w ogóle przeszły mi przez gardło.

Wąpierz był zachwycony. Wydawało się, że zaraz zacznie podskakiwać z uciechy i klaskać w dłonie. Puścił moje włosy. Stanął naprzeciwko, by móc spokojnie obserwować moją twarz.

– Błagaj.

– Błagam cię, zabij mnie.

Miałam dość tego poniżania. Czułam się zbrukana. Jeszcze gorsza od jego dotyku była obecność śliskiego głosu w mojej głowie. Strach znowu zaczął znikać. Byłam tylko wściekła.

Nagle poczułam, że mogę ruszać lewą dłonią. Minimalnie zgięłam palce. Ucieszyłam się. Jego wpływ na mnie zmalał!

Wąpierz zmarszczył brwi.

– Niewolnico, pozwalasz sobie na zbyt wiele – warknął. – Chyba potrzebujesz więcej mojego jadu.

Ustawił dłoń o długich, nieludzkich palcach na wysokości mojej twarzy tak, bym mogła zobaczyć, jak poczerniały paznokieć kciuka zaczyna się wydłużać. Wyszczerzył się w upiornym uśmiechu. Miałam doskonały widok na dwa rzędy ostrych kłów zdolnych rozszarpywać ciało.

Nie mogłam oderwać wzroku od długiego na cztery centymetry pazura. Na jego czubku pokazała się kropla czarnego jadu.

– Masz szczęście, że mój pan chce utrzymać cię przy życiu – wycedził. – Ale wiedz, że w końcu spełnię twoje prośby i cię zabiję.

Nagle zobaczyłam za plecami wąpierza jakiś ruch. Nie byłam pewna, czy to nie przywidzenie.

Nie! To nie gra świateł! W cieniu wierzby kucał Mieszko. Wycelował w upira długą strzelbę naładowaną czystym żelazem.

Wąpierz był zdenerwowany. Nie podobało mu się, że traci nade mną kontrolę. Mój strach upajał go tak samo jak krew. A teraz nie miał ani jednego, ani drugiego.

Zaśmiałam się głośno. Nie wiem, kto był bardziej zdziwiony, że mi się to udało – upir czy ja. Spojrzeliśmy sobie w oczy. Wąpierz zaczął szybciej oddychać. Zobaczyłam w jego ślepiach strach. Najwyraźniej coś takiego jeszcze nigdy mu się nie zdarzyło.

Ponad jego ramieniem obserwowałam Mieszka. Nie miał dobrej pozycji do strzału. Istniała smutna możliwość, że usiłując trafić upira, przypadkiem odstrzeli mi głowę. Powoli przesunął się w lewo.

Zaczęłam się zastanawiać, gdzie podziała się szeptucha.

Wąpierz zasyczał, opluwając mnie śliną. Jego oddech cuchnął zepsutym mięsem. Nie zdziwiło mnie to, w końcu był gnijącym trupem.

– Za karę popsujemy trochę twoją ładną buzię – warknął. – Będziesz miała nauczkę.

Przyłożył długi pazur do mojego policzka. Poczułam, jak jego czubek przecina skórę. Zapiekło, gdy czarny jad zmieszał się z krwią. Jęknęłam.

Wiedziałam, że za chwilę nie będę mogła ruszać ręką.

Raz kozie śmierć. Nie miałam więcej czasu. Musiałam ułatwić Mieszkowi zadanie. Inaczej wszystko będzie stracone.

Spojrzałam w oczy demonowi. W następnej chwili sięgnęłam pod luźną koszulkę. Miałam tam przy pasku przytroczony mały nożyk w skórzanej pochwie. Wyszarpnęłam go i wbiłam wąpierzowi w brzuch.

Skrzeknął przeraźliwie. Jego głos przypominał dźwięk zgniatanej blachy. Zabolały mnie uszy. Odskoczył ode mnie błyskawicznie. Pazur przejechał po mojej skórze od kości jarzmowej aż do kącika ust. Jad zaczął działać.

W następnej chwili zdarzyło się kilka rzeczy naraz. Upadłam porażona działaniem halucynogennego jadu na ziemię. Czułam ból wąpierza tak wyraźnie, jakbym to ja została dźgnięta nożem w brzuch. Złapałam się za podołek i wrzasnęłam równie głośno jak upir.

Sługa Welesa został trafiony śrutem w plecy. Zawył ponownie i rzucił się do ucieczki. Jednak drogę zastąpiła mu Baba

Jaga. Uniosła do góry dłoń z kolorowym proszkiem i dmuchnęła mu nim prosto w twarz.

Wąpierz zasyczał i pobiegł między drzewa.

– Mieszko! Za nim! – krzyknęła szeptucha.

Mężczyzna bez słowa rzucił się za upirem. Baba Jaga podbiegła do mnie, by sprawdzić, czy nie zostałam trafiona ze strzelby.

– Zostań tu – nakazała. – Wrócę po ciebie, kiedy zlokalizujemy jego leże. Obiecuję, że własnoręcznie będziesz mogła odrąbać mu głowę. Gdybyś poczuła się lepiej, zapal zapałkę i idź za światłem.

Rzuciła mi tekturowe pudełko zapałek i podkasawszy spódnicę, pobiegła czym prędzej za Mieszkiem. Zobaczyłam między drzewami kolorowe światła, które po chwili zaczęły znikać. Odgłosy pogoni stopniowo się oddalały.

Nagle korony drzew rozbujały się w podmuchach wiatru. Strumyk zaczął głośniej szumieć. Usłyszałam pohukiwanie sowy. Czyżby las ożył, gdy upir uciekł?

Odetchnęłam głęboko i przymknęłam oczy. Wpływ wąpierza powoli ustępował. Najwyraźniej malał z każdym dzielącym nas metrem.

Policzek cały czas mnie piekł.

Jeszcze raz nabrałam głęboko powietrza i usiadłam. Potrząsnęłam głową, żeby wytrzepać z włosów suche liście.

Brzuch już mnie nie bolał. Podciągnęłam koszulkę, żeby sprawdzić, czy nie mam tam żadnej rany. Przejechałam palcami po gładkiej skórze. To był tylko ból fantomowy, który współodczuwałam z trafionym upirem. Wzdrygnęłam się, uświadamiając sobie, że Mieszko miał rację. To był mój wąpierz. Jego jad stwarzał między nami tajemniczą więź.

Rozejrzałam się dookoła. Niedaleko leżał mój nóż i paczka zapałek. Ostrze noża ubrudzone było czarną kleistą substancją. Z obrzydzeniem wytarłam je o liście, zanim wsunęłam z powrotem do pochwy.

Byłam z siebie dumna. Nie spanikowałam. A w każdym razie nie za bardzo. Przyłożyłam do policzka brzeg koszulki. Gdy odjęłam ją od twarzy, ujrzałam krew i czarny jad upira. Na szczęście przestanie działać, gdy wąpierz zostanie zabity. Ponownie przyłożyłam materiał do rany, chcąc oczyścić ją z nadmiaru jadu. Syknęłam, gdy zapiekło.

Zapaliłam zapałkę. Kolorowy pył, którym szeptucha posypała upira, zalśnił nawet przy tej niewielkiej ilości światła. To była droga, którą należało podążać między drzewami; miała doprowadzić do jego leża.

Wiedziałam, że Mieszko i szeptucha będą bez wytchnienia polować na wąpierza. W tym czasie ja mogłam zająć się czymś innym. Wpadłam na pewien pomysł. Nie był może zbyt oryginalny. Z całą pewnością nie był też mądry. Jednak teraz, skoro już się tutaj znalazłam i nikt mnie nie pilnował, nadarzała się świetna okazja, żeby go zrealizować.

Chyba najwyższy czas, żeby odwiedzić Nawię i porozmawiać poważnie z pierwszym z bogów.

Mamy kilka spraw do omówienia.

41.

Szybko pobiegłam w dół strumyczka. Wierzby smagały mnie długimi witkami po twarzy i szarpały za ubranie, jakby starały się odwieść mnie od tego pomysłu. Mijałam trujące zioła i krzewy. Przez głowę przeleciały mi przepisy na potężne mikstury przygotowywane przez szeptuchę. Jednak żadna z nich nie byłaby w stanie mi teraz pomóc.

Zatrzymałam się przed dwiema wierzbami o splecionych gałęziach. Z tego, co zapamiętałam, za zasłoną z ich witek znajdował się Wyraj. Niecierpliwie przestępowałam z nogi na nogę. Pomimo dwóch par skarpet czułam pod stopami ostre kamyczki i suche gałązki.

Bogowie, czy ja na pewno dobrze robię? Naszły mnie wątpliwości. Powinnam uciekać gdzie pieprz rośnie, pojechać do Warszawy, zabrać mamę i wsiąść w pierwszy samolot, który kieruje się na inny kontynent. Może w Australii mściwi bogowie nie zdołaliby mnie dopaść?

Chociaż z drugiej strony Australia to niezbyt dobry pomysł. Tam podobno można znaleźć w bucie jadowite pająki. Nie dość, że pająki, to jeszcze jadowite!

Grenlandia jest pod tym względem lepszym wyborem. Tylko trochę zimno.

Odwróciłam się, by spojrzeć za siebie. Wokół znowu panowała przeraźliwa cisza. Las nie wydawał żadnych dźwięków. To nie było normalne.

– Jestem lekarzem – powiedziałam głośno.

Głos trząsł mi się niemiłosiernie. Wykrzywiłam się sama do siebie i kontynuowałam monolog:

– Jestem lekarzem. Człowiekiem nauki. Nie można mnie zastraszyć. No, chyba że pistoletem. Czarów nie ma.

Pomyślałam o utopcu i wąpierzu.

– To na pewno jakaś bardzo rzadka choroba genetyczna.

Tylko jeżeli upir staje się upirem przez błędne dopasowanie chromosomów, to co w takim razie robię w środku lasu? Kim jest Weles? Szalonym naukowcem?

– Cholera jasna... czary istnieją.

Popłakałam się. Chcę do Australii. Nawet jeśli tam wszystkie zwierzęta i rośliny usiłują zabić człowieka.

– Raz kozie śmierć – westchnęłam i otarłam łzy.

Pochyliłam się i zaczęłam przedzierać się przez gałązki. Nie chciały mnie przepuścić. Pewnie powinno mi to dać do myślenia, ale nie dało.

W końcu przedostałam się na drugą stronę. Przede mną znajdowało się trzęsawisko przykryte wiszącą na wysokości jednego metra szaroniebieską mgłą. Jak na razie wszystko wskazywało na to, że jestem blisko wejścia do Wyraju. Zgodnie z legendami powinno prowadzić do niego trzęsawisko pilnowane przez żmija, dziki, rusałki, topielice i wiły.

Na szczęście nigdzie nie było widać żywego inwentarza.

Moje skarpetki bardzo szybko przemokły, gdy przedzierałam się przez błoto w kierunku stojącego pośrodku drzewa. Przy każdym moim kroku breja wydawała plaskający odgłos. Miałam wrażenie, że strasznie hałasuję.

Teren niezalesionego trzęsawiska był ogromny. Zastanawiało mnie, czy mogę je znaleźć na mapach satelitarnych w internecie. Teoretycznie powinnam. Jednak coś mi mówiło, że na zdjęciach będzie tylko gęsty las.

Stanęłam pod drzewem, które nie przypominało żadnego, które znałam. Było wielkości dorodnego, kilkusetletniego dębu, kształtem zbliżone do topoli czarnej, miało liście niczym jesion i przysięgłabym, że na szczycie widziałam małe, czerwone jabłka. Gdy przyjrzałam mu się bliżej, dostrzegłam, że każda gałąź zakończona jest ostrym, kilkucentymetrowym kolcem.

Nie ma takich drzew. Nie jestem co prawda w tej kwestii autorytetem, ale tak mi się wydaje.

– Welesie? – odchrząknęłam i powtórzyłam głośniej. – Welesie? To ja, eee... widząca... chciałabym z tobą porozmawiać.

Gdyby nie to, że byłam przerażona, pewnie poczułabym się głupio, gadając do siebie pośrodku lasu.

– Welesie?

Okrążyłam drzewo, żeby na wszelki wypadek sprawdzić, czy nigdzie nie ma żmijów albo chociażby dzików. Cisza zdawała się naciskać na moje uszy. Miałam wrażenie, że bolą, gdy nie docierają do nich żadne bodźce.

– Welesie? – odezwałam się, bardziej z potrzeby usłyszenia jakiegoś dźwięku.

Dotknęłam kory drzewa kosmicznego, chcąc przeskoczyć przez wystający korzeń, i odskoczyłam z piskiem. Była przeraźliwie gorąca i jakimś cudem pulsowała.

– O bogowie – mruknęłam, przytulając dłoń do piersi.

Spojrzałam na palce, żeby sprawdzić, jak mocno się oparzyłam. Były zaczerwienione. Na szczęście nie pojawiły się pęcherze świadczące o uszkodzeniu głębszych warstw skóry.

To niemożliwe! Ono nie może być gorące! Przecież jest środek nocy.

– Żywym nie wolno dotykać kosmicznego drzewa. Masz szczęście, że cię nie zabiło. Mogło, gdyby tylko zechciało.

Poznałabym ten głos wszędzie. Był chrapliwy, szorstki i suchy. W jakiś tajemniczy sposób zupełnie pozbawiony dźwięków. Zupełnie jak u osób po operacji krtani.

Odwróciłam się do wysokiego, szczupłego mężczyzny, którego spotkałam na festynie z okazji Jarego Święta. Wyglądał tak jak wtedy. Miał na sobie nawet to samo czarne ubranie.

Wzdrygnęłam się. Było w nim coś nieludzkiego. Nie wiem, czy to kwestia haczykowatego, jakby ostro zakończonego nosa, czy może pustych, czarnych oczu przypominających jastrzębie ślepia.

Wydawał się żywy i martwy jednocześnie.

– Weles? – zapytałam.

– Po widzącej oczekiwałbym większego szacunku – wychrypiał.

– Przepraszam. – Zaczerwieniłam się.

Bóg podszedł do drzewa i pogłaskał je czule po korze. Jego nie parzyło. Spojrzałam na legendarne kosmiczne drzewo. Przyznam szczerze, że wyobrażałam je sobie zawsze trochę mniej drapieżnie.

Tajemnicza roślina była *axis mundi*, osią całego świata. Zerknęłam na grube korzenie przebijające ziemię. Zaczęłam się zastanawiać, jak głęboko sięgają. Zgodnie z wierzeniami powinny przebijać całą planetę. To od tego drzewa rozpoczęła się budowa lądów. Ono wyrosło jako pierwsze. Zapoczątkowało życie.

– Czemu tu przyszłaś? – zapytał Weles.

– Chcę ci powiedzieć, że wąpierz, którego wysłałeś, by mnie zaatakował, najprawdopodobniej nie przeżyje tej nocy.

Nie wiem, czego oczekiwałam. Wybuchu złości? Zmartwienia? A jemu nawet powieka nie drgnęła. Stał nieruchomo oparty o kosmiczne drzewo i przewiercał mnie spojrzeniem. Czarne oczy na tle jego bladej skóry zdawały się jedynie wypolerowanymi kamieniami.

– Ja go zabiję – dodałam.

Nadal się nie odzywał.

– To... dobrze, że nie będziesz miał mi tego za złe – zaczęłam się plątać.

Przechylił głowę na bok zupełnie jak ptak i przyglądał mi się z uwagą. Poczułam się nieswojo. Zaczęłam żałować swojej decyzji. Przychodzenie tutaj nie było mądre.

– Nie po to tutaj jesteś – stwierdził.

– Nie.

Nie wiedziałam, jak ubrać w słowa to, co chciałam mu przekazać. Grunt, żeby dobrze mnie zrozumiał, i co najważniejsze, żeby nie zrobił mi krzywdy, jeśli propozycja mu się nie spodoba.

– Chcę zawrzeć układ – powiedziałam.

– Słucham.

– Dam ci kwiat, jeśli obiecasz, że nie będziesz nasyłał swoich sług na mnie ani na moich przyjaciół i rodzinę. Będę nietykalna. My będziemy nietykalni.

Oczy Welesa zabłysły, a wąskie usta rozciągnęły się w niepokojąco szerokim uśmiechu.

– Podoba mi się ten układ.

– Czyli zgadzasz się?

– Tak.

– Bezpieczeństwo moje i moich bliskich w zamian za kwiat – powtórzyłam.

– Tak – szepnął. – Tylko zastanów się wcześniej, czy dobrze dobierasz przyjaciół. Nie wszyscy są godni zaufania.

Podejrzewam, że miał na myśli Mieszka. Weles zapewne wiedział, że także chce dostać kwiat.

– A co z wąpierzem? – zapytałam.

– Możesz go zabić. Nie będzie mi już potrzebny.

Zmarszczyłam brwi.

– Nie mogę go odwołać – wyjaśnił. – Gdy wąpierz raz zasmakuje krwi swojej ofiary, nie zdoła jej porzucić. Nawet gdybym ja mu kazał. Jest uzależniony. I tak musi zginąć.

– Naprawdę obiecujesz, że dasz mi spokój? – upewniłam się.

– W zamian za kwiat.

– A potem?

– Potem nie będziesz mi do niczego potrzebna. Po co miałbym zawracać sobie tobą głowę?

Choć jego słowa brzmiały pięknie, wyczuwałam nutę fałszu. Nie podobało mi się to.

– Musisz przyrzec mi coś jeszcze – powiedziałam. – Nie wolno ci nikomu powiedzieć, że obiecałam dać ci kwiat. Jeśli Świętowit się o tym dowie, będzie chciał mnie zabić.

– Ja nic nie muszę – zaśmiał się.

Gdy się śmiał, w jego chropowatym głosie pojawiły się ostre nuty. Przypominały odgłos pękającego z trzaskiem szkła. Były bardzo nieprzyjemne. Poczułam, jak włosy stają mi dęba. Odruchowo zatkałam uszy dłońmi, nie mogąc ścierpieć tego dźwięku.

– Jeśli Świętowit mnie zabije, to nie przyniosę ci kwiatu – próbowałam go przekonać. – Musimy utrzymać nasz pakt w tajemnicy.

– Widząca, która tak mało widzi. – Pokręcił głową.

Odsunął się od drzewa i wszedł na taflę wody pokrywającą trzęsawisko. Jego stopy nie zapadały się pod wodę, tylko twardo na niej stały. Ja w przeciwieństwie do niego nurzałam się po kostki w błocie.

Nie odzywałam się. Wbiłam tylko spojrzenie w jego plecy i zadrżałam. Było mi bardzo zimno.

Czas płynął. Granatowe niebo zaczęło szarzeć i różowieć. Powoli wstawał świt. Po raz ostatni spojrzałam na niknące gwiazdy.

– Masz szczęście – oznajmił w końcu.

Odwrócił się i podszedł do mnie. Staliśmy naprzeciwko siebie. Musiałam unieść głowę, by popatrzeć mu w oczy. Był znacznie wyższy, niż zapamiętałam. Zupełnie jakby od Jarego Święta rozciągnął się w tajemniczy sposób.

– Mam dzisiaj dobry humor. Nie powiem nikomu o naszym pakcie – szeptał. – Wiedz jednak, że jeśli nie dotrzymasz słowa, to cię zabiję. To nie będzie szybka ani przyjemna śmierć. A gdy już umrzesz, nie pozwolę twojej duszy paść się na polach Wyraju po kres czasu. Sprowadzę cię z powrotem, byś na wieki była moją służącą, którą mogę torturować.

Mówiąc to, przez cały czas uśmiechał się do mnie przyjaźnie, jakbyśmy rozmawiali na temat najlepszego sposobu na pieczenie ciasteczek z kremem. Miałam wrażenie, że serce zaraz wyskoczy mi z piersi na ten widok. Jeśli wąpierz gdzieś tam był, wciąż jeszcze żywy, musiał czuć mój strach, nieważne, jak daleko się znajdował.

– Rozumiem – wydusiłam.

– Cieszę się. Możesz odejść.

Audiencja najwyraźniej dobiegła końca. Kosmiczne drzewo zaczęło trzeszczeć i piszczeć, gdy jego kora wybrzuszyła się gwałtownie. Z ziemi wysunęły się grube niczym moje uda korzenie. Cofnęłam się przestraszona. Drzewo uformowało tron z własnych korzeni! Weles zasiadł na nim i posłał mi ostatnie, srogie spojrzenie.

– Pamiętaj, co już raz ci powiedziałem. Tutaj wszyscy robią to, co im każę.

Odwróciłam się na pięcie i uciekłam. Gdy biegłam, głośno klaszcząc mokrymi podeszwami o błotniste trzęsawisko, słyszałam za sobą jego chrapliwy, nierealny śmiech. Prześladował mnie dźwięk pękającego szkła.

W końcu pokonałam zasłonę z witek oddzielającą mnie od zwykłego świata. Oparłam ręce na kolanach i odetchnęłam głęboko. Spojrzałam na wierzby broniące dostępu do Nawi.

Uśmiechnęłam się. Weles nie zdawał sobie sprawy z tego, że się mylił.

42.

Siarka na czubku zapałki zasyczała, kiedy zaczął pochłaniać ją płomień. Sprawdziłam, czy wciąż mam przy sobie krótki nożyk schowany pod koszulką. Uspokojona dotykiem metalu, ruszyłam powoli przed siebie, w ślad za uciekającym wąpierzem.

Zastanawiało mnie, czy Mieszko zdołał go już dopaść, czy może upir na mnie czeka. Przyłożyłam palce do policzka, po którym przejechał pazurem. Zapiekło dotkliwie. Mam nadzieję, że nie zostanie mi po tym ślad.

Ciągle drżałam na myśl o Welesie. Mój pomysł, doskonały jeszcze kilkanaście minut temu, teraz wcale nie wydawał mi się taki genialny. Głupia, myślałam, że zdołam przechytrzyć bogów. Pewnie i tak skończę martwa...

Zapalałam kolejne zapałki, idąc coraz głębiej w las. Usiłowałam podpalić znalezione gałęzie, ale o tej porze wszystko pokrywała warstewka rosy.

Pył, którym szeptucha obsypała wąpierza, błyszczał wszystkimi kolorami tęczy. Nie wiedziałam, co wchodziło w jego skład. Nie uwierzyłam, gdy Baba Jaga powiedziała, że jest magiczny. Za punkt honoru wzięłam sobie dotarcie do informacji, z czego jest zrobiony. Oczywiście o ile pożyję wystarczająco długo, żeby mieć czas na takie rzeczy.

Niebo nad moją głową coraz bardziej różowiało, ptaki budziły się ze snu. Miałam mało czasu. Pod wpływem słońca kolorowy pył utleni się i przestanie świecić. Zaczęłam biec, osłaniając kolejne zapałki dłońmi, żeby płomyk nie zgasł. Ślad stawał się coraz słabszy. Wąpierz musiał już zgubić większość proszku. Zupełnie straciłam orientację. Nie miałam zielonego pojęcia, gdzie jestem. Jeśli teraz się zgubię, nigdy nie znajdę drogi. A co gorsza, mogę mieć bardzo duży problem, by odszukać wyjście z puszczy.

Nagle kolorowy blask zniknął.

Zatrzymałam się gwałtownie. Płomień zapałki oparzył mi palce. Syknęłam i zgasiłam za krótkie do utrzymania drewienko. Sięgnęłam do pudełka. Została mi ostatnia zapałka.

Potarłam jej czubkiem o szorstką ściankę pudełeczka. Płomień zabłysnął na żółto.

Nigdzie nie widziałam błyszczącego proszku.

– Cholera! – syknęłam, kręcąc się dookoła własnej osi.

Spodziewałam się, że prędzej zabraknie mi zapałek, niż że proszek przestanie błyszczeć. Ukucnęłam, przyglądając się opadłym na ziemię liściom. Nie było nawet najmniejszego śladu. Na czworakach cofałam się do miejsca, z którego przyszłam, aż dostrzegłam delikatny błysk gasnącego już proszku.

– Gosia! – usłyszałam wołanie.

Podniosłam się. Znajdowałam się głęboko w lesie, ale widoczność była znakomita. Drzewa były bardzo wysokie, lecz rozłożyste. Przez to nic, co rosło poniżej ich koron, z powodu braku słońca nie osiągnęło dużych rozmiarów. W oddali zobaczyłam Mieszka. Machał do mnie świecącą niebieskawo lampą.

Zgasiłam bezużyteczną już zapałkę i podbiegłam do niego. Rzuciłam mu się w ramiona z takim impetem, że omal nas nie przewróciłam.

– Gosiu, Gosiu, już dobrze. – Objął mnie ramionami i mocno przytulił.

Pachniał lasem i dymem. Zamknęłam oczy i odetchnęłam głęboko. Strach, który nie opuszczał mnie od spotkania z Welesem, powoli zaczynał znikać.

– Zgubiłam trop – wyznałam.

Odsunął mnie od siebie na długość ramienia. Dotknął mojego podbródka i uniósł go lekko. Odkręcił mi głowę na bok, żeby lepiej zobaczyć zadrapany policzek. Zacisnął mocno szczęki.

– Zabiję skurwysyna – warknął.

Zaskoczona zamrugałam. Po raz pierwszy Mieszko użył wulgarnego słowa w mojej obecności. Dotychczas prezentował nienaganne maniery.

– To nic takiego – starałam się go uspokoić. – Kiedy tylko wrócimy do domu, zdezynfekuję ranę, a gdy się zasklepi, będę ją smarować maścią z cebuli według autorskiego przepisu Baby Jagi. Zobaczysz, że nie zostanie mi blizna.

– Przepraszam cię. – Pochylił się i oparł swoje czoło na moim. – Miałem cię chronić.

– Dobrze ci idzie – zapewniłam go. – Wciąż jeszcze żyję. Ale możesz mnie dalej przytulać. To całkiem miłe.

Zaśmiał się i mocniej objął mnie ramionami. Odetchnęłam głęboko jego zapachem. Uspokajał mnie.

– Jeszcze nigdy tak się nie bałam – wyznałam.

– Widziałem. Nie mogłem wcześniej strzelić. Istniało niebezpieczeństwo, że cię trafię. A gdybym się ujawnił, mógłby zrobić ci krzywdę.

Myślał, że mówię o wąpierzu. Jednak to Weles tak potwornie mnie przerażał. Wydaje mi się, że to jego czarne, martwe oczy będą mi się śniły po nocach, a nie wąskie ślepia upira.

Mieszko odsunął się i wziął mnie za rękę.

– Wiemy, gdzie jest leże wąpierza.

– Zabiliście go?

– Nie, czekamy na ciebie.

Uśmiechnęłam się. Najwyższy czas, żeby teraz to upir mógł zacząć się bać.

– Ułożył się do snu. Chodź. Nie ma co marnować czasu. Baba Jaga pewnie już się niepokoi, czemu tak długo nie wracamy. – Pociągnął mnie pomiędzy drzewa.

Sama nie znalazłabym drogi. Zbyt dużo czasu spędziłam u bram Nawi. Nie miałabym szans trafić w to miejsce, gdyby moi towarzysze nie poszli przodem. Na szczęście wąpierz nie zdołał im uciec.

Szeptucha czekała na nas przy niedużym wzniesieniu, które po kilku metrach opadało stromo do wąwozu. Stała nad kopcem, pod którym spokojnie mógł ukrywać się leżący mężczyzna średniego wzrostu.

– Zakopał się tutaj, zanim dobiegliśmy. Chyba miał nadzieję, że przegapimy jego mały kurhanik – wyjaśniła. – Jak się czujesz?

Mieszko znów obrócił moją twarz, by pokazać jej zadrapanie. Szeptucha jednak nie roztkliwiała się nade mną, najwyraźniej nie mając wyrzutów sumienia, że użyła mnie jako żywej przynęty.

– Nie będzie śladu. – Klepnęła mnie w zdrowy policzek. – Później się tym zajmiemy. Teraz trzeba pozbyć się problemu. Mieszko, byłbyś tak miły...

Wskazała mu leżącą obok łopatę.

Wąpierz nie spoczywał głęboko. Jego nieruchome ciało było przykryte raptem kilkudziesięcioma centymetrami gliniastej, rudawej gleby. Cofnęłam się przerażona, kiedy ziemia obsypała się z jego nieruchomej twarzy. Mimo że była wilgotna, nie przykleiła się do skóry potwora. Zupełnie jakby odpychał ją od siebie. Może to kolejna zdolność, którą dysponowały wąpierze? Gdyby wygrzebywały się ze swoich grobów całe umorusane ziemią, pewnie trudniej byłoby im zaatakować potencjalne ofiary. Każdego chyba zdziwiłby widok brudnego mężczyzny.

Objęłam się ramionami, patrząc na wąpierza. Nadal mnie przerażał. Cały czas czułam na sobie jego obrzydliwy dotyk.

To z pewnością był upir, który na mnie polował. Jednak teraz wyglądał jak najzwyklejszy... trup. Jego twarz była poszarzała i zapadnięta. Gałki oczne przykryte cieniutkimi powiekami poznaczonymi liniami niebieskawych żyłek wydawały się odrobinę wklęsłe. Z jego ust wystawał siny, spuchnięty język.

Leżał na plecach z dłońmi splecionymi na klatce piersiowej. Po prostu zwykły trup, jakich widziałam dziesiątki na studiach. Nic nie wskazywało na to, że jest zdolny do samodzielnego opuszczenia swojej mogiły.

Zauważyłam, że obok ciała spoczywał nadgniły turystyczny plecak. Najwyraźniej wąpierz za życia faktycznie był zwykłym wycieczkowiczem, który niechcący nadepnął Welesowi na odcisk.

– Co się z nim stało? – spytałam. – Wyglądał inaczej.

Szeptucha zacmokała złotą licówką i pokiwała głową.

– Wąpierze wyglądają tak za dnia. Gdyby napił się tej nocy krwi, miałby teraz rumieńce na twarzy. Kiedyś po tym je rozpoznawano. Odkopywano zwłoki, a jeśli jakieś były, że tak powiem, „czerwone jak upiór", wtedy na wszelki wypadek je unieszkodliwiano. Jak sama wiesz, trup nie powinien mieć rumianych policzków.

– Nie powinien... – przyznałam.

Dobrze pamiętałam z zajęć z medycyny sądowej szarozieloną barwę skóry „pacjentów".

Mieszko bezceremonialnie złapał wąpierza za fraki i odwrócił go twarzą do ziemi. Upir nawet nie drgnął.

– Czy on...?

– Za dnia śpi – wyjaśniła Baba Jaga, grzebiąc w torbie. – Nie może nam nic zrobić.

– Nie obudzi się?

– Nie. Jest w transie.

Patrzyłam, jak wyjmuje z torby młotek i długie na piętnaście centymetrów gwoździe. Przyłożyła pierwszy z nich do głowy wąpierza i zamachnęła się młotkiem.

Gwóźdź wszedł jak w masło.

Byłam gotowa do ucieczki, ale upir nawet nie drgnął. Jakby zupełnie nic nie czuł. Serio, nie wiem, jaki to jest rodzaj snu, ale raczej większość ludzi obudziłaby się, gdyby ktoś wbił im w sam środek głowy piętnastocentymetrowy gwóźdź.

Żołądek wywrócił mi się na drugą stronę. Nie mogłam na to patrzeć.

– Tak jak myślałam – powiedziała szeptucha.

Mieszko stał obok, ściskając oburącz siekierę. Nie mógł się doczekać, kiedy będzie mógł odrąbać upirowi głowę.

– Spójrz uważnie – nakazała mi.

– Na co?

– A najlepiej dotknij jego czaszki.

– Wolałabym nie.

– Przecież to trup. Nie zrobi ci teraz krzywdy.

– Mimo wszystko...

– Jestem za stara, żeby tak długo klęczeć na gołej ziemi. Natychmiast dotknij tej czaszki i przestań wydziwiać!

Posłusznie stanęłam obok i dotknęłam głowy upira. Cofnęłam się.

– No i? – Nie miałam zielonego pojęcia, o co jej chodziło.

– Naciśnij mocniej.

Spełniłam polecenie. Ze zdziwieniem poczułam, jak kości potylicy nieznacznie uginają się pod naciskiem moich palców. Zrobiło mi się niedobrze.

– Fu! On się już rozkłada! – jęknęłam.

– Nie, on po prostu nie ma kości.

– Słucham?

– Legendy są prawdziwe. – Szeptucha uśmiechnęła się zadowolona z siebie. – Wedle podań wąpierze nie mają kości, tylko chrząstki. To kolejny sposób, żeby odróżnić je od ciał zmarłych osób. Nawet nie potrzebuję teraz młotka!

Zadowolona z siebie zaczęła wpychać gwoździe gołą ręką. Podśpiewywała przy tym jakąś prząśną melodyjkę. Czym prędzej się odsunęłam. Mieszko uśmiechał się na ten widok.

Jak wszystkich bogów kocham, mam wrażenie, że w tym szalonym trio ja jestem najnormalniejsza. Ja tylko dźgnęłam wąpierza w brzuch. Nie przyznaję się do innych zbrodni.

Szeptucha wbiła wszystkie gwoździe i zadowolona z siebie otrzepała ręce z ziemi. Ze stęknięciem dźwignęła się na kolana i skinęła na Mieszka, by przystąpił do dzieła.

Spojrzał na mnie i wysunął trzonek siekiery w moją stronę.

– Może ty masz ochotę? – zapytał.

– Nie, dzięki. Nie krępuj się.

– Jak chcesz. – Wzruszył ramionami, jakby moja niechęć do dekapitacji zwłok była czymś dziwnym.

Ptaki wesoło śpiewały, a słońce pokazało się na niebie w pełnej krasie. Piękny dzień na bezczeszczenie zwłok.

Głowa potoczyła się po ziemi. Z szyi nie trysnęła krew, a wąpierz nie zaczął uciekać jak kurczak z odrąbaną głową, czego się po nim spodziewałam. Mieszko kopnął łeb upira z powrotem do grobu.

Szeptucha pogroziła mu palcem. Popatrzyłam na nią z wdzięcznością.

– Musi być twarzą do ziemi! – warknęła i poprawiła nogą głowę trupa.

Moja wdzięczność zniknęła.

– Gosiu, posyp go teraz makiem – nakazała mi Baba Jaga.

Sięgnęłam po dwukilowy worek maku.

– Gdzie mam posypać?

– Całe ciało, ale najwięcej syp na głowę.

Spełniłam polecenie. Gdy ostatnie ziarenko maku spadło na ciało wąpierza, napięcie wreszcie mnie opuściło. Poczułam za to zmęczenie. Ziewnęłam i usiadłam na ziemi, nie dbając o to, czy w pobliżu czają się mrówki i kleszcze. Wreszcie byłam bezpieczna. Przynajmniej przez chwilę.

Mieszko zaczął zasypywać grób.

– Ciekawe, kim był za życia – powiedziałam.

Nigdy nie poznamy jego prawdziwej tożsamości. Turystyczny plecak, w którym zapewne znajdował się także portfel, przykrywała już warstewka ziemi. Zastanawiało mnie, czy ktoś go nie szuka, nie tęskni za nim.

– Nikim dobrym – stwierdziła szeptucha.

– A może to nieprawda? – zapytałam. – Może był dobry? Może nie tylko źli ludzie stają się upirami?

– Każdy ma w sobie pierwiastek zła. Ludzie bez skazy nie istnieją. – Pokręciła głową. – Niektórzy po prostu są aż tak źli, że zamieniają się w żądne ofiar sługi Welesa. Przy Świętowicie skupiają się istoty o czystszych duszach.

– Oni wszyscy są źli – prychnął zniesmaczony naszą dyskusją Mieszko.

– A porońce? – spytałam. – To przecież zmarłe dzieci. Co one mogły zrobić złego? A jednak stają się potworami.

– Płacą za grzechy swoich matek – skwitowała. – Pamiętaj, że powstają z dusz spędzonych celowo bądź mimowolnie dzieci. To kara za winy rodziców.

– Porońce są najgorsze – skwitował Mieszko, stając obok zasypanego grobu. – Z zazdrości atakują ciężarne kobiety oraz położnice i wysysają z nich krew. Za moich czasów istniało mnóstwo zabobonów mających ochronić kobiety w ciąży przed ich zakusami.

– Te przesądy działają do dziś – przyznała szeptucha i klasnęła w dłonie. – Dobrze, ta pogawędka jest bardzo miła, ale czas porządnie odpocząć. Wygląda na to, że pozbyliśmy się go na dobre.

– Na pewno nie wstanie? – zapytałam.

– Nie słyszałam, żeby po takich zabiegach problem z wąpierzem kiedykolwiek się powtórzył – skwitowała. – Możemy wrócić do domu.

Gdy szliśmy przez las, Mieszko wziął mnie za rękę. Nic przy tym nie powiedział. Nawet się do mnie nie uśmiechnął. Po prostu lekko ścisnął moje palce.

Przez chwilę zrobiło mi się cieplej na sercu. Jednak tylko przez chwilę, bo potem zauważyłam czarnego jastrzębia kołującego nad naszymi głowami.

43.

Postanowiłam, że nie będę wracać do Warszawy na obchody Zielonych Świątek. Uzgodniłyśmy z mamą, że zobaczymy się dopiero po Kupalnocce. Było jej trochę przykro, ale wyjaśniłam jej, że powinnam pomóc Babie Jadze. Gdy to usłyszała, od razu przestała robić mi wyrzuty. Najwyraźniej wciąż miała nadzieję, że obiorę tę ścieżkę kariery medycznej.

Niedoczekanie. Teraz, kiedy wiem, że bogowie naprawdę istnieją, na pewno nie zostanę szeptuchą. Zresztą pomysł emigracji do Australii wydaje mi się coraz bardziej nęcący. Co prawda na razie nie stać mnie na bilety lotnicze, ale coraz poważniej rozważam ten kierunek świata na ucieczkę.

– Zazdroszczę ci, że miałaś wakacje – powiedziała Sława, kładąc się na moim łóżku. – Też bym chciała gdzieś wyjechać.

– To weź urlop.

– Nie mogę... nie mam ciągłości pracy czy jak to się tam nazywa – prychnęła. – Głupie przepisy. To niesprawiedliwe, że ty nie musisz chodzić do pracy, a ja muszę.

Pomyślałam o „urlopie", który spędziłam, polując na wąpierza. Wątpliwa przyjemność. Jednak nie mogłam jej tego wytłumaczyć.

– Pokaż policzek! – W jednej chwili zerwała się z łóżka i stanęła obok mnie przy dużym lustrze, które było przymocowane do drzwi szafy.

Przyjrzałam się krytycznie swojemu odbiciu. Ślad po zadrapaniu był ledwie widoczny, ale ciągle rysował się na skórze cienką, jasną kreską. Baba Jaga zdziałała cuda swoją maścią z cebuli. Śmierdziałam po niej paskudnie, za to wszystko ładnie się goiło w rekordowym wręcz czasie. Strup zszedł po niecałych dwóch dniach, odsłaniając cieniutką bliznę. Nie spodziewałam się aż tak dobrych efektów. A zgodnie z zapewnieniami szeptuchy, jeśli jeszcze przez kilka tygodni będę nakładać specyfik, to nawet i ten ślad zniknie.

– Wygląda już całkiem nieźle – stwierdziła moja przyjaciółka. – Mam nadzieję, że zdobyłaś przepis na ten krem, co? Może ci się przydać, biorąc pod uwagę ilość wypadków, którym ulegasz.

– To była maść, nie krem.

– Wsio ryba – skwitowała. – Pomogę ci nałożyć podkład i puder. Zobaczysz, nic nie będzie widać.

– Taa...

– A co ty taka ponura? – zdziwiła się. – Martwisz się tą blizną? Będziesz miała nauczkę, żeby nie dotykać tego brudnego kocura.

Okłamałam Sławę, że to kot szeptuchy podrapał mi twarz, kiedy próbowałam wyjąć mu kleszcza zza ucha. Uwierzyła mi. Wie, jaki mam stosunek do kleszczy.

– Nie martw się. Szeptucha zrobiła ci najlepszy krem na usuwanie blizn, jaki istnieje na świecie. – Poklepała mnie po ramieniu i pociągnęła na łóżko.

– Maść...

Pozwoliłam jej się posadzić. Pędzelki, gąbki i ołówki zaczęły przesuwać się przed moją twarzą, gdy Sława usiłowała przerobić mnie na bóstwo.

Westchnęłam, przymykając oczy, kiedy nakładała mi na powieki grubą warstwę cieni. Obawiałam się, że mój spokój niebawem się skończy. Dopiero ostatnie dni były dla mnie prawdziwymi wakacjami.

Nie wiem, czy to zasługa Welesa, ale istoty nadprzyrodzone dały mi odpocząć od siebie. Nie napastował mnie więcej żaden upir.

Nawet Świętowit niczego ode mnie nie chciał. Czyżby zapomniał, że już kilkakrotnie kazał mi się ze sobą skontaktować? Nie zbliżałam się do lasu, więc nie miałam szansy spotkać leszego, a z wodą miałam do czynienia tylko podczas porannego prysznica, więc o utopcach też nie musiałam myśleć.

Nawet nie widziałam Radka, jakby płanetnik także zapadł się pod ziemię.

Przyznam szczerze, że wcale mnie to nie martwiło.

– Nie chcę iść... – jęknęłam.

– Chyba musisz – odparła.

Usłyszałam w jej głosie smutek. Uchyliłam jedną powiekę.

– Nie ruszaj się! – zbeształa mnie. – Chcesz mieć krzywo pomalowane oczy?!

– No i niby dla kogo mam tak ładnie wyglądać, co? – prychnęłam.

– To Zielone Świątki! – oburzyła się. – Najważniejsze ze świąt!

– No, chyba nie najważniejsze...

– Rusałczy Tydzień jest najważniejszy – syknęła.

Nie rozumiałam jej. Jak dla mnie ważniejszym świętem jest zimowe przesilenie, czyli Gody, albo letnie, czyli Noc Kupały. Zielone Świątki nie wydawały mi się aż tak istotne.

– Wszystko jest takie kolorowe – mówiła z zapałem. – Kwiaty kwitną, drzewa kwitną. Aż chce się tańczyć!

– Rusałkę w sobie odkryłaś? – prychnęłam.

Poczułam, jak kredka do oczu wbija mi się boleśnie w powiekę. Jęknęłam oburzona.

– Nie kręć się – pouczyła mnie. – A najlepiej się nie odzywaj.

– Przecież malujesz oczy, a nie usta – sarkałam.

– Zielone Świątki to jedna z lepszych imprez – kontynuowała swój wywód. – Założę się, że w Bielinach będą je porządnie obchodzić. Będą ogniska, tańce, dużo alkoholu.

– Orgie... – dokończyłam.

– Orgii nie ma od stu lat – westchnęła z żalem.

– A ty skąd wiesz? Może staruszki zaszaleją w nocy w Bielinach – zaśmiałam się.

Podczas Jarego Święta stare szeptuchy całkiem nieźle radziły sobie z wróżami. Podejrzewam, że teraz może być podobnie, jeśli znowu dosypią czegoś do ogniska.

– Wątpię. Kiedyś to święto było naprawdę celebrowane. Zapalano ogniska koło cmentarzy i bawiono się do białego rana, tańcząc i pijąc pomiędzy nagrobkami. Martwi chodzili wtedy bez strachu pośród żywych.

– Jesteś zbyt romantyczna – skwitowałam.

– Uważam, że te legendy są piękne. Każda wiąże się z jakimś nieszczęśliwym romansem. Wiem, że nie wierzysz w rusałki, wiły i południce, ale kiedyś one były bardzo liczne.

Sława nawet nie wiedziała, w jak wielkim jest błędzie. Istoty nadprzyrodzone miały się świetnie po dziś dzień.

– Mnie się wydaje, że picie po cmentarzach i orgie na nagrobkach są mało pociągające. A na dodatek mają w sobie coś ze świętokradztwa.

– Bo jesteś sztywniaczką! Skończyłam. Zobacz się w lustrze.

Wstałam i podeszłam do szafy. Nie wiem, jak Sława to zrobiła, ale wyglądałam jakoś inaczej, bardziej kobieco i seksownie. Aż zaparło mi dech z wrażenia. Szkoda tylko, że do wieczora pewnie wszystko ze mnie spłynie.

– Poczekaj. Odwróć się.

Psiknęła mi czymś prosto w twarz, przez co zapiekły mnie oczy. Odskoczyłam, wpadając na szafę. Drzwi zatrzasnęły się z głośnym chrzęstem. Usłyszałam, jak w środku wieszaki spadają z łomotem.

– Na wszystkich bogów! – jęknęłam.

– Nie trzyj oczu, bo rozmażesz!

– Ty mnie gazem pieprzowym potraktowałaś czy co?!

– To utwardzacz do make-upu. Teraz powinno się trzymać, nawet jak będziesz skakać przez ognisko.

– Nie będę skakać przez żadne ognisko.

– Będziesz, będziesz. – Poklepała mnie po ramieniu. – Zobaczysz, jakie Zielone Świątki są fajne.

Otworzyłam oczy. Na szczęście ciągle widziałam. Zamrugałam kilka razy, żeby przepędzić łzy.

– Jesteś sadystką – wydusiłam.

– I mistrzynią make-upu. Wyglądasz super!

– Nie wiem, dla kogo tak się stroję...

Mieszko i tak nie chce ze mną być. Jednak nie powiedziałam tego głośno. Nie zwierzałam się Sławie z mojego nieudanego *tête-à-tête* ze zmarłym władcą.

– Na pewno będzie dużo przystojniaków.

Przypomniałam sobie wróżów z Jarego Święta. Może jakbym miała tak z pięćdziesiąt lat więcej, to rzeczywiście wyhaczyłabym dzisiaj jakieś ciacho. Moglibyśmy rozmawiać o maściach na reumatyzm i klejach do protez zębowych.

– A ty nie idziesz na imprezę? – zapytałam.

– Ja dzisiaj pracuję – powiedziała.

– Przykro mi.

– Lubię pracować w Zielone Świątki. – Wzruszyła ramionami. – Jest zabawnie.

Nie wiem, co jest zabawnego w przepędzaniu pijanych klientów z baru, ale nie chciało mi się o tym dyskutować. Nie od dzisiaj wiem, że różnimy się ze Sławą w kwestii spędzania wolnego czasu.

– Uważaj na siebie – ostrzegła mnie.

– Spokojnie. Dam sobie radę z pijanymi pięćdziesięciolatkami.

Baba Jaga oświadczyła mi, że tylko przez chwilę będziemy uczestniczyć w wioskowych obrzędach. Głównym punktem naszego wieczoru jest impreza zamknięta na cmentarzysku dla szeptuch i kapłanów głęboko w lesie. Podobno będziemy się duchowo łączyć z poprzednikami.

Już to widzę – staruszki pewnie znowu nawrzucają halucynogennych ziółek do ogniska i będą udawać, że mają świetlne wizje.

– Przesadzasz, przecież nie wszyscy są tacy starzy. Na pewno szeptuchy z innych miast też mają kogoś na praktykach – starała się mnie pocieszyć Sława.

– Taa... zobaczymy.

– A jak się ubierasz? – zapytała.

Wskazałam na strój chroniący mnie przed kleszczami, który wisiał na wieszaku zahaczonym o klamkę. Co prawda już raz zostałam użarta, ale nie miałam ochoty na ponowne usuwanie ze swojej skóry małego lokatora.

– Po moim trupie!

44.

Uległam Sławie i nie włożyłam mojego kleszczoodpornego kombinezonu. Jednak nie omieszkałam wypsikać na ubranie i odkryte kawałki ciała całego opakowania spreju przeciwko kleszczom i komarom.

Moja najlepsza przyjaciółka ubrała mnie w obcisłe czarne spodnie do połowy łydki i prześwitującą, luźną, błękitną tunikę z głębokim dekoltem w karo ozdobioną haftem w kwiaty konwalii. Włosy kazała mi zostawić rozpuszczone. Opadały mi prawie do pasa, lekko falując. I tak nie zamierzałam ich wiązać, bo wiem, że szeptucha zmusi mnie do założenia na głowę wianka, który zapewne będzie trzeba jakoś wpiąć. Zamiast trampek za kostkę włożyłam baleriny. Tylko one pasowały.

Musiałam przyznać Sławie rację – wyglądałam lepiej niż w stroju ochronnym.

– Ładnie się ubrałaś – pochwaliła mnie Baba Jaga, kiedy spotkałyśmy się na cmentarzu w Bielinach.

Zobaczyłam w jej oczach uznanie. Mile mnie to połechtało. Bardzo rzadko jest zadowolona z mojego wyglądu.

– Nawet nie masz tych okropnych butów. Chociaż mogłaś założyć sukienkę. Straszna z ciebie chłopczyca.

Wiedziałam, że nie powstrzyma się od komentarza. Musiała, po prostu musiała coś dodać. To było silniejsze od niej.

– Czy bogowie cię niepokoili? – zapytała szeptem.

– Nie. – Pokręciłam głową.

– Nie podoba mi się to. Dziwne, że Weles odpuścił po tym, jak zabiliśmy jego sługę. To bardzo podejrzane. Powinien z zemsty cię zabić.

– No, ja dziękuję za taką alternatywę. To chyba lepiej, że dał mi spokój.

Nie miałam zamiaru mówić jej o pakcie, który zawarłam z bogiem podziemia.

– Uważaj dzisiaj na siebie, dziecko. W Zielone Świątki słudzy bogów chodzą między śmiertelnikami. Najlepiej nie oddalaj się ode mnie i od innych szeptuch. Z nami też nie będziesz zupełnie bezpieczna, ale mimo wszystko lepiej trzymać się razem.

– Postaram się. – Kiwnęłam głową.

Baba Jaga częściowo miała rację. To dziwne, że Świętowit nie usiłował przeciągnąć mnie na swoją stronę. Czyżby Weles jednak coś mu powiedział?

Zaczęłam rozmyślać o bogach. Nie rozumiałam, dlaczego Weles i Świętowit od wieków walczyli o dominację. Podział obowiązków i objęcie przez jednego władzy nad zaświatami, a drugiego nad światem żywych wydawały mi się całkiem logiczne. Nie potrafiłam pojąć, po co chcą zmieniać coś, co dobrze działa od tak dawna.

Przypomniałam sobie piękną legendę o powstaniu świata. Zgodnie z nią to właśnie Weles stworzył lądy, wyławiając piasek z dna morza. On zapoczątkował powstanie kontynentów, na których dzisiaj żyjemy. To z tego powodu zasiada na tronie pod drzewem kosmicznym, które wyrosło jako pierwsze.

Weszłyśmy na teren cmentarza. Na szczęście nie był położony obok Bielinianki. Nie chodzi tylko o czysto sanitarne aspekty i możliwość przenikania zarazków do wód gruntowych. Wolałam nie zbliżać się dzisiaj do wody. Tak na wszelki wypadek.

Chyba cała okoliczna ludność zebrała się na cmentarzu. Dzieci biegały wszędzie jak szalone, zajadając się słodyczami, nastolatki robiły sobie selfie na tle nagrobków i palących się ognisk, a dorośli plotkowali przy kramach z jedzeniem.

Niebo było już pomarańczowe, niebawem zapadnie zmierzch. Wtedy lampiony poustawiane na grobach będą wyglądać naprawdę pięknie. Osobiście najbardziej lubiłam lampki w kolorze zielonym. Ich światło zawsze wydawało mi się mroczne i magiczne.

Chociaż tak szczerze mówiąc, to nie miałam w tym momencie zbyt dużej ochoty na magię.

Stanęłyśmy przy bramie obok wójta, którego zaczerwieniony nos sugerował, iż dobrze się bawi już co najmniej od kilku godzin. Ludzie nie czekali na oficjalne rozpoczęcie obchodów Rusałczego Tygodnia.

Wiejska orkiestra grała wesoło, muzyka porywała do tańca. Nawet ja ledwo mogłam ustać w miejscu.

– Na co czekamy? – szepnęłam do Baby Jagi.

– Na Mszczuja. Razem z nim pobłogosławimy mieszkańców, a potem ruszymy na nasz cmentarz.

Gdy to powiedziała, na końcu ulicy pojawił się niski Mszczuj i jego zupełne przeciwieństwo – atletyczny, wysoki Mieszko. Każdy z nich niósł w dłoniach wianek z kwiatów. Mieli na sobie dobrze mi już znane stroje. W przeciwieństwie do szeptuch, które na wszystkie święta po prostu wkładały kwieciste spódnice, oni musieli występować w płóciennych tunikach z kapturami. O ile na Mieszku wyglądało to dobrze, o tyle Mszczuj tonął w zbyt obszernej i oczywiście już poplamionej tunice.

Podeszli do nas. Mieszko nie odrywał ode mnie spojrzenia swoich lodowatych oczu. Uśmiechnął się półgębkiem. Nie widzieliśmy się od czasu zamordowania w lesie wąpierza. Nie wiem jak on, ale ja zdążyłam już zatęsknić.

Szeptucha przywitała ich zdawkowo. Nawet nie usiłowała ukryć niechęci, którą darzyła niechlujnego kapłana.

Mężczyźni założyli nam na głowy grube, ciężkie wianki. Zauważyłam z zadowoleniem, że ten, który dostałam od Mieszka, oprócz barwnych bratków i błękitnych niezapominajek miał również wplecione białe kwiaty konwalii pasujące mi do haftu na bluzce. Owionął mnie oszałamiający zapach kwiatów. Wianek był idealny.

– Dziękuję. – Uśmiechnęłam się do Mieszka.

W odpowiedzi tylko mrugnął i podążył za Mszczujem. Podeszliśmy do wójta, który podał nam kieliszki pełne miodu. Wychyliliśmy je za jednym zamachem. Poczułam, jak słodki alkohol piecze mnie w gardło. Podano nam kolejne kieliszki. Jednak tym razem nie wypiliśmy miodu. Wylaliśmy ich zawartość na ziemię.

– Obchody czas zacząć! – krzyknął Mszczuj. – Bawcie się!

Szybko wpięłam wianek we włosy za pomocą wsuwek, żeby mi nie spadł. Szeptucha nie była zachwycona swoim nakryciem głowy, chociaż jej wianek był bardzo ładny. Mogę się założyć, że kapłan nie wykonał go własnoręcznie, tylko kupił na którymś ze straganów.

– Mam nadzieję, że nie złapię jakiegoś paskudztwa od Mszczuja – szepnęła do mnie, poprawiając ozdobę. – Na pewno w tym swoim kołtunie ma wszy.

Muzykanci zaczęli grać kolejną skoczną melodyjkę. Baba Jaga złapała mnie za rękę, udając staruszkę, która ma kłopoty z chodzeniem. Dzięki temu dostałyśmy za darmo po kawałku ciasta oraz następną kolejkę miodu pitnego.

Sprytne.

Rozejrzałam się za Mieszkiem, ale nigdzie nie mogłam go dostrzec w tłumie świętujących. A przecież nietrudno go przeoczyć, bo jest wyższy od większości mieszkańców Bielin, których plecy garbią się po latach pracy na roli.

– Poszli już na cmentarz – powiedziała szeptucha, domyślając się, kogo szukam. – Zbierają się tam wszyscy guślarze z okolicy.

– A czemu bez nas?

– Bo będą teraz do zmroku rozmawiać z bogami.

– Naprawdę?

– Nie, to bujda. Tak naprawdę będą żłopać miód i udawać. Z tego, co mówił mi Mszczuj, bogowie jeszcze ani razu się do nich nie odezwali, odkąd on chodzi na spotkania w Zielone Świątki. A chodzi już przeszło sześćdziesiąt lat.

– Może to przez to, że on na nie chodzi – mruknęłam.

– Może – zaśmiała się chrapliwie.

Usiadłyśmy na drewnianej ławeczce. Z otwartymi ustami przyglądałam się nastolatkom i młodym kobietom, które poprzebierały się za boginki. Tańczyły w zwiewnych sukienkach, trzymając się za ręce. Panował wesoły, świąteczny nastrój.

– Też powinnaś mieć taką sukienkę – skwitowała Baba Jaga. – Nie mówię, że źle się ubrałaś, bo jak na ciebie to całkiem dobrze wyglądasz. Niemniej mogłaś się bardziej postarać.

Zacisnęłam zęby. Uważam, że szeptucha i tak ma szczęście, że nie założyłam mojego ochronnego stroju na kleszcze.

Rozglądałam się uważnie, ale nie widziałam żadnych prawdziwych rusałek. Z ulgą doszłam do wniosku, że to najwyraźniej nieprawda, iż w Zielone Świątki pojawiają się na obchodach.

Niebo pociemniało. Można już było na nim zobaczyć jasne punkty gwiazd. Cmentarz migotał kolorowymi lampionami i pochodniami. Smużki dymu unosiły się do góry, drgając delikatnie na wietrze. Wyglądało to magicznie.

Mieszkańcy zapalili pośrodku ognisko, przez które zaczęli skakać najodważniejsi mężczyźni. Patrzyłam na to z pewną dozą niepokoju. Wydawało mi się, że zaraz któremuś z nich podpali się nogawka spodni.

Kobiety śpiewały i tańczyły, trzymając się za ręce. Gdzieniegdzie widać było całujących się zakochanych.

– Idziemy. – Baba Jaga podniosła się z trudem z niskiej ławki.

Nie wydawało mi się zbyt roztropne, by jedyna pomoc medyczna w okolicy szła podczas takiej zabawy do lasu, gdzie telefony komórkowe nie mają zasięgu, ale co ja się tam znam.

Wójt podał mi pochodnię.

O, a niesienie przeze mnie (p r z e z e m n i e – przecież ja się o własne nogi potrafię potknąć) pochodni uważam za jeszcze mniej rozważne.

Całkowicie pochłonięta niesieniem palącego się kawałka drewna, praktycznie nie patrzyłam, gdzie idę. Nerwowo zerkając na iskry strzelające z pochodni oraz na wystające gałęzie i korzenie pod nogami, szłam za głosem szeptuchy. Baba Jaga zabawiała mnie opowieściami o obchodach. Dowiedziałam się, że znowu będzie ognisko z halucynogennymi ziółkami, że będziemy pić miód, tańczyć i śpiewać.

Jakoś nie potrafię sobie wyobrazić podstarzałych wróżów i szeptuch skaczących przez płomienie.

– A rusałki będą? – zapytałam.

– Widzę, że spieszy ci się, żeby poznać kolejne nadprzyrodzone istoty – prychnęła.

– Czy ja wiem…

– Szczerze mówiąc, nigdy na naszych obchodach nie było nieproszonych gości.

– To fajnie.

– Tak mi się przynajmniej wydaje.

– Hę?

– Zrozum – zmieszała się.

Jej zakłopotanie było tak duże, że aż oderwałam spojrzenie od pochodni i zerknęłam na jej zaczerwienioną twarz.

– W czasie naszych ognisk używamy sporej ilości halucynogennych ziół i grzybów, więc nie potrafię ci powiedzieć, czy na pewno nigdy nie odwiedziły nas żadne boginki i demony. Niemniej nikomu nigdy nie stała się żadna krzywda.

– To super. Bardzo mnie pocieszyłaś.

Postanowiłam, że postaram się nie nawdychać za wiele oparów. O ile to w ogóle jest możliwe.

Określenie „cmentarz" dla miejsca spoczynku zasłużonych szeptuch i guślarzy było według mnie sporym nadużyciem. Najwyraźniej członkowie tej „nadprzyrodzonej" społeczności są wyjątkowo długowieczni, bo grobów było niewiele. Niemniej kamienne nagrobki wyglądały imponująco. Musiały zostać stworzone przez najlepszych kamieniarzy z okolicy.

Pośrodku cmentarza znajdował się okrągły plac otoczony kamiennymi ławkami, a na nim miejsce na ognisko. Za ławkami wbite w ziemię stały wysokie, nadgryzione zębem czasu kolumny z metalowymi uchwytami na pochodnie. Wsunęłam naszą w jedno z pustych miejsc.

Wapienne i granitowe płyty odbijały światło pochodni i ogniska. Nagrobki nie były typowe. Te najbliższe placu wyglądały jak kurhany z kamieni o średnicy kilku metrów. W następnych rzędach znajdowały się małe kamienne budynki przypominające stare grobowce rodzinne na paryskim cmentarzu Père-Lachaise. Najwyraźniej zasłużeni słudzy bogów i szeptuchy po śmierci nie spoczywają w zwykłych mogiłach pod kamiennymi płytami.

Większość miejsc dookoła ogniska była zajęta. Szeptuchy powoli schodziły się na uroczystość. Tak jak mówiła Baba Jaga, guślarze zdążyli już odurzyć się alkoholem i ziołami.

Po plecach przebiegł mi dreszcz. Odwróciłam się zaniepokojona. Napotkałam świdrujące spojrzenie Mieszka. Zauważyłam, że trzyma w dłoni opróżnioną butelkę miodu.

Najwyraźniej nie marnował czasu, kiedy ja słuchałam krytyki szeptuchy na temat mojego stroju. Obok niego i Mszczuja były dwa wolne miejsca. Baba Jaga pociągnęła mnie w tamtym kierunku.

Gdy przechodziłyśmy koło ognia, poczułam silny zapach kwiatów i wanilii. Odetchnęłam głęboko. Zakręciło mi się w głowie. Moje kroki stały się lżejsze, a świat dookoła piękniejszy. Postanowienie o niewąchaniu halucynogennego ogniska zaczęło topnieć.

Usiadłam obok Mieszka. Kamienna ławka ogrzała się od płomieni i przyjemnie się na niej siedziało. Rozejrzałam się dookoła. To miejsce naprawdę było piękne. Kilkadziesiąt grobów otaczał wysoki, ciemny las. Było słychać tylko szum wiatru, trzask płonących szczap drewna i pohukiwanie puszczyka. To dobre miejsce na ostatni spoczynek. Mogłabym mieć tu swój grób.

Gdybym została szeptuchą.

Ale nie zamierzam.

– Jak obchody w Bielinach? – zagadnął Mieszko.

– Fajnie. Kiedy wychodziłyśmy, właśnie zaczynały się skoki przez ogień.

– Tu też będą – zapewnił.

Potoczyłam pełnym wątpliwości spojrzeniem po otaczających nas staruszkach. Większość z nich wyglądała, jakby potrzebowała specjalnego balkonika do poruszania się pomiędzy łóżkiem a toaletą.

– Nie połamią się? – spytałam szeptem.

– Nie wszyscy są starzy. Nie przesadzaj. No i my jesteśmy młodzi.

– O nie, nie, nie, nie. – Zamachałam rękami. – To niebezpieczne. Nie mam najmniejszego zamiaru zbliżać się do ognia na odległość mniejszą niż długość kija, na którym będę piekła kiełbaskę.

Już mi ślinka ciekła na myśl o tych kiełbaskach. Miałyśmy z Babą Jagą całą ich torbę. A także kilka kanapek z jajkiem. Szeptucha najwyraźniej nie wyobrażała sobie ogniska bez kanapek z jajkiem.

– Jeszcze zmienisz zdanie.

Mimo że serce zaczęło mi topnieć na widok jego uśmiechu, zdania nie zmieniłam. No, chyba żeby mnie pocałował. Może wówczas ewentualnie zaczęłabym się zastanawiać nad skokiem przez ogień. Ale tylko wtedy, gdy ognisko trochę przygaśnie.

Tak jak podczas Jarego Święta guślarze po kolei podchodzili do ognia i wrzucali do niego różne zioła i grzyby. Każdy mówił kilka słów o zmarłych spoczywających na cmentarzu. Zachwycona patrzyłam, jak płomienie za każdym razem zmieniają kolor. Tym razem byłam mądrzejsza. Przed przyjściem najadłam się ciasta, a tu zdążyłam już zjeść dwie kiełbaski. Nie dam się ponownie odurzyć!

Zgromadzeni ludzie zaczęli śpiewać. Ktoś wyciągnął gitarę i skrzypce. Ja, w przeciwieństwie do Mieszka, nie znałam słów lokalnych pieśni, więc tylko kiwałam się w takt muzyki.

Nagle za plecami ludzi siedzących po drugiej stronie ogniska dostrzegłam jakiś ruch. Początkowo wzięłam to za przywidzenie. Jednak po chwili znowu zobaczyłam to samo. Ktoś przemknął szybko pomiędzy drzewami.

Przysięgłabym, że to była Sława...

45.

– Idę skorzystać z krzaczka – powiedziałam Babie Jadze.

Ona jednak była już tak zaprawiona ziółkami i miodem pitnym, którego sobie nie żałowała, że chyba w ogóle nie zwróciła na mnie uwagi.

To samo powiedziałam Mieszkowi.

– Uważaj na siebie. – Zmarszczył brwi. – Nie oddalaj się. Chcesz, żebym poszedł z tobą?

Jego propozycja wydała mi się bardzo zabawna.

– Sądzę, że dam radę opróżnić pęcherz bez pomocy, ale dziękuję – zaśmiałam się i poklepałam go po ramieniu.

Zaczerwienił się aż po cebulki włosów. Zaśmiałam się jeszcze głośniej. Objęłam jego twarz rękami i pocałowałam go prosto w usta.

– Niedługo wrócę – zapewniłam.

Okrążyłam ognisko, poważnie myśląc o tym, co przed chwilą zrobiłam. Pocałowałam Mieszka na oczach wszystkich. Co prawda większość uczestników zabawy była już tak odurzona, że pewnie nie wiedziała, jak się nazywa. Jednak... co mnie podkusiło? Chyba byłam tym tak samo zaskoczona jak Mieszko.

Zerknęłam na niego przez ramię. Odprowadzał mnie wzrokiem. Wytrzasnął skądś kolejną butelkę miodu pitnego.

Najwyraźniej nie miał zamiaru sobie żałować, podobnie jak szeptucha.

Wyjęłam z uchwytu jedną z pochodni i opuściłam teren cmentarza. Złapałam łuczywo obiema rękami i wysunęłam je do przodu. Bałam się iskier, które mogłyby przeskoczyć na moje ubranie.

Weszłam między drzewa. Przysięgłabym, że widziałam tu Sławę. Zadrżałam na samą myśl o tym, że mogła zostać schwytana przez bogów, żeby mnie szantażować. Nie mogę pozwolić, żeby stała się jej krzywda.

Gdy oddaliłam się już na tyle, żeby nikt przy ognisku mnie nie słyszał, zawołałam:

– Sława? Sława, jesteś tu?

Odpowiedziała mi cisza. Weszłam jeszcze głębiej między drzewa.

– Sława! Sława!

– Gosia...

Stanęłam jak wryta. Usłyszałam szept, ale nie widziałam nikogo. Obróciłam się dookoła własnej osi. Serce podeszło mi do gardła. Zaczęłam sobie powtarzać, że nie mogę spotkać nikogo gorszego od wąpierza.

Istnienie strzyg postanowiłam na jakiś czas wyprzeć ze świadomości.

– Sława? – Mój głos zadrżał niebezpiecznie.

Przypomniałam sobie sceny z horrorów, kiedy głupie blondynki wchodzą do lasu. Cholera, właśnie popełniłam kardynalny błąd. Wlazłam sama do lasu...

Na szczęście w oddali, pomiędzy drzewami, ciągle widziałam blask ognia z cmentarza. Przynajmniej się nie zgubię.

– Gosia – za moimi plecami rozległ się głos Sławy.

Podskoczyłam ze strachu i odwróciłam się, jak szalona machając pochodnią. Przede mną stała moja najlepsza przyjaciółka. Miała na sobie prostą, białą, płócienną sukienkę przewiązaną w pasie sznurem, a na rozpuszczonych zielonych włosach wianek upleciony z leśnych kwiatów.

Zaraz, zielonych?

– Uważaj na ogień – ostrzegła mnie. – Możesz się poparzyć.

– Sława! Co ty tu robisz?! – Chwyciłam ją za rękę. – Bogowie cię złapali. Cholera jasna, wiedziałam, że tak będzie. To pewnie Świętowit. Szybko, musimy iść na cmentarz. Tam jest cały tłum szeptuch i kapłanów. Oni nam pomogą.

– Gosia, Gosia, spokojnie – miała smutny głos. – To nie tak, jak myślisz.

– Czemu na litość boską masz zielone włosy? – nie mogłam przestać się dziwić.

– Bo jestem rusałką.

Po jej słowach otworzyłam jeszcze kilka razy usta, ale nie wydobył się z nich żaden dźwięk. A ja głupia myślałam, że po tym, jak się okazało, że Mieszko jest t y m Mieszkiem, nic więcej już mnie nie zaskoczy.

– Wszystko ci wyjaśnię, ale teraz musisz ze mną pójść. Obiecaj mi, że ze mną pójdziesz. On musi z tobą porozmawiać. Nie możesz wiecznie go unikać.

– On?

– Świętowit.

Odsunęłam się gwałtownie i wyrwałam rękę z uścisku.

– Służysz Świętowitowi? – wydusiłam.

Moja najlepsza przyjaciółka zaczęła płakać. Przyjrzałam jej się uważnie. Tatuaż przedstawiający kwiaty powoju wił się malowniczo po jej szyi. Świetnie pasował do zielonych włosów. Wyglądała naprawdę ślicznie.

Jak na rusałkę, czyli jakkolwiek by na to patrzeć – na trupa. Z tego, co wiem, wszystkie istoty nadprzyrodzone w naszej kulturze są mniej lub bardziej martwe.

– Ty naprawdę jesteś rusałką! – krzyknęłam. – Nie wierzę! Jak mogłaś mi o tym nie powiedzieć!

– Chodź ze mną. Wszystko wyjaśnię ci po drodze.

– Nigdzie nie idę – zaparłam się. – Natychmiast powiedz mi, o co chodzi.

– On do ciebie nie przyjdzie. Ty musisz iść do niego. Święty dąb jest niedaleko. Błagam cię, chodź ze mną.

– Nie.

– Inaczej zrobi mi krzywdę. Proszę cię, Gosiu. Świętowit zaczyna się niecierpliwić. Myślał, że przyjdziesz do niego wcześniej.

– Naiwniak – mruknęłam.

Odwróciłam się w stronę cmentarza.

– Nie mogę iść. Będą mnie szukać.

– Nie będą. Zostaw to moim siostrom. Rzucą na ucztujących czar.

W tym momencie zdałam sobie sprawę, że nie jesteśmy same. Dookoła nas stało kilka dziewcząt w powiewnych sukienkach. Wszystkie miały skórę o niezdrowym, bladym odcieniu i zielone włosy. Zamarły w kompletnym bezruchu. Wiatr nie poruszał ich strojami, zupełnie jakby były tylko fantomami. To dlatego ich przedtem nie zauważyłam, skupiona na Sławie.

– Nikt nie zauważy upływu czasu – powiedziała Sława. – Nie przejmuj się. Możesz ze mną iść.

Nie wiem, dlaczego poszłam. Może dlatego, że kocham ją jak siostrę. Albo dlatego, że lekko pijana miałam ochotę porozmawiać ze Świętowitem i wygarnąć mu, co myślę na temat zamieniania moich przyjaciół w rusałki.

Boginki pobiegły w kierunku cmentarza. Ich bose stopy miękko opadały na ziemię. Zdawały się w ogóle nie dotykać poszycia. Miałam nadzieję, że ich pojawienie się na obchodach nie doprowadzi do paniki.

– Mów – nakazałam Sławie, gdy szłyśmy między drzewami.

Na wszelki wypadek, chyba żebym jej nie uciekła, trzymała mnie za rękę.

– Służę Świętowitowi. Kazał mi cię obserwować wiele lat temu. Wyjechałam z Kielc, żeby cię śledzić. Musisz mi uwierzyć, że naprawdę jestem twoją przyjaciółką. Jesteś strasznie fajna! Przypominasz mi siostrę, którą miałam bardzo dawno temu. To na początku była zwykła praca, ale potem cię polubiłam.

Miałam ochotę się rozpłakać. Mój poukładany świat po raz kolejny zaczął się rozpadać na drobne kawałki.

– Okłamałaś mnie.

– Nie – zaprotestowała. – Nigdy nie twierdziłam, że nie jestem rusałką.

– Serio? To jest twoja wymówka?

– Nigdy mnie o to nie zapytałaś.

– Bo o takie rzeczy trzeba pytać, tak?

– Przepraszam...

Przez chwilę szłyśmy w milczeniu. Przestałam już słyszeć dźwięki muzyki z cmentarza. Czułam się zdradzona i oszukana.

– Nie mogę uwierzyć, że mi to zrobiłaś.

– Przepraszam cię – kajała się dalej. – Naprawdę nie chciałam cię skrzywdzić. Świętowit jest moim panem. Muszę robić to, co mi każe.

– Czy moja mama... – Urwałam zakłopotana, przypominając sobie, jak mocno nalegała, żebym przyjechała do Bielin. – Czy moja mama też jest w to zamieszana?

– Nie – zaprzeczyła Sława. – Twoja mama po prostu ma hopla na punkcie ziołolecznictwa i czarów.

Poczułam ulgę. Przynajmniej ona nie kłamała. Jednak jest coś w powiedzeniu, że tylko na rodzinę zawsze można liczyć.

– Czemu nie powiedziałaś mi wcześniej? – Nie mogłam powstrzymać wyrzutu w głosie.

– Nie uwierzyłabyś mi, gdybym powiedziała, że jestem rusałką – stwierdziła. – Przecież ty zawsze wyrażałaś się bardzo sceptycznie o polskich legendach. Zawsze byłaś taką realistką. Pewnie nawet zdołałabyś mi udowodnić, że nie istnieję.

Zawstydziłam się. Rzeczywiście byłam trochę za bardzo sceptyczna.

– Poza tym nikt właściwie nie był pewien, czy naprawdę jesteś widzącą. A tak przy okazji, to jestem zawiedziona, że nie powiedziałaś mi o swoich wizjach podczas Jarego Święta, tylko udawałaś, że do niczego tam nie doszło. Słyszałam, że dowiedziałaś się wtedy prawdy o Mieszku.

– Inwigilujesz mnie od co najmniej sześciu lat i śmiesz mieć jeszcze pretensje, że ci się nie zwierzam? – prychnęłam.

– No, może racja...

Zaczęłam się bać. Przeżyłam jakoś rozmowę z Welesem, może ze Świętowitem też mi jakoś pójdzie? No, chyba że chce mnie zabić, bo dowiedział się, że obiecałam kwiat jego przeciwnikowi.

Odetchnęłam głęboko. Czy szłam właśnie na śmierć? O dziwo, nie czułam aż tak wielkiego strachu, jak powinnam. Ciągle byłam zmęczona po ostatnich zajściach z wąpierzem. Wykorzystałam wtedy chyba wszystkie zasoby paniki. Poza tym teraz, gdy wiedziałam, że Wyraj istnieje naprawdę, śmierć nie wydawała mi się aż tak okropna.

– Czy skoro jesteś rusałką... – zaczęłam. – To znaczy, że jesteś tak jakby... martwa?

– No wiesz... W pewnym sensie to tak. Umarłam tuż przed zamążpójściem. Ciężko było mi to znieść, więc zostałam rusałką.

– To można sobie tak postanowić? – Nie mogłam tego pojąć.

– Nie, to nie do końca tak. Jak by ci to wyjaśnić?

Puściła moją rękę i podrapała się po głowie.

– Można powiedzieć, że Świętowit mnie zwerbował. Umarłam w lesie od trucizny. Niedoszła teściowa nie była przekonana do mojej kandydatury na synową. Zdołała przekonać swojego pierworodnego, a mojego narzeczonego, że lepiej dla niego będzie, jeśli poślubi córkę wójta. Niestety zaręczyn nie dało się już odkręcić, więc wspólnie się mnie pozbyli.

– Bardzo mi przykro – wtrąciłam.

– Nie ma sprawy. – Machnęła lekceważąco ręką. – Leszy znalazł mnie umierającą w krzakach, zabrał do Świętowita, a on postanowił dać mi drugie życie.

– Życie?

– No dobra, nieżycie. Ale ty czepliwa jesteś. Chcesz usłyszeć całą historię czy nie?

– Sorry...

– No i zostałam rusałką. Świętowit dał mi możliwość zemsty. Podczas pierwszego nowiu po mojej śmierci zwabiłam Bogumiła, czyli mojego narzeczonego, do lasu. Żebyś słyszała, jak mnie przepraszał! Palant. Udawałam, że nie wiem, że maczał palce w tym morderstwie. Powiedziałam mu, że wróciłam do niego, żeby przeżyć z nim moją noc poślubną.

– A on to łyknął? – Nie mogłam uwierzyć w tępotę umysłową rzeczonego Bogumiła. No ludzie, jego zmarła narzeczona wraca do życia. A jego to nawet przez chwilę nie zaniepokoiło? Może i dobrze, że Sława za niego nie wyszła.

– O tak... – Na jej twarzy pojawił się drapieżny uśmiech.

– Zabiłaś go?

– O tak...

Rusałki miały to do siebie, że zwabiały młodych mężczyzn na łąki albo do lasu, a następnie zabijały ich za pomocą pieszczot lub łaskotek. Najwyraźniej drogi Bogumił zmarł z powodu żądzy niemożliwej do spełnienia.

Trochę perwersyjny rodzaj śmierci.

– I było warto? – zapytałam.

– Nie rozumiem.

– Było warto zostać rusałką dla zemsty?

– No wiesz... Gdybym nie została rusałką, to po prostu byłabym martwa. Wydaje mi się, że to całkiem niezły układ. Lubię życie.

– Z tym, że nie żyjesz.

– Już nie bądź taka wredna.

W odpowiedzi tylko pokręciłam głową.

– Jeszcze raz cię przepraszam, Gosiu. Jesteś dla mnie jak siostra. Naprawdę bardzo cię lubię. Dzięki tobie poczułam, że znowu żyję.

Kolejna osoba po Mieszku mówi mi to samo. Mam najwyraźniej doskonały wpływ na nieśmiertelne istoty. Chyba zacznę żądać zapłaty za możliwość spędzenia ze mną czasu.

– Nie mogę uwierzyć, że nie powiedziałaś mi, że jesteś widzącą! – bulwersowała się Sława.

– Nie chciałam, żebyś znalazła się w niebezpieczeństwie. Myślałam, że gniew bogów może obrócić się przeciwko tobie.

– No cóż. Na to już za późno.

Usłyszałam szum potoku. Stanęłyśmy nad jego brzegiem. Ruczaj był w tym miejscu bardzo wąski. Znajdowałyśmy się już niedaleko świętego dębu. Mimo wszystko poczułam lekki niepokój i tremę. W końcu nie co dzień człowiek spotyka swojego najważniejszego boga.

– Jak to jest być nieśmiertelną? – zapytałam, żeby oderwać myśli od wizji śmierci.

– No wiesz... jak sama słusznie zauważyłaś, to jestem martwa, więc nie wiem, czy można nazwać to nieśmiertelnością. Ogólnie spoko, tylko trochę nudno. Wszystko potrafi się znudzić po jakimś czasie.

– A ile masz lat?

– Trzysta cztery.

– Dobrze się trzymasz.

– Dzięki.

Przynajmniej nie będzie musiała się na starość martwić z powodu olbrzymiego tatuażu. Po prostu nigdy nie będzie stara.

– To jakiego koloru masz włosy?

– Zielone – przyznała z niesmakiem. – To taki efekt uboczny.

Okej, teraz Bogumił, czy jak tam mu było, staje się w mojej wyobraźni jeszcze większym durniem. Nie zauważył, że jego cudownie powstała z martwych narzeczona ma zielone włosy?

– To teraz powiedz mi wszystko, co wiesz o Mieszku – zażądałam. – Nie dasz rady wykpić się niechęcią do tego imienia.

Sława jęknęła.

– Muszę?

– Jesteś mi winna wszystkie ploty z ostatnich trzystu lat.

Moja przyjaciółka zaśmiała się serdecznie.

– Mieszko to pierwszy władca zjednoczonych plemion.

– Tyle to sama wiem, bo mi powiedział.

– Nie wiem o nim zbyt wiele. Zawsze trzymał się na uboczu. Podobno podróżował po świecie. Nigdy nie szukał znajomości w świecie demonów. – Wzruszyła ramionami.

– Myślisz, że jest niebezpieczny?

– Nie mam pojęcia.

– A czemu mnie tak do niego zniechęcałaś?

– Świętowit mi kazał, gdy tylko się zorientował, że Mieszko przybył do Bielin.

– Czyli nic nie możesz mi o nim powiedzieć?

– Nic. On też chce dostać kwiat, prawda? Może dać mu śmiertelność.

Nie wiem dlaczego, ale miałam wrażenie, że Sława nie mówi mi wszystkiego.

– Jakiś czas temu spotkałam utopca, pana Dareczka. Powiedział, że Mieszko starał się kiedyś kogoś ochronić, ale mu się to nie udało.

Wzruszyła ramionami, jakby nie miała zielonego pojęcia, o czym mówię.

– Ma z tysiąc lat. Pewnie nieraz usiłował kogoś chronić.

– Czyli nic o tym nie wiesz?

– Nie.

– A mogłabyś zapytać pana Darka, o co mu chodziło?

– Nie wiem, kiedy go znowu spotkam, ale nie ma sprawy. Tylko wiesz, on mógł kłamać, żeby cię przekonać.

Nie do końca byłam przekonana o tym, czy kłamał. Byłam jednak pewna, że teraz Sława kłamie w żywe oczy.

Zaklęłam w duchu. Kolejny ślepy zaułek. Jeśli Mieszko sam mi czegoś o sobie nie powie, to niczego się nie dowiem.

Dookoła nas było coraz mniej drzew. Usłyszałam szum potężnego dębu. Byłyśmy już blisko.

– Czego chce ode mnie Świętowit?

– Chce zawrzeć z tobą umowę.

46.

Dawno nie byłam pod świętym dębem. Unikałam tego miejsca, odkąd się dowiedziałam, że jestem widzącą. Było to nie w smak Babie Jadze, bo sama musiała chodzić po wodę ze źródła, zdając sobie sprawę z niebezpieczeństwa, które tu na mnie czyhało.

Wszystko wyglądało tak, jak zapamiętałam. Z jedną różnicą. Pod drzewem siedział bezdomny.

Tak, bezdomny. A dokładniej ten bezdomny, który jakiś czas temu zaatakował mnie pod blokiem, bełkocząc o słowiańskich bogach. Zaraz, jak Sława wtedy go nazwała? Aha, pan Witek. Świętowit. Jak mogłam być tak głupia, że wcześniej tego nie zrozumiałam?

Spojrzałam na nią z pretensją, ale nie zwróciła na mnie uwagi.

O cholera... chyba nie zaskarbiłam sobie zbyt wiele jego sympatii, sugerując wtedy, żeby się, delikatnie mówiąc, odczepił.

– Panie, przyprowadziłam ją – poinformowała swojego władcę Sława.

No jasne, bo przecież by się nie domyślił...

– Ekhm... dobry wieczór? – powiedziałam.

Starałam się uśmiechnąć szczerze i uniżenie. Naprawdę się starałam. Nie moja wina, że nie wyszło.

Świętowit westchnął ciężko. Odwrócił w moją stronę twarz, chyba tylko po to, żebym miała lepszy widok na jego skołtunioną brodę, bo się do mnie nie odezwał. Najwyraźniej nie byłam tego godna.

Nie wiedziałam, co robić. Ukłonić się? Cisza się przedłużała. Miałam nadzieję, że szeptucha i Mieszko, przestraszeni moją nieobecnością, nie zaczęli mnie jeszcze szukać. Nie chciałam ich martwić.

Sława wrosła w ziemię, jakby skamieniała. Dąb szumiał cicho, źródełko pluskało. Zaczęłam krążyć spojrzeniem po krzakach, żeby sprawdzić, czy nie ma w pobliżu więcej boskich sług.

– Długo szłaś, by mnie odwiedzić – powiedział.

Drgnęłam zaskoczona jego głosem i omal nie wypuściłam z rąk ciągle tlącej się pochodni.

– Cmentarz jest kawałek stąd... – zaczęłam się tłumaczyć, ale mi przerwał:

– Wysłałem do ciebie kilkoro moich sług. Każdy z nich przekazał ci wiadomość, byś mnie odwiedziła, a ty tego nie zrobiłaś.

– Nie zrobiłam. – Musiałam się z nim zgodzić.

Zdziwiło mnie, że spodziewał się, iż przybiegnę do niego w podskokach. Poza tym byłam trochę zawiedziona – dlaczego Świętowit spaceruje po Kielcach w przebraniu bezdomnego? Weles ma więcej klasy.

– Przepraszam – powiedziałam, bo chyba tego ode mnie oczekiwał.

– Teraz, gdy już wierzysz w bogów, możemy porozmawiać – powiedział.

Zerknęłam na Sławę. Wciąż stała w kompletnym bezruchu.

– Chcę, byś oddała mi kwiat paproci. Ma zakwitnąć w tę Noc Kupały.

– Wiem.

– Weles już z tobą rozmawiał?

Nie mogłam oderwać wzroku od czerwonego nosa Świętowita. Wyglądał jak typowy bezdomny, których pełno pod Dworcem Centralnym w Warszawie. Zawsze zastanawiało mnie, dlaczego oni wszyscy są tak do siebie podobni.

Bóg miał na sobie szarą ortalionową kurtkę z brudnym kołnierzem, który postawił na sztorc. Skołtuniona siwa broda przykrywała przód podkoszulki, więc nie widziałam jej koloru. Drelichowe spodnie były uszyte ze sztywnego dżinsu, o kroju niemodnym od kilkudziesięciu lat. Stopy miał bose, brudne i pokaleczone. Zaniedbane paznokcie u nóg na moje oko prosiły się o środek przeciwgrzybiczny. Spod przykrótkich spodni wystawały lekko opuchnięte i przebarwione łydki, zupełnie jakby nerki, serce albo wątroba mężczyzny zaczynały już szwankować. Mogłam się założyć, że opuchlizna po dotknięciu zachowałaby się niczym ciasto drożdżowe – ugięła pod dotykiem, a następnie przez dłuższą chwilę pozostała odkształcona.

Tylko od czego bóg mógłby mieć ciastowate obrzęki? On chyba nie może chorować.

– To prawda. Weles już ze mną rozmawiał. – Z trudem oderwałam spojrzenie wyczulonego na patologiczne objawy diagnosty od jego ewidentnie zaniedbanych stóp. – Poprosił mnie o to samo.

– Poprosił? – Świętowit uśmiechnął się złośliwie.

– Faktycznie, nie użył słowa proszę. – Skrzywiłam się.

– Oddaj mi kwiat, a zapewnię ci bezpieczeństwo – powiedział Świętowit.

Podobnie jak Weles nie użył słowa „proszę". Nie czułam się jednak wystarczająco pewnie, żeby mu to wytknąć.

– A jeśli tego nie zrobię? – odważyłam się zapytać.

– Zabiję cię.

Zrobiło mi się słabo, zachwiałam się.

– W jaki sposób Weles usiłuje cię przekonać? – zapytał. Najwyraźniej nie wyobrażał sobie, że mogłabym sama postanowić oddać kwiat bogu podziemi, albo był pewny, że Weles niezwłocznie by go o tym poinformował.

– Nasłał na mnie wąpierza.

– Jesteś w jego mocy? – Zmarszczył brwi.

– Już nie. Zabiłam go.

Sława gwałtownie wciągnęła powietrze. Tym razem nie spojrzałam w jej stronę. Skłamałam. To nie ja odrąbałam wąpierzowi głowę. Jednak oni nie muszą tego wiedzieć. Dla nich powinnam być bezwzględną widzącą, z którą należy się liczyć.

Świętowit uśmiechnął się.

– To dobrze – skwitował.

Postanowiłam wziąć sprawy w swoje ręce. To ja trzymam wszystkie karty, a nie oni. Powinnam wykazać się inicjatywą.

– Oddam ci kwiat, jeśli obiecasz, że będziesz chronił mnie oraz moich bliskich, rodzinę i przyjaciół. Musisz obiecać, że nie stanie się im żadna krzywda, że obronisz ich przed Welesem.

Bóg pokiwał głową.

– Coś jeszcze?

– Nie wolno powiedzieć ci Welesowi, że zawarliśmy układ. Otwarcie mi groził. Jeśli się dowie, że ci uległam, zabije mnie, żebyś nie dostał kwiatu.

– Nie powiem mu ani słowa. Może jednak uznać za podejrzane, jeśli nagle stracę zainteresowanie tobą.

Zmarszczyłam brwi. Miał rację. Czy w takim razie jeśli Weles przestanie się mną interesować w myśl naszego kontraktu, to Świętowit nie nabierze podejrzeń?

– Nadal będę cię śledził. Moje sługi będą podążać za tobą – powiedział stary bóg. – Nie musisz się obawiać. Nie zrobią ci krzywdy. Musimy jednak zachować pozory dla Welesa.

– Rozumiem. Czyli mamy układ?

– Tak. Pamiętaj jednak, że jeżeli go zerwiesz, czeka cię śmierć.

Przełknęłam ślinę. Czułam, jak na mojej szyi zaciska się pętla i zaczyna dusić. Pertraktowałam z oboma bogami. Kupiłam sobie tym trochę czasu, ale co zrobię, gdy nadejdzie Noc Kupały?

– Będę pamiętać.

Świętowit odwrócił się ode mnie i wbił spojrzenie w rozgwieżdżone niebo. Najwyraźniej audiencja dobiegła końca.

– Chodź. – Sława położyła dłoń na moim ramieniu. Dopiero gdy poczułam jej dotyk, zauważyłam, że cała drżę.

Pozwoliłam jej poprowadzić się w głąb lasu. Napięcie powoli zaczęło ze mnie opadać. Czułam się potwornie zmęczona. Gdy byłyśmy już wystarczająco daleko od strumienia i świętego dębu, odważyła się odezwać:

– Mądrze zrobiłaś.

– Mam co do tego wątpliwości – westchnęłam.

Gdzieś w lesie rozległ się skrzeczący dźwięk. Nigdy wcześniej nie słyszałam takiego nawoływania.

– Co to? – zdziwiłam się.

– Samica puszczyka. – Sława zmarszczyła brwi i rozejrzała się niespokojnie.

– Ooo, to one nie pohukują?

– Mogą. Jednak zwykle pohukują tylko samce. Samice skrzeczą. Chodźmy szybciej. Nie wiem, jak długo moje siostry zdołają podtrzymać iluzję.

Praktycznie biegłyśmy przez pogrążony w ciemnościach las, niesiona przeze mnie pochodnia rozbłysła silniejszym płomieniem, gdy wiatr rozdmuchał dogasający ogień.

Nie wiem, skąd Sława znała drogę przez pogrążoną w ciemnościach puszczę. Ja nie wiedziałam, gdzie jesteśmy. Wszystkie mijane drzewa wydawały mi się identyczne.

Po chwili usłyszałyśmy dźwięki muzyki dochodzące z cmentarza. Byłyśmy blisko.

– Poczekaj. – Zatrzymałam przyjaciółkę. – Chcę cię o coś zapytać.

– Tak?

– Co się ze mną stanie, gdy oddam kwiat Świętowitowi?

Sława spojrzała mi prosto w oczy. Z tymi zielonymi włosami i bladą cerą wydawała mi się obca. Nie przypominała mojej najlepszej przyjaciółki, z którą oglądałam filmy i piłam wino, siedząc na kartonach w kieleckim mieszkaniu.

– Nie wiem, co się z tobą stanie.

– Myślisz, że Weles mnie zabije?

– Nie wiem. Bardzo mi przykro, Gosiu, że się w to wplątałaś. Naprawdę cię lubię. Jesteś dla mnie jak siostra. A nie życzyłabym takiego losu własnej siostrze.

Nie wiedziałam, co mogłabym jej odpowiedzieć. Zaczęłam się zastanawiać, co będzie jutro. Wrócimy do naszej codziennej rutyny? Ona będzie udawać, że jest człowiekiem, i pójdzie do baru, a ja pojadę na praktyki? Wszystko zaczęło tracić sens.

– Świętowit obiecał, że będzie cię chronił – powiedziała głośno. – Możesz mu zaufać.

Objęła mnie i mocno przytuliła. Zesztywniałam, gdy poczułam na szyi jej oddech. Nie wiedziałam, co mam zrobić z rękami. Odsunęłam tę, w której trzymałam pochodnię.

– Nie wierz bogom – szepnęła gorączkowo. – To mordercy i kłamcy. Świętowit cię nie ocali, jeśli nie będzie chciał. Nikomu nie wolno ci ufać. Każdy cię zdradzi, byle tylko ratować własną skórę.

– To co mam zrobić?

– Nie wiem.

Odsunęłam ją od siebie na długość ramienia i spojrzałam prosto w oczy. Zobaczyłam, że po policzkach płyną jej zielonkawe łzy.

– Kwiat mnie znajdzie. Zakwitnie tam, gdzie akurat będę. Moim przeznaczeniem jest jego odnalezienie. Chociaż może, gdybym wyjechała...?

Sława otarła łzy i pokręciła głową.

– Przed bogami się nie ukryjesz... Jedna z moich sióstr próbowała kiedyś uciec. Pokochała śmiertelnika, była taka szczęśliwa. Wyjechali razem, a potem przepłynęli ocean. Dla mnie taka podróż to coś niesamowitego. Zupełnie jak dotarcie do innego świata.

– I co? – dopytywałam, chociaż znałam odpowiedź.

– Świętowit ją znalazł. To bóg. Gdy tylko zapragnie, może być wszędzie. Zabił jej ukochanego, a ją przeklął i zamienił w brzozę. Rośnie gdzieś tam, daleko, w innym świecie, z dala od swoich sióstr. Jej karą jest wieczna samotność.

Zadrżałam. Zamiana w drzewo wydawała mi się czymś bardzo okrutnym.

– A co, jeśli ktoś zetnie brzozę? – Mój głos zabrzmiał głucho.

– Wtedy będzie cierpieć. – Po jej policzkach popłynęły kolejne łzy. – Nie wiem. Chyba umrze jeszcze raz. Jej dusza zniknie. My, rusałki, nie mamy wstępu do Nawi. Jesteśmy przeklęte tak samo jak wszystkie inne boginki i demony... Gosia...?

– Tak?

– Naprawdę zabiłaś wąpierza?

– On chciał mnie skrzywdzić.

Pokiwała smutno głową.

– Wiem, że zrobiłaś to, żeby ratować siebie, ale zrozum, że ciężko mi to przyjąć do wiadomości. On był taki jak ja.

– On nie był taki jak ty – zaprotestowałam. – Torturował mnie. Ten ślad na policzku to zasługa jego pazura, a nie kota szeptuchy. Karmił się moją krwią i strachem. Nie powinnaś mu współczuć.

Zmartwiała. Nie wiem, czego się spodziewała po zachowaniu wąpierza, na dodatek sługi Welesa.

– O bogowie – wydusiła. – Nie wiedziałam. Przepraszam.

– Pójdę już. – Odwróciłam się w stronę światła prześwitującego pomiędzy drzewami. – Pewnie się o mnie martwią.

– Spokojnie. Jeszcze nie zauważyli, że zniknęłaś na tak długo. – Stanęła obok mnie. – Rusałki rzuciły na nich mocny czar.

– Myślisz, że nie spanikowali na widok twoich sióstr z zielonymi włosami? – zaśmiałam się.

– Jeśli chcemy, możemy być niewidoczne. – Puściła do mnie oko. – Nie wiedzą, że wśród nich tańczą boginki. Najwyżej mogą się zastanawiać, kto użył tak silnie erogennych ziół.

Aż mi się żołądek przewrócił.

– To znaczy, że twoje siostry zrobiły tam małą orgię? Z tymi starcami? Wstydźcie się.

Zachichotała radośnie i klasnęła w dłonie. Dźwięk był zaskakująco głośny. Echo powtórzyło go kilka razy.

– Nie wszyscy są tam tacy starzy. Jest kilka osób po czterdziestce.

– A także jedna tysiąc plus – zakpiłam.

– Uważaj na niego. On też chce dostać kwiat.

– Nie kryje się z tym.

– Wiem, co do niego czujesz.

– Nic do niego nie czuję – skłamałam.

Pomiędzy drzewami pojawiły się rusałki wezwane klaśnięciem Sławy. Tanecznym krokiem pobiegły w głąb lasu. Gdy ich radosny chichot ucichł, moja przyjaciółka powiedziała:

– Przecież widzę. Pamiętaj tylko, że Mieszko nie ma ci nic do zaoferowania. Jeśli dasz mu kwiat, on umrze. Kto cię wtedy ochroni przed gniewem bogów?

– Ja... – urwałam.

– Idź już na zabawę. – Pocałowała mnie w policzek na pożegnanie. – Moje siostry rzuciły na cmentarz swój czar. Wszyscy są w wesołym, rusałczym nastroju. Nawet twój poważny Mieszko.

– Wątpię, że twój czar cokolwiek da – prychnęłam.

– Jeżeli on coś do ciebie czuje, to mój czar zadziała świetnie. Pamiętaj, że rusałki nie potrafią nikogo zmusić do miłości. Możemy jedynie rozdmuchać tlące się już uczucie. Idź do swojego kochanka.

– To... do zobaczenia?

– Do zobaczenia. Aha! I liczę, że potem mi wszystko opowiesz, łącznie z pikantnymi szczegółami. – Zachichotała.

– Prędzej umrę!

– Zaczął się Rusałczy Tydzień. Będę miała teraz trochę roboty. Wiesz, muszę pobiegać po lesie i takie tam – powiedziała niefrasobliwie, jakby było to coś całkiem normalnego. – Masz mieszkanie dla siebie. Pojawię się dopiero za kilka dni.

Już miałam odejść, kiedy coś mi się przypomniało.

– Zaraz, zaraz, Sława, a zapłaciłaś czynsz?

– Eee... a byłabyś tak miła?

Pewne rzeczy się nie zmieniają. Nawet kiedy okaże się, że twoja najlepsza przyjaciółka jest rusałką.

47.

Gdy weszłam na cmentarz, pierwsze, co zauważyłam, to unoszący się nad ogniskiem purpurowy dym. Iskrzące się kłęby falowały i wznosiły powoli do góry. Pomimo wiatru wzlatywały pionowo, jakby miały własną wolę.

Na każdym grobie paliła się mała lampka oliwna, a nagrobki przystrojone były wieńcami ze świeżych kwiatów. Nie było ich, gdy opuszczałam to miejsce. Najwyraźniej rusałki postanowiły nadać uroczystości świąteczną oprawę i przystroić cmentarzyk.

Owionął mnie zapach ziół i kwiatów. Załaskotało mnie w nosie, a oczy zaczęły łzawić. Kichnęłam. Nie musiałam długo czekać na efekt czaru rzuconego przez rusałki. Wszystkie barwy stały się nagle bardziej jaskrawe, płomienie mieniły się kolorami tęczy. W głowie zaczęło mi się kręcić. Zmęczenie, które odczuwałam jeszcze przed chwilą, zupełnie zniknęło.

Chociaż ludzie siedzący przy ognisku grali tylko na skrzypcach i akordeonie, ja wyraźnie usłyszałam bęben, flet i harfę. Melodia miała w sobie coś mistycznego i pradawnego. Zrozumiałam, że to była muzyka tego lasu, cmentarzyska ukrytego w jego głębi.

Gdzieś blisko mnie cichutko rozbrzmiały dzwonki. Zdałam sobie sprawę, że ten dźwięk wydały kwiaty konwalii w moim wianku. Dotknęłam palcami ich delikatnych białych płatków. Znowu usłyszałam dźwięk dzwonków.

Magia.

Podeszłam do ogniska. Przez płomienie przeskoczył jakiś nieźle trzymający się pięćdziesięciolatek. Sława miała rację, niektórzy guślarze i szeptuchy wcale nie byli aż tacy starzy, jak mi się wydawało. Gdy kobiety zdjęły z głów kwieciste chusty, okazało się, że spora część nie ma nawet jednego siwego włosa. Mężczyzn z kolei niesłusznie postarzały obowiązkowe brody i wąsiska. Bardzo niehigieniczne, jeśli mam byś szczera – to zupełnie co innego niż kilkudniowy zarost Mieszka.

Właśnie! Mieszko.

Gdy tylko o nim pomyślałam, stanął obok mnie.

– Długo cię nie było.

– Nie, wydaje ci się – żachnęłam się.

– Kiedy zniknęłaś, ktoś musiał wsypać coś do ognia – wyznał, rozglądając się dookoła. – Wszyscy zwariowali.

– W końcu to Zielone Świątki – zaśmiałam się niefrasobliwie.

– Aż strach pomyśleć, co będą robić w Noc Kupały – skwitował.

Podeszliśmy do kamiennej ławki. Baba Jaga umościła się na jej oparciu i chrapała w najlepsze, ściskając w dłoni butelkę miodu. Delikatnie wyjęłam naczynie z jej rąk, żeby niechcący go nie stłukła. Dopiłam resztę trunku. Mieszko nie spuszczał wzroku z moich ust. Połechtało to moją próżność.

– A jej co się stało? – zapytałam.

– Niektórzy tak zareagowali. – Wzruszył ramionami.

Zerknęłam na Mszczuja. Siedział z odgiętą do tyłu głową i obficie się ślinił. Obrzydliwość.

Usiadłam i odetchnęłam nasączonym ziołami i czarami powietrzem. Znowu zakręciło mi się w głowie, a po słodkim trunku poczułam pragnienie.

– Masz coś do picia? – zapytałam.

– Tylko miód – skrzywił się. – Od tego dymu drapie w gardle. Mszczuj wyżłopał całą wodę, którą zabraliśmy. Szeptucha niczego nie wzięła?

– Nie. Ona zawsze zabiera tylko alkohol.

I kanapki z jajkiem.

Niechętnie napiłam się podanego miodu. Mieszko miał rację. Dym drapał w gardło i sprawiał, że chciało się pić. Zastanowiło mnie to. Może to było jego celowe działanie? Przyjrzałam się uważnie siedzącemu obok mnie mężczyźnie.

Nie przypominał teraz poważnego władcy. Jego wąskie wargi uśmiechały się kpiąco, gdy przyglądał się, jak guślarze przeskakują przez płomienie, a szeptuchy tańczą do hipnotycznej melodii wygrywanej przez muzyków. Bezwiednie tupał jedną nogą do rytmu. Jego oczy błyszczały, miał rozszerzone źrenice. Przy ogniu było gorąco. Rozwiązał rzemyki białej płóciennej koszuli pod szyją i rozsunął materiał. Na głowie ciągle miał kaptur.

Miałam obok siebie Dagome. Z łatwością mogłam go sobie wyobrazić, gdy po bitwie świętuje ze swoimi wojami, swoją dzielną drużyną wikingów. Nie pasował mi do wyobrażenia poważnego władcy z obrazów, ubranego w gronostaje, z mieczem w ręku i ciężką koroną na czole.

Zsunęłam mu z głowy kaptur.

– Czyżbyś chciał mnie upić? – zapytałam, pociągając łyk.

Alkohol powoli uderzał mi do głowy. A może to nie alkohol? Może to ta noc i jego obecność?

W odpowiedzi tylko się zaśmiał.

Dźwięki skrzypiec na zmianę wznosiły się i opadały ekstatycznie. Flet i harfa coraz wyraźniej wdzierały się do moich uszu. To one zdawały się nadawać rytm. Hipnotyzująca melodia uwiodła także i mnie.

Przez chwilę poczułam się wolna. Taka naprawdę wolna od trosk i zmartwień. Pomyślałam, że przez najbliższe tygodnie nie będę musiała się niczym martwić. Kupiłam sobie dużą ilość czasu. Powinnam spędzić go tak, by potem nie żałować, że nadchodzi śmierć.

Poczułam, że robi mi się lżej na duszy. Westchnęłam zadowolona.

– Zatańczmy – zaproponowałam Mieszkowi.

Myślałam, że odmówi. Już kiedyś tłumaczył mi, że nie tańczy. Jednak teraz, ku mojemu zdziwieniu, zgodził się bez oporów. Nawet nie musiałam go przekonywać. Uśmiechnęłam się pod nosem. Podobało mi się działanie rusałczych czarów.

Przyłączyliśmy się do wirujących wokół ognia par. W głowie kręciło mi się coraz mocniej. Jedna ze starszych kobiet uniosła dłonie i zaczęła śpiewać czystym mocnym głosem. Mężczyźni rytmicznie klaskali i pokrzykiwali.

Nagle poczułam silny poryw wiatru, który przemknął pomiędzy tańczącymi. Przez chwilę wydawało mi się, że słyszę chichot Sławy. Poza mną chyba nikt tego nie zauważył.

Kapłani skakali przez płomienie. Kobiety wirowały wokół ognia. Któraś z nich złapała mnie za rękę i pociągnęła za sobą do tańca po okręgu.

Mieszko zniknął mi z oczu.

Muzyka była coraz szybsza. Krew dudniła mi w żyłach do rytmu. Skóra mrowiła, gdy umysł opanowało szaleństwo. Miałam ochotę krzyczeć.

Nagle Mieszko przeskoczył ognisko i wylądował tuż obok mnie. Złapał mnie w pasie i odciągnął od tańczących, którzy zdawali się w ogóle nas nie zauważać. Przepchnęliśmy się między ludźmi. Minęliśmy kamienne ławki i zatrzymaliśmy się przy jednej z kolumn. Pochodnia nad naszymi głowami syczała cicho.

Przytuliłam się do niego. Oddychał ciężko. Jego pierś unosiła się, gdy brał coraz to nowe hausty pachnącego ziołami powietrza. Usłyszałam mocne bicie jego serca.

– Wreszcie cię znalazłem – powiedział.

– Skoczyłeś przez ogień – powiedziałam kompletnie bez sensu.

– A ty nie chcesz spróbować?

– Prędzej umrę. Nie zamierzam spłonąć. Widziałeś, jak daleko sięgają te płomienie? Cud, że jeszcze nikt się nie podpalił – plotłam.

– Musisz przestać być taka poważna. Już ci mówiłem, że nie możesz wszystkim się martwić.

– I kto to mówi, panie poważny?

Jego uśmiech skamieniał, a oczy spochmurniały. Zrobiło mi się głupio. Jestem mistrzynią psucia nastroju. Czemu chociaż raz nie potrafię powstrzymać się od mówienia?!

– Przepraszam, ja...

Pochylił się i pocałował mnie. Jego usta delikatnie musnęły moją skroń, by przesunąć się powoli wzdłuż cienkiej blizny ciągnącej się w poprzek policzka i zatrzymać na ustach. Uchyliłam wargi i oddałam mu się.

Ogień w moich żyłach zamienił się w pożar ogarniający całe ciało. Objęłam go za szyję i mocno przyciągnęłam do siebie. Zaskoczony moją reakcją złapał mnie w pasie i uniósł lekko. Stanęłam na palcach.

Krew ciągle dudniła mi w żyłach. Pulsująca muzyka dopasowała się do szybkiego bicia serca. Pod dłonią miałam szyję Mieszka. Czułam, że jego tętno drga w dokładnie tym samym tempie.

Odsunęliśmy się od siebie. W jego oczach zobaczyłam to samo szaleństwo, które mnie zdążyło już ogarnąć i pochłonąć.

– Już nie mogę.

– Ja też.

Szum w uszach narastał. Pocałował mnie.

– Nie chcę cię skrzywdzić – wyszeptał w moje usta.

– Nie skrzywdzisz. Chcę tego.

Mieszko sięgnął po pochodnię zatkniętą w metalowy uchwyt. Wziął mnie za rękę i poprowadził pomiędzy nagrobkami. Zaczęliśmy biec. Minęliśmy usypane z kamieni kurhany, a następnie kamienne grobowce.

Mimo że oddalaliśmy się od ogniska, dźwięki muzyki wcale nie stawały się cichsze. Słyszałam je wyraźnie, jakbyśmy stali obok muzykantów. Dzwonki na mojej głowie dźwięczały przy każdym kroku.

Wyszliśmy z cmentarza. Kilkanaście metrów dalej kończył się las, a zaczynało gołoborze. Poszarpane kamienie migotały zatopionymi w nich kryształami kwarcu. Pomiędzy skałami, na małych poletkach ziemi, rosły konwalie. Czuć było ich ciężki, zmysłowy zapach.

Mieszko zatrzymał się na porośniętej trawą granicy pomiędzy lasem a warstwą wielkich kamieni. Zatknął pochodnię między głazy.

Całując się, opadliśmy na miękkie poszycie. Dotknęłam leżącego obok kwarcytu. Był ciepły. Nagrzał się za dnia, a teraz oddawał nocy swój żar.

– Gosia...

Tym razem ja mu przerwałam. Przyciągnęłam go do siebie i zamknęłam mu usta pełnym pożądania pocałunkiem. Ubrania zaczęły nam przeszkadzać. Zdzieraliśmy je z siebie w pośpiechu.

– Słyszysz muzykę? – zapytałam.

– Słyszę...

Sięgnęłam do włosów. Zdjęłam wsuwki i wianek. Rzuciłam go w powietrze, śmiejąc się głośno. Dzwoniąc wesoło, poszybował ponad kamieniami.

Pochyliłam się nad leżącym na plecach Mieszkiem. Moje włosy opadły na jego nagą skórę. Obsypałam ją pocałunkami. Delikatnie dotknęłam tatuażu na jego ramieniu. Czarny znak był dobrze widoczny na złotej skórze.

Poczułam się niczym mityczna rusałka: piękna i niebezpieczna. Wiedziałam, że dziś w nocy ten mężczyzna należy do mnie. Tylko do mnie.

– Gosiu – szepnął, odgarniając mi włosy z twarzy.

– Tak?

– Chcę być twoim Dagome.

Zamrugałam zaskoczona. Chciałam się cofnąć, ale przytrzymał mnie w pasie. Czy on właśnie na swój sposób wyznał mi, że mnie kocha?

– Nie uciekaj ode mnie. Proszę.

– Chcę być twoja – wyznałam.

Nie zamierzałam uciekać. Na pewno tego nie planowałam, ale musiałam mu jeszcze coś powiedzieć, zanim słowa staną się zbędne.

– Oddam ci kwiat – szepnęłam. – Ale nie wolno ci nikomu o tym powiedzieć. Obiecaj.

– Obiecuję.

Okłamałam Welesa.

Okłamałam Świętowita.

A czy okłamałam też mężczyznę, którego kocham ponad życie?

Epilog

Gałąź ugięła się pod ciężarem sowy. Miała szare ubarwienie, grzbiet cętkowany na jasnobrązowo i płowy, kreskowany brzuch. Na pierwszy rzut oka wyglądała jak puszczyk zwyczajny.

Otworzyła oliwkowy, ostro zakończony dziób, ale nie wydała żadnego dźwięku. Po chwili go zamknęła. Nie chciała przestraszyć swoich ofiar żadnymi odgłosami.

Nie miała charakterystycznych dla puszczyków czarnych oczu, tylko czerwone.

Czerwone jak krew.

Samica puszczyka nie spuszczała wzroku z pary kochanków. Nie słyszała, o czym rozmawiali. Dla niej ważniejsze były czyny.

I chciała, żeby mężczyzna zapłacił za to, co właśnie robił.

By zapłacił za to bardzo wysoką cenę.

W cyklu *Kwiat paproci* ukazały się
Szeptucha
Noc Kupały
Żerca

W przygotowaniu tom czwarty
Przesilenie

Podziękowania

Pomysł na *Szeptuchę* pojawił się w okresie, gdy pisałam trylogię przygód diablicy Wiktorii. Pierwszy szkic fabuły nakreśliłam w 2009 roku, a przez ostatnie cztery lata zbierałam materiały i walczyłam z niepokornymi bohaterami, którzy kompletnie mnie nie słuchali. *Szeptucha* urosła w tym czasie do rangi mojej tajemniczej nemezis, wroga czającego się na pulpicie laptopa, który spogląda na mnie z pretensją, że się nim należycie nie zajmuję. Wreszcie postanowiłam ostatecznie się z nim zmierzyć. W tym czasie mogłam liczyć na wiele ważnych dla mnie osób, które pomogły mi w pracy i wzmocniły moją wiarę w siebie.

Mamo Barbaro, Tobie jak zwykle należą się największe podziękowania. To Ty zagrzewałaś mnie do pisania i niezmiennie powtarzałaś przez te lata, że *Szeptucha* ma ogromny potencjał. Gdyby nie Ty, kto wie, czy nie porzuciłabym tego pomysłu.

Babciu Mirosławo i mój drogi Mężu Janku – dziękuję Wam za to, że byliście przy mnie, wspieraliście mnie i znosiliście moje humory. Mojemu kochanemu Dziadkowi Wacławowi nie zdążyłam już podziękować. Mam nadzieję, że jeszcze kiedyś spotkamy się w innym świecie.

Dziękuję mojej Rodzinie z Bielin, dzięki której powieść zyskała wiele interesujących szczegółów. Mamo Renato i Tato Piotrze, gdyby nie pożyczone od Was książki na temat regionalnych zwyczajów, dawnego języka i historii Kielecczyzny, ta książka byłaby o wiele uboższa. Dziękuję Wam za wyczerpujące odpowiedzi na temat Bielinianki (którą na potrzeby powieści odrobinę poszerzyłam) i źródełka w Parku Świętokrzyskim. Mamo, Tobie zwłaszcza dziękuję za przepisy na nalewki – i te lecznicze, i te na poprawę humoru, z których lubi korzystać wymyślona przeze mnie Baba Jaga.

Mojej pięcioletniej Szwagierce Zuzi Zając dziękuję za wspólne spacery po Świętokrzyskim Parku Narodowym w poszukiwaniu źródła. Nie udało nam się nigdy dotrzeć do żadnego magicznego dębu, ale jestem pewna, że gdzieś tam jest, ukryty głęboko w lesie. Koniecznie musimy wybrać się na kolejny spacer – obiecuję, że do tego momentu popracuję nad kondycją (tak, tak – pięciolatka ma więcej werwy ode mnie, tak to jest, kiedy całymi dniami siedzi się przed komputerem).

Drugiej Szwagierce Gosi Zając dziękuję za użyczenie imienia i długich włosów mojej głównej bohaterce, a także za to, że była pierwszą recenzentką. Nie martw się – hipochondria i paranoja na punkcie kleszczy to cechy, które Gosława Brzózka dostała ode mnie.

Dziękuję także moim wiernym Czytelnikom za to, że są ze mną od tylu lat. Mam nadzieję, że ta książka sprawi Wam wiele radości i porwie Was do barwnego świata bogów i boginek, który mnie zafascynował.

Redakcja: Anna Sidorek
Korekta: Artur Kaniewski, Magdalena Marciniak
Zdjęcie wykorzystane na I stronie okładki:

Projekt okładki i stron tytułowych: Izabella Marcinowska
Skład i łamanie: Dariusz Ziach

Druk i oprawa: Interdruk, Warszawa

Książkę wydrukowano na papierze Creamy
dostarczonym przez
ZiNG

Grupa Wydawnicza Foksal Sp. z o.o.
00-391 Warszawa, al. 3 Maja 12
tel./faks (22) 646 05 10, 828 98 08
biuro@gwfoksal.pl
www.gwfoksal.pl

ISBN 978-83-280-2662-9